Seduzida até domingo

CATHERINE BYBEE

Seduzida até domingo

Noivas da Semana
LIVRO 6

Tradução
Andréia Barboza

6ª edição

Rio de Janeiro-RJ / São Paulo-SP, 2024

VERUS
EDITORA

Editora
Raïssa Castro

Coordenadora editorial
Ana Paula Gomes

Copidesque
Maria Lúcia A. Maier

Revisão
Cleide Salme

Capa, projeto gráfico e diagramação
André S. Tavares da Silva

Foto da capa
Pindyurin Vasily / Shutterstock (noiva)

Título original
Seduced by Sunday

ISBN: 978-65-5924-041-8

Copyright © Catherine Bybee, 2015
Todos os direitos reservados.
Edição publicada mediante acordo com Amazon Publishing, www.apub.com, em colaboração com Sandra Bruna Agencia Literaria.

Tradução © Verus Editora, 2017
Direitos reservados em língua portuguesa, no Brasil, por Verus Editora. Nenhuma parte desta obra pode ser reproduzida ou transmitida por qualquer forma e/ou quaisquer meios (eletrônico ou mecânico, incluindo fotocópia e gravação) ou arquivada em qualquer sistema ou banco de dados sem permissão escrita da editora.

Verus Editora Ltda.
Rua Argentina, 171, São Cristóvão, Rio de Janeiro/RJ, 20921-380
www.veruseditora.com.br

CIP-BRASIL. CATALOGAÇÃO NA FONTE
SINDICATO NACIONAL DOS EDITORES DE LIVROS, RJ

B997s

Bybee, Catherine, 1968-
  Seduzida até domingo / Catherine Bybee ; tradução Andréia Barboza. - 6. ed. - São Paulo [SP] : Verus, 2024.
  23 cm.   (Noivas da Semana ; 6)

Tradução de: Seduced by Sunday
ISBN: 978-65-5924-041-8

  1. Romance americano. I. Barboza, Andréia. II. Título.
III. Série.

17-44572
                             CDD: 813
                             CDU: 821.111(73)-3

Revisado conforme o novo acordo ortográfico

Seja um leitor preferencial Record.
Cadastre-se no site www.record.com.br e receba informações sobre nossos lançamentos e nossas promoções.

Atendimento e venda direta ao leitor:
mdireto@record.com.br ou (21) 2585-2002

*Para Meg...
E por que não?*

— **SE UM DIA EU** decidir deixar o ramo de encontros, posso pensar em ser cerimonialista. — Meg Rosenthal ergueu a taça e sorriu para a noiva que passava.

— Se tivesse planejado essa festinha, você não estaria ao meu lado bebendo champanhe. — Eliza Billings, primeira-dama do estado da Califórnia, apoiou a mão na barriga de seis meses que não parava de crescer. Sua gravidez era exibida com a graça e a elegância de uma mulher do seu nível. Os longos e brilhantes cabelos pretos deslizavam pelas costas, em contraste com o chanel loiro e os olhos cor de âmbar de Meg. — Você estaria correndo atrás da Shannon, lembrando a hora de ela cortar o bolo e jogar o buquê.

Shannon Redding, agora Shannon Wentworth, era a noiva do dia. Ela havia se casado com Paul Wentworth, o candidato republicano a governador. O marido de Eliza, Carter Billings, deixaria o cargo em pouco mais de um ano e meio. Paul e Shannon Wentworth firmaram um contrato de casamento que duraria dois anos, a não ser que ele não conseguisse se eleger. O eleitorado preferia que os políticos fossem homens de família. Como Paul estava pronto para concorrer ao cargo, mas não para se casar, ele contratou a Alliance para conseguir uma noiva adequada. Com um pouco de sorte, depois que Paul cumprisse os quatro anos de mandato, a população da Califórnia acreditaria em sua capacidade como governador, mesmo sendo divorciado.

Eliza estava certa. Meg preferia arranjar casamentos temporários, como o de Paul e Shannon, a escolher locais e detalhes de decoração de festas de casamento. Seu trabalho era muito mais fácil e lucrativo.

Paul vinha de uma longa linhagem de políticos. Era rico, charmoso e influente. Infelizmente, sua preferência por um certo tipo de mulheres muitas vezes o levara à primeira página dos tabloides, em vez de ao *Wall Street Journal*.

Shannon também vinha de uma família de advogados e aspirantes a políticos. No entanto, para a consternação de seus pais, ela nunca quis estudar direito. Sua paixão era a fotografia. Mas fotos não pagavam as contas, e sua família não estava disposta a bancar sua vida se ela quisesse desperdiçá-la atrás de uma câmera.

Shannon era o tipo de cliente que a Alliance adorava recrutar: simpática, inteligente, equilibrada e determinada a viver segundo suas próprias regras. Um acordo pré-nupcial, além de um contrato particular que só os advogados da Alliance e de Paul conheciam, ligava o feliz casal muito antes do dia do casamento. Paul assumiria Shannon como esposa e cuidaria de todas as suas necessidades durante a união. Quando eles se separassem, depois de dois anos, ela teria seis milhões de dólares no banco e não precisaria da ajuda financeira de sua família.

Meg se afastou quando Carter surgiu ao lado da esposa, deslizando um braço ao redor de sua cintura.

— A mulher mais bonita da festa — ele disse, alto o suficiente para Meg ouvir.

Eliza se aconchegou ao marido e corou. Era de imaginar que, depois de mais de seis anos de casada e com um bebê a caminho, uma mulher não ficaria mais vermelha com um elogio do marido, mas, aparentemente, Meg estava errada.

O tilintar de taças encheu o salão. A atenção dos convidados se desviou para o casal, que era obrigado a se beijar sempre que alguém brindava.

Meg observou com interesse enquanto Paul abaixava a taça e alcançava sua noiva. Com exceção dela e dos Billings, todos achavam que eles haviam se casado por amor e que seria para sempre. O beijo na igreja foi breve. Doce, mas breve. Como seria agora?

Paul tirou a taça da mão de Shannon e ofereceu um sorriso divertido antes de encostar os lábios nos dela.

Meg começou a contar. *Um, dois, três...* a palma da mão de Shannon agarrou a lapela do terno dele... *quatro...*

— Interessante — Eliza sussurrou quando eles se afastaram e a contagem chegava a seis.

Shannon estava ruborizada, e Paul ficou encarando-a com os olhos em chamas.

Meg se inclinou na direção de Carter.

— Que tal lembrar as regras para o seu amigo?

Ele balançou a cabeça e ergueu as duas mãos no ar.

— Não faz parte do meu trabalho.

As regras eram simples. A Alliance arranjava casamentos, não relacionamentos de ordem sexual. Se o contrato resultasse em sentimentos verdadeiros ou temporários, a agência não lidava com custódias de filhos. Era isso e ponto-final. Como Samantha — ou Sam, conforme os amigos a chamavam —, a proprietária da Alliance, sempre dizia: se os noivos decidissem manter o casamento após o período do contrato, que fossem felizes e dessem seu nome ao primeiro filho. Ou, nesse caso, o nome de Meg, já que fora ela quem havia agenciado o casamento.

Carter puxou Eliza para a pista de dança, e Meg foi até a noiva. Ela sabia que, à medida que a noite avançava, teriam pouco tempo para conversar.

— Vocês dois pareceram bem próximos — Meg sussurrou assim que puxou Shannon para um canto.

A noiva se abanou e o sorriso mantido durante toda a festa não se desfez.

— Ele era um mulherengo antes de virar político.

Meg bateu no ombro dela.

— Não se esqueça disso.

— Nem precisa me dizer. Certas coisas são esperadas. Mas a nossa lua de mel vai ser mais fácil.

— Para onde vocês vão?

— Um resort privado e muito chique em Keys. Um monte de celebridades e pessoas que querem fugir de badalação escolhem esse lugar como refúgio. A segurança é de primeira e todos os clientes são pré-selecionados.

— Pré-selecionados para quê? — E quem pagaria para viajar a um lugar onde alguém manda verificar seus antecedentes?

— Para evitar repórteres ou paparazzi, que podem divulgar informações sobre quem está lá, com quem, esse tipo de coisa. Reservamos um bangalô de dois quartos, isolado na praia e muito discreto. A imprensa não vai estar lá para ver ou deixar de ver o que quer que seja.

Interessante.

— Acho que eu devia conhecer esse resort... — Parecia o lugar perfeito para encontrar novos clientes ou garantir que os atuais tirassem férias sem toda a atenção da imprensa.

— Parece um achado para o seu trabalho — Shannon disse.

Era um achado, não era? A Alliance precisava de lugares como esse no mundo todo.

Paul se aproximou. A gravata pendia do colarinho, e o sorriso fácil e charmoso que fazia muitas mulheres enlouquecerem se voltou para Shannon.

— Achei que você já tinha me deixado.

Ela revirou os olhos e não vacilou quando ele colocou a mão em suas costas.

Paul olhou para Meg e deu uma piscadinha. Riu quando ela estreitou os olhos e franziu o cenho.

— Precisamos cortar o bolo — ele disse para a sua noiva temporária.

Antes que se afastassem, Meg estendeu o dedo para Paul.

— Comporte-se.

Ele piscou um olho novamente.

Meg sabia que esse verbo simplesmente não constava no vocabulário de Paul Wentworth.

O Villa Sapore di Amore era muito mais que um hotel.

Era uma ilha. Uma ilha particular que ficava entre duas maiores. Chegar até lá exigia um voo particular ou um barco fretado no continente. Helicópteros eram o meio de transporte favorito das pessoas que queriam aproveitar o sol do Caribe sem o flash das câmeras dos paparazzi.

Com as fotos que Shannon enviara depois que ela e Paul voltaram do resort, Meg começou a organizar sua viagem para o Sapore di Amore.

Conseguiu com Sam a verba de que necessitava para a viagem e o jatinho particular de Blake para voar até lá.

Agora, só precisava da companhia de alguém influente.

Então lembrou que Michael Wolfe, um dos maiores astros de Hollywood, era irmão de Judy, sua melhor amiga.

Todas as mulheres eram loucas por ele. O problema era que ele não jogava nesse time, fato que Meg percebera após entrar para a Alliance.

O choque atingiu Meg pouco depois de a amiga se casar com Rick Evans, por quem era apaixonada.

Elas estudaram juntas na faculdade e então se mudaram para o sul da Califórnia. Estavam seguindo carreiras diferentes: Judy crescia na área de arquitetura, enquanto Meg não tinha ideia do que faria com o diploma de administração. A sorte e o momento a fizeram conhecer Samantha Harrison e a Alliance. Ela jamais imaginara trabalhar em uma agência de relacionamentos quando estava estudando. No entanto, o trabalho se encaixou perfeitamente para ela.

Tudo bem, talvez não perfeitamente.

Tendo crescido com poucos recursos, muitas vezes era difícil se misturar aos ricos e famosos. Mas, nos últimos dois anos, ela conseguiu fazer exatamente isso. Encontrou vários clientes: homens ricos e mulheres dispostas a fazer parte do cadastro da Alliance.

Assim que Meg provou a Sam que era confiável, descobriu os segredos da Alliance. Soube que Michael havia se casado com uma mulher por meio da agência só para afastar boatos sobre sua vida pessoal.

A carreira dele era lucrativa. Girava em torno de trinta a quarenta milhões por filme, e Hollywood gostava que seus galãs fossem heterossexuais.

Michael contou para algumas pessoas da família e da Alliance a respeito da sua sexualidade. Seus pais e o restante do mundo não faziam ideia.

Na opinião de Meg, provavelmente ele manteria suas preferências sexuais escondidas nos próximos anos.

Então, quando ela perguntou se ele estava interessado em brincar de gato e rato na ilha, Michael ficou feliz em aceitar.

Quando ela contou que o resort era uma área livre de paparazzi e que estava indo até lá em missão de reconhecimento para determinar se o lugar realmente guardava segredos, ele ficou ainda mais intrigado.

Só havia um probleminha. Meg não passou na verificação de antecedentes do hotel.

Ou, pelo menos, foi assim que ela traduziu a carta de Valentino Masini. O cara era folgado.

> Prezada,
> Embora tenhamos aceitado a inscrição de Michael Wolfe, ainda não conseguimos verificar as credenciais de Margaret Rosenthal. Aceitamos as referências dos últimos dezoito meses, mas ainda estamos averiguando a cronologia anterior. Por favor, aceite nossas desculpas enquanto continuamos as pesquisas.

Esteja certa de que os hóspedes do Villa Sapore di Amore são
respeitados e a privacidade de todos eles é de extrema importância.
Como será a sua, caso se junte a nós.
Devemos ter uma resposta ao seu pedido nas próximas semanas.
Cordialmente,
Valentino Masini

Ela reconhecia uma carta-padrão quando a via. Insira um nome aqui, omita outro ali. O fato era que, antes da Alliance, Meg não era ninguém.

Na realidade, ela ainda não era ninguém. Conhecia algumas pessoas influentes e bem-sucedidas, mas seus amigos mais próximos também estavam na categoria "ninguém".

Cartas como essa provocavam muita insegurança. Ela vivia em meio à elite, usava as mesmas roupas, compradas nas mesmas butiques, voava em aviões particulares, mas não era um deles.

Pelo menos ainda não.

A rejeição abriu um buraco em seu estômago e fez sua pele se eriçar.

Como esse Valentino se atrevia a rejeitá-la? Valentino! Que tipo de nome era esse?

Nome artístico, ela decidiu. Para causar impacto. Com certeza não era seu nome de batismo.

Além disso, provavelmente fora a secretária de Valentino quem escrevera a carta.

Era muito provável que ele fosse um velho careca, que vivia em algum prédio mofado de tijolos na Itália, onde o sol o deixava fedendo a almíscar.

— "Caso se junte a nós" uma ova — Meg falou, enquanto respondia ao e-mail.

Prezado sr. Masini,
Embora eu compreenda plenamente a sua preocupação e respeite a
questão da privacidade, o senhor poderá ver, pelas minhas
referências e meu companheiro de viagem, que discrição e segurança
são tão importantes para mim quanto para o senhor. Se não mais.
Não pretendo parecer esnobe, mas me parece necessário tomar medidas
a fim de agilizar a nossa reserva.

Talvez o senhor saiba quem são Carter e Eliza Billings. Eu poderia sugerir que ligasse para a mansão do governador, mas a equipe de lá não passaria sua ligação.

Anexo, envio o número do telefone particular dos dois. Estou certa de que o senhor entende a necessidade de esses números permanecerem em segredo.

Espero seu retorno em breve.

Atenciosamente,

Srta. Rosenthal

— Babaca — Meg murmurou consigo mesma antes de telefonar para Eliza.

Ao terminar a ligação com a esposa do governador, desligou o computador e entrou na cozinha.

Sua chefe e a primeira-dama já haviam morado na casa de Tarzana. A Alliance tinha um endereço fixo, mas as pessoas que a gerenciavam no dia a dia mudavam com o passar dos anos. Já haviam dito para Meg que quem dormia na suíte principal da casa se casava logo em seguida. A evidência ficava por conta dos votos trocados pelas funcionárias da Alliance ao longo dos anos.

Desnecessário dizer que Meg não dormiu no quarto principal. Ela sempre se sentira atraída por homens que não podiam lhe oferecer nada, emocional ou financeiramente. Pensar em casamento e no felizes para sempre lhe dava comichão.

Ela não pretendia encontrar um companheiro de vida. Morar no mesmo lugar em que trabalhava, no entanto, fazia todo o sentido.

Quando começou a trabalhar para Sam, Meg chegou a pensar que talvez pudesse aderir ao lance de esposa por conveniência. O que havia de errado em encontrar um marido temporário que lhe pagasse uma bolada ao final de um ano?

Então ela percebeu que poderia ganhar um bom dinheiro arranjando casamentos e viver sua vida como achasse melhor.

Talvez fosse superstição, ou talvez fosse o cheiro da maconha que seus pais adoravam fumar que se infiltrava ali, mas Meg não dormia no quarto principal, por medo de que o cômodo fosse amaldiçoado.

Ela guardava o dinheiro que ganhava e viajava algumas vezes para ver os pais. Pagou seus empréstimos estudantis — coisa que achou que nunca conseguiria fazer, pois sempre assumiu que eles seriam parte de *algo* em seu futuro. Quem, nos dias atuais, pagava seus empréstimos estudantis?

Nesse ínterim, ganhava um bom dinheiro e vivia praticamente livre. Viajava para lugares como o Sapore di Amore por conta da Alliance, que era uma empresa com recursos financeiros.

No entanto, ao fim do dia, quando Meg tirava os sapatos de grife e o vestido de noite, ela se sentava no sofá e vestia sua calça de moletom, na companhia de uma tigela enorme de pipoca para assistir ao último filme de ação na TV. Algumas noites, passava jogando bilhar com seus amigos. Ou, no caso dela, observando os amigos jogarem, ou indo a noites de karaokê, que a possibilitavam de sonhar.

Hoje era a noite da pipoca.

Ela não iria ao karaokê sem a melhor amiga, e as outras pessoas que conhecia eram todas casadas ou ocupadas.

Então, pipoca.

Meg pegou uma cerveja na geladeira e caminhou até o piano, que havia comprado com o seu primeiro salário. Ele ficava na sala de estar e fazia mais do que servir de apoio para fotos.

Depois de ensaiar algumas notas, Meg começou a tocar um clássico. Só que as palavras que ela usava para "My Funny Valentine" não eram as originais.

Não... Seu namorado engraçado, como dizia a música, era composto por coisas e descrições que se ajustavam ao seu humor do momento.

Valentino era um babaca. E todos os dias *não* eram Dia dos Namorados.

— NÃO ACREDITO QUE VOCÊ está fingindo que é namorada do meu irmão só para checar um hotel. — Judy, a melhor amiga de Meg, se jogou na cama e se inclinou, apoiada no braço.

Meg passou pelo quarto enquanto fazia as malas.

— Que melhor maneira de descobrir se esse resort é tudo o que a propaganda diz do que circular com o sr. Famosão pelo lugar? Se for mesmo ultraprivado, poucas pessoas vão saber que ele está hospedado lá. Ele não vai acabar em um tabloide, e ninguém vai pensar que nós estamos namorando. Bem, exceto a equipe do hotel.

— Então para que se dar o trabalho? Você podia me levar, em vez dele. — Judy sorriu e piscou várias vezes.

— Nenhuma de nós é famosa. Ninguém vai querer saber de uma loira bonita — Meg balançou os cabelos curtos e piscou para Judy — e da amiga dela. Já o Michael...

Judy riu, assentindo.

— Eu sei. Não podemos almoçar sem que uma câmera esteja à espreita. Quanto tempo vocês vão ficar?

— Uma semana.

— Por que tanto? Pensei que fosse só uma missão de reconhecimento.

Meg revirou os olhos.

— Missão de reconhecimento? Você está começando a falar como o Rick. — O marido de Judy era fuzileiro naval. Bem, aposentado, reformado, ou seja lá como chamavam. Ele vivia dizendo coisas como "missão de reconhecimento".

— Mas não é o que você vai fazer?

15

Meg colocou as roupas de banho nos bolsos laterais da mala.

— Eu sugeri quatro dias, mas o Michael quis uma semana. Ele e a Samantha estão pagando. Quem sou eu para discutir?

Judy levantou da cama e foi até o armário.

— Você precisa de mais vestidinhos leves. Vai estar quente lá.

Tendo crescido em Washington, onde musgos forravam todos os tipos de pedra, ter um par de sandálias era mais que suficiente para o verão. Adaptar-se ao sol da Califórnia foi uma experiência deliciosa, mas Meg ainda não aderira aos vestidos de verão na mesma medida que Judy.

— Eu e o Michael vamos fazer compras na nossa escala em Dallas. Se não encontrarmos tudo o que preciso, vou fazer o seu irmão me levar até Key West

— Isso não vai comprometer a privacidade de vocês?

Meg balançou as sobrancelhas e fez sua melhor expressão de quem estava aprontando.

— Sim. Vai ser interessante ver como o resort vai lidar com uma horda de curiosos velejando pelas ilhas para tentar ver o Michael. Se eles conseguirem manter as câmeras bem longe, talvez eu tenha encontrado o lugar ideal para viagens de lua de mel para recomendar aos nossos clientes.

— O que impede as pessoas de tirar fotos e enviar por mensagem ou pelas redes sociais?

— Eles recolhem o celular na chegada. Se você quiser fazer uma ligação, tem telefone nos quartos e em todo o resort. Você não fica completamente desconectado, mas o mais próximo possível disso.

— Lá não pode usar celular? Que loucura.

— Eu sei.

— Você vai ter que alugar um barco e ir para Key West. Acho que vai ficar louca numa ilha particular sem internet.

Meg enfiou vários shorts ao lado das roupas de banho.

— Não estou preocupada com a falta de internet. O que me preocupa é passar uma semana inteira com aquela gente esnobe.

— Como você sabe que eles são esnobes?

— Eles estão se escondendo. Das duas uma: ou estão lá para transar com alguém que não deviam, ou estão a fim de exibir fama e riqueza. O lugar é absurdamente caro.

— Nem todo mundo que tem dinheiro é arrogante.

— A gente chegou a conhecer um único vizinho do Michael enquanto moramos na casa dele?

Judy franziu o nariz.

— Exatamente. — Elas moraram na propriedade de Beverly Hills por oito meses quando se mudaram para a Califórnia. Meg se lembrava de ter falado com alguns empregados das mansões vizinhas, mas não com os proprietários.

Claro, muitos deles eram como Michael: não ficavam muito em casa.

— O Michael sabe como se divertir. Ele só não sabe como se esconder. Tenho certeza que você vai ter uma ótima semana.

Meg deu de ombros. Ela não estava indo para lá para se divertir — estava planejando encontrar as falhas do resort. Depois de esperar quase dois meses pela aprovação de Valentino Masini, o cara e seu hotel mereciam um teste minucioso.

E ela planejava fazê-lo.

Val Masini enrolou o papel com o último e-mail da srta. Rosenthal que imprimiu e o bateu na palma da mão antes de verificar o horário. Não era comum receber seus hóspedes na pista de pouso, mas, para a srta. Rosenthal e o sr. Wolfe, ele abriria uma exceção.

Ele havia ligado pessoalmente para a primeira-dama da Califórnia, em parte esperando que uma impostora atendesse.

Estava errado.

Na verdade, Eliza Billings não só confirmou que Margaret Rosenthal era tudo o que afirmava ser como também disse que, se Valentino Masini soubesse o que era bom para si, se comportaria muito bem durante a estadia dela.

A srta. Rosenthal poderia lhe trazer uma base de clientes bastante lucrativos nos próximos anos. Como a propaganda boca a boca era a única que o resort fazia, ele precisava que as pessoas espalhassem elogios. Mesmo que fosse a mulher irritante que enviava e-mails mordazes.

— Gabi? — Val bateu na porta da suíte da irmã.

— Só um minuto.

Menos de dois segundos depois, ele bateu de novo.

— Cuide da maquiagem no caminho, Gabi. Não podemos nos atrasar.
Ele estava prestes a bater uma terceira vez quando a porta se abriu.
— Só preciso pegar minha bolsa.
Antes que ela pudesse se afastar, Val agarrou sua mão e a puxou para fora.
— Não precisa levar nada.
— Val!
— O avião vai aterrissar em dez minutos. Não temos tempo.
Gabriella fez beicinho. A beleza de sua irmã faria Mona Lisa chorar de inveja. Cabelo preto exuberante, olhos escuros e atentos e a pele morena que muitas mulheres se esforçavam a vida inteira para conseguir. Gabi nascera com esses atributos. Os dois nasceram.
— Não entendo por que está com tanta pressa. Já tivemos hóspedes mais importantes na ilha.
— Michael Wolfe é especial. Os paparazzi vão aparecer em peso se souberem que ele está aqui.
— Seus hóspedes nunca contam para a imprensa onde vão tirar férias.
— Mas a imprensa sempre está à caça. — Às vezes os repórteres os encontravam. Mas não no Sapore.
Eles sentaram no banco de um dos carrinhos de golfe do resort. O motorista partiu assim que se acomodaram.
O Sapore di Amore era o orgulho de Valentino. Em cinco anos, ele transformou uma simples ilha em um dos resorts mais exclusivos do mundo.
Fazer a triagem de todos os hóspedes para garantir a privacidade era de extrema importância. Alguns clientes, como os que chegariam hoje, não estavam no topo da sua lista de hóspedes desejados. Bem, ele estava intrigado com a tenacidade de Margaret e seus ataques pouco velados. Val os analisou e considerou dispensá-la. Mas não pôde e, uma vez que não teve escolha a não ser aceitar sua presença, estava decidido a descobrir o que podia a respeito dela, para determinar se ela seria um risco à segurança do hotel. Seria um desafio manter o bom humor se o comportamento dela pessoalmente fosse o mesmo que nos e-mails.
O vento vindo do mar e a velocidade que o motorista ganhou na estrada estreita fizeram os longos cabelos de Gabi esvoaçarem em todas as direções.
— Não sei por que ainda teimo em fazer algo diferente de prender o cabelo — ela disse.

Diversas árvores se alinhavam à estrada, que se abria para uma pequena pista de pouso onde somente jatinhos particulares e alguns helicópteros pousavam.

— No dia em que você deixar de se arrumar, posso ter certeza de que aconteceu alguma tragédia.

Gabi estalou a língua.

— Quanto drama, Val.

Ele sorriu com o canto esquerdo da boca e olhou para o céu. O avião particular que trazia seus hóspedes desceu na ilha com uma aterrisagem rápida. A pista era curta e não dava ao piloto muito tempo para manobrar. O trem de pouso atingiu o chão e os motores fizeram barulho quando o piloto inverteu o impulso.

Assim que o carrinho parou por completo, Gabi arrumou os cabelos. Val ofereceu a mão para a irmã e a levou para a cabana de boas-vindas enquanto o avião taxiava e um atendente protegia as rodas. Sua equipe se esforçou para auxiliar a tripulação, que abria a escotilha e baixava a escada.

Val bateu o dedo indicador ao longo da coxa e ergueu o queixo. Sua irmã colocou a mão sobre a dele, que parou de bater.

— São só pessoas — ela o lembrou.

No entanto, quando seu olhar focou o sapato de salto da passageira e ela lentamente abriu caminho, ele soube que aquela mulher era muito mais do que *só* qualquer coisa. O vestido de verão, vermelho de bolinhas e com corte ao estilo dos anos 20, não era nada discreto.

Ele engoliu em seco, com dificuldade. Val decidiu que a roupa justa não era um simples vestido de verão — era algo que lembrava as grandes divas hollywoodianas da era de ouro.

Ele gostou... de tudo, desde a parte superior dos joelhos bem formados — desde quando ele notava a forma dos joelhos de uma mulher? — ao cintinho estreito na cintura. O decote enfatizava os seios, espécimes felizes e saudáveis que transbordavam os limites do tecido para fazer a alegria de qualquer homem.

Quando ele finalmente olhou para o rosto dela, percebeu que os cabelos estavam muito bem arrumados, com um penteado também ao estilo da década de 20: grandes cachos e muito spray. Seus lábios eram vermelho-rubi. Os óculos de sol escondiam a cor dos olhos.

Ele gostou do visual. O fato de ela ser tão sexy, quando ele queria que ela fosse uma espécie de troll, o irritou. Seu corpo respondeu, mesmo quando a cabeça o mandava calar a boca.

Só então ele olhou para o homem, que colocou a mão na cintura da moça para ajudá-la a descer do avião. As roupas do astro de cinema complementavam as da namorada, com óculos de sol enormes, mas que não conseguiam esconder sua identidade.

Val concentrou seus pensamentos e deu alguns passos em direção ao casal. Ergueu a mão para Margaret primeiro.

— *Signorina*, bem-vinda à minha ilha.

Ela levantou a mão instintivamente, mas hesitou quando Val a levou aos lábios para um beijo.

— Sr. Masini.

Ouvi-la pronunciar seu nome, mesmo que fosse só o sobrenome, o fez segurar a mão dela por um tempo maior que o necessário.

— Parece que eu já o conheço — ela disse.

Ele não podia ver seus olhos, o que aumentou a irritação. Valentino não sabia se o comentário era uma continuação dos ataques ou uma simples afirmação.

— Espero que isso seja bom.

Ela não respondeu, apenas sorriu.

Ataque.

— Michael, este é o sr. Masini. — Margaret os apresentou, como se fosse sua função, e ele finalmente soltou sua mão.

— O sr. Wolfe dispensa apresentações.

Michael Wolfe olhou para Gabi.

— E quem é essa beldade?

— Você é muito gentil — Gabi disse, com um sorriso radiante.

— *Signorina* Rosenthal, *signor* Wolfe, esta é minha irmã, Gabriella. Se precisarem de qualquer coisa durante a estadia, é só pedir para um de nós.

Margaret suspirou.

— O Sapore di Amore é um resort familiar?

— De modo algum. É ideia do meu irmão. Sou apenas parte da decoração.

— *Cara!* — A forma de tratamento não era nada carinhosa.

No entanto, o sorriso de Margaret floresceu. Val se perguntou de que cor eram seus olhos. Azuis? Verdes? Uma mistura de ambos? Nas fotos que ele tinha visto não dava para distinguir muito bem.

— Minha irmã passa a maior parte do tempo na ilha. Eu estaria perdido sem ela.

Embora Valentino quisesse que sua declaração soasse superficial, ele sabia como era verdade.

— Ah, por trás de um grande homem há sempre uma grande mulher, não é, Gabriella? — O encanto de Michael consertava qualquer situação estranha.

— Acho que gostei de você, sr. Wolfe.

Michael Wolfe sorriu e se aproximou de Margaret. Ela hesitou e também se aproximou dele.

— Vamos fazer uma curta viagem até o resort. Na ilha, usamos carrinhos movidos a bateria. A bagagem de vocês irá em seguida.

Meg levantou os óculos de sol para dar uma boa olhada no carrinho, depois os devolveu ao lugar.

Ele sorriu, vendo os olhos dela pela primeira vez.

— Muito ecologicamente correto, sr. Masini. — O tom de Margaret soou afiado, fazendo-o lembrar dos e-mails.

Valentino tirou a atenção dos olhos dela, engoliu o desejo de responder e revelou alguns fatos sobre a ilha no mesmo tom afiado que ela havia usado.

— Os carrinhos de golfe têm mais a ver com o espaço do que com o meu desejo de reduzir a poluição. A ilha tem recursos limitados, e o combustível é um deles. Sem mencionar que os meus hóspedes vêm aqui para relaxar, não para ouvir barulho de motor.

— A Meg me contou tudo sobre a sua ilha — Michael disse, mudando de assunto. — Não vejo a hora de relaxar e descansar um pouco.

Meg. Ela era chamada de Meg. O apelido se adequava melhor, Valentino decidiu. "Margaret" era muito formal. "Meg" se encaixava à mulher que estava ali, de pé com o vestido esvoaçante e o sorriso sexy.

— E é o que você terá. — Gabi sempre sabia exatamente o que dizer. — O resort do meu irmão oferece o melhor que vocês puderem desejar.

— A Meg me disse que na sua ilha não é permitido tirar fotos. Como você controla isso, tendo em vista que as pessoas não largam o celular?

Val conduziu os hóspedes para o carrinho de golfe, convidando-os a se acomodar no banco de trás. Deu a mão para Gabi enquanto ela entrava.

— Não é tão complicado. O uso de smartphones na ilha é proibido.

Michael Wolfe pareceu se divertir um pouco.

— Proibido?

Val virou no assento enquanto o motorista se afastava da pista de pouso.

— Quando chegarmos ao seu bangalô, vou pedir que me entreguem os celulares. As acomodações têm telefone. Vocês receberão câmeras digitais para usar na ilha. As imagens serão checadas antes de vocês voltarem para casa, a fim de protegermos os outros hóspedes.

— E se eu der permissão para alguns dos seus hóspedes tirarem fotos minhas?

Valentino sorriu.

— Todas as partes terão que assinar formulários de autorização. Você vai perceber que a maioria dos hóspedes gosta de permanecer anônima quando está aqui. Celebridades como você nos visitam com frequência, mas geralmente é a minha equipe que tira as únicas fotos delas aqui. Teremos prazer em tirar fotos profissionais durante a sua estadia, se quiser.

— Acho que vou me sentir nu sem meu celular — Michael falou.

— Você vai se sentir livre — Gabi disse. — É difícil relaxar quando o telefone não para de vibrar.

Michael olhou para Meg.

— Você me falou sobre isso?

— Falei para o Tony. Ele disse que odiava a ideia, mas que você já fez isso antes e voltou daquelas férias novinho em folha para trabalhar.

O carrinho de golfe desacelerou em frente a um bangalô.

— Chegamos — Val falou.

Hibiscos das mais variadas cores floresciam ao longo do caminho que levava à porta da frente. Palmeiras e samambaias preenchiam o espaço entre as árvores maiores. Val conhecia bem a paisagem — ele mesmo havia escolhido quase todas as espécies de plantas. A intenção era inspirar tranquilidade, dar um toque de perfume ao ar e camuflar os outros bangalôs que ficavam perto.

— As fotos não fazem justiça — Meg falou, em voz baixa.

— Obrigado, srta. Rosenthal.

O sorrisinho nos lábios dela desapareceu. Val não pôde deixar de pensar que não era para ele ter escutado o elogio.

Gabi abriu as duas portas e cruzou a grande sala aberta. O teto abobadado tinha vários ventiladores e acabamento de pinho branco. As cores suaves do Caribe complementavam o espaço. Sofás e poltronas, uma cozinha aberta com balcões de mármore, sala de jantar para quatro, piso de cerâmica e, é claro, janelas que iam de uma parede a outra e se abriam para um deque que chegava até a praia. A vista para o mar não era nada menos que perfeita.

Michael assobiou quando entrou na sala e abriu as portas de vidro. O som das ondas quebrando encheu o ambiente.

— Acho que posso abrir mão do celular por isso. — Ele pegou o aparelho no bolso e jogou em uma cadeira próxima antes de sair para o deque.

Gabi saiu com ele enquanto Meg ficou.

— E você, srta. Rosenthal? Atendi às suas necessidades?

Ela encontrou seu olhar e tirou os óculos de sol. Seus olhos eram de um tom âmbar, quase mel. Não eram castanhos, mas também não avelã. Na carteira de motorista, provavelmente constava "castanho-claros". Eram qualquer coisa, menos comuns.

— É preciso mais que uma vista bonita para garantir que as minhas necessidades sejam atendidas, sr. Masini. Foi necessário certo poder de convencimento para chegar até aqui. Espero que o restante da nossa estadia seja mais fácil.

— Tudo o que a senhorita e o sr. Wolfe precisarem — ele disse, curvando-se levemente. — É só pedir.

Ela alcançou sua bolsinha, pegou o celular e estendeu a mão. A ponta dos dedos de Val roçou nos dedos dela, e Meg se afastou. Suas bochechas coraram e ela desviou o olhar.

A voz de Gabi e Michael reverberou na sala. Eles riram de alguma coisa, tirando Valentino do transe em que estava por aqueles olhos cor de âmbar de Margaret Rosenthal.

— Vocês vão encontrar o mapa da ilha, as especialidades do nosso chef, os horários do spa... tudo o que precisam no pacote de boas-vindas.

— Alguns clientes meus elogiaram muito a comida do chef. Estou ansiosa para experimentar. — Ela umedeceu os lábios vermelhos, e Val sentiu um súbito desejo de prová-los.

Ele percebeu que a estava encarando e se forçou a parar. Então se afastou do balcão e caminhou em direção à varanda aberta.

— Gabi. Vamos deixar nossos hóspedes se instalarem.

Sua irmã ofereceu um sorriso ensaiado enquanto Val se despedia.

— Aproveite a estada, srta. Rosenthal.

— É o que pretendo fazer.

— **MEU DEUS, MEG, VOCÊ** não me falou que o dono deste lugar era tão gostoso.

Se havia algo que ela adorava em Michael era a capacidade de se abrir sobre sua sexualidade quando estavam a sós.

— Sinceramente, eu não sabia. Não encontrei nenhuma foto de Valentino Masini na internet. — Isso provavelmente tinha a ver com as regras irritantes sobre tirar fotos na ilha. Mas era óbvio que ela não deixaria de tirar uma foto dele para mostrar a Judy quando voltasse para casa.

Ao sair do avião, o olhar de Valentino recaiu sobre ela como uma trava de montanha-russa. Levando em consideração as conversas rápidas e incisivas por e-mail, ela sabia que ele não esperava seu profissionalismo nem sua aparência. E com certeza ela não havia imaginado que ele preenchesse o terno como um homem que vivia na academia. Bem, talvez não vivesse, mas Masini também não mergulhava no cardápio de sobremesas, dada a aparência do peito rígido que descia para a cintura firme e o traseiro redondo.

Ela realmente esperava que ele não tivesse visto seus olhos através dos óculos escuros. Ser pega checando a bunda dele teria estragado totalmente a imagem que ela estava tentando passar.

O rosto de Masini parecia o de um homem que morava em uma ilha. Suas roupas, no entanto, eram outra história. Ela se perguntou se ele usava o terno empertigado o tempo todo. Ter o bronzeado de um fazendeiro, naquele corpo, seria um crime.

Ele ainda é um babaca, ela se lembrou.

Meg passou a mão na cintura, feliz por ter feito compras com Michael durante a escala em Dallas.

— Nenhuma namorada minha andaria por aí de short e chinelo — Michael dissera.

O look vintage foi uma decisão de última hora. Surpreendentemente, Meg gostou. O vestido a fez se sentir com vontade de encontrar um bar escuro e enfumaçado com karaokê. Por um breve momento, ela se perguntou se havia um clube noturno na ilha. Ou talvez em Key West.

— Bom, o cara é sexy. Adorei o sotaque.

Meg odiava o fato de ter notado. Valentino tinha mais de um metro e oitenta, cabelos pretos como carvão e rosto liso. Seria difícil resistir com a barba por fazer. Além disso, o jeito como ele a encarou, com aqueles olhos escuros e ardentes... Meg se viu soltando uma respiração frustrada.

— Talvez vocês possam se entender — ela disse a Michael.

— Ah, meu bem... ele é hétero. Certeza. O olhar dele estava todo em você, não em mim.

— Ele não estava me olhando.

— Ha! — A risada de Michael encheu o quarto.

Uma batida na porta interrompeu a conversa. Um funcionário do hotel colocou a bagagem em um dos quartos e, quando Michael tentou lhe dar uma gorjeta, ele balançou a cabeça e saiu imediatamente.

— Ele nem piscou. Você acha que ele te reconheceu? — Meg perguntou.

— Não faço ideia.

Ela se moveu para tirar a mala do suporte dobrável.

— Vou me instalar no outro quarto.

— Este é maior, pode ficar com ele.

— Não seja ridículo.

Michael pegou sua bagagem e seguiu para o segundo quarto.

— A camareira não vai desconfiar? — Meg se preocupou.

— Não é esse o objetivo de estar aqui? Encontrar uma possível falha no sistema para se certificar de que os seus clientes saibam para onde estão vindo? — Michael perguntou.

Ele tinha razão.

— Tudo bem. — Ela abriu a mala. — De qualquer forma, o closet daqui é maior. Vou precisar dele para todas as coisas que você comprou para mim.

Michael abriu seu sorriso de Hollywood e se afastou.

No fundo, Meg esperava que o Sapore di Amore fosse tudo de que Masini se vangloriava. A verdade era que, se Michael conseguisse manter sua sexualidade escondida na ilha, Meg o imaginava voltando com um amante. Mesmo em pleno século XXI, Hollywood gostava que seus galãs fossem héteros. Como Michael ganhava uma pequena fortuna a cada filme de ação em que atuava, ele não revelaria seu estilo de vida tão cedo. Além disso, havia a Alliance. Meg e Samantha ficaram animadas com a ideia de uma ilha particular para receber seus clientes em lua de mel.

— O que quer fazer primeiro? — ela perguntou através das portas abertas enquanto pendurava as roupas.

— Vamos sair para dar uma olhada no lugar. Vamos ver até que ponto o resort é isolado.

Meg foi para o banheiro adjacente e colocou seus produtos de beleza no balcão. A medicação que ela tomava para controlar a asma veio em seguida. Ela colocou o inalador dentro da bolsinha e a fechou.

Observou seu reflexo no espelho. A maquiagem estava mais pesada do que costumava usar. Fez biquinho e ficou maravilhada com a cobertura do batom. Ela havia aplicado no Texas, horas atrás.

— Uma bebida cairia bem.

— Concordo.

Meg tentou alcançar o zíper do vestido, que ficava nas costas. Depois de três tentativas, desistiu, seguiu até o quarto de Michael e se virou para ele ajudá-la.

— Você me convenceu a entrar nessa coisa, mas uma garota precisa respirar.

Ele abriu o zíper e deu um empurrãozinho nela.

— Ficou ótimo em você.

— Não costumo ser tão feminina, mas tenho de admitir que também gostei.

Depois de pôr um dos vestidos novos de verão, um modelo simples em tom laranja, e sandálias em vez de chinelos, ela pegou a bolsa e encontrou Michael na sala de estar. Ele estava com uma camisa de seda de manga curta e bermuda de algodão. Mesmo com os óculos enormes, não havia como esconder sua identidade.

Meg colocou os óculos de sol e parou ao lado dele.

27

— Pronto?

Ainda havia algumas horas até o jantar, e o sol começava a perder força. Eles seguiram pelos caminhos de pedra em vez da rota da praia. Cada um dos bangalôs particulares se escondia atrás da vegetação.

O prédio principal era uma grande estrutura de dois andares com varandas abertas, tanto com hóspedes quanto funcionários. A piscina serpenteava ao redor de ilhas improvisadas, adornadas de cascatas.

A música da ilha soava através de discretos alto-falantes. Como em qualquer resort de alto nível, garçons caminhavam em torno da piscina, anotando pedidos e trazendo toalhas limpas.

Algumas pessoas olharam de soslaio quando eles encontraram uma mesa alta perto do bar externo. Meg notou pelo menos uma mulher deitada na área da piscina apontando na direção deles. Não era possível passar despercebido; a questão era como as pessoas reagiriam.

Um garçom extremamente fofo, que devia ter vinte e poucos anos, colocou dois guardanapos na frente deles em questão de segundos.

— Bem-vindos ao Sapore di Amore — ele os cumprimentou. — Meu nome é Ben e vou servi-los enquanto estiverem na piscina.

— Como você sabe que acabamos de chegar? — Meg perguntou, já questionando a equipe para encontrar falhas. Então notou que havia falado um pouco alto demais e tentou sorrir para disfarçar.

— O sr. Masini designa uma equipe para cada hóspede, srta. Rosenthal. — Ben se afastou e colocou as mãos para trás.

— E como o sr. Masini determina quem cuida de quem? — Ela sabia que estava interrogando o rapaz, mas entender o sistema abriria caminho para encontrar os pontos fracos.

Ben ofereceu um sorriso rápido a Michael antes de continuar:

— Acho que eu fui o único da equipe da piscina que não gritou quando soubemos que o sr. Wolfe se juntaria a nós.

Michael sorriu.

— Você não vê meus filmes?

— Ah, vejo sim. Mas não fico impressionado com celebridades. Espero que não se ofenda.

Michael sorriu.

— De forma alguma.

— Antes de eu anotar os pedidos, como gostaria que a equipe se dirigisse a você? Você usa um nome falso?

Meg não conseguiu segurar a risada.

— A gente podia te chamar de Harvey.

Michael tirou os óculos de sol e lhe ofereceu um olhar aguçado.

— Vamos ficar com Michael.

— Mas Harvey...

— Margaret! — Ah, essa doeu.

— Pode me chamar de Meg, e ele de Michael.

Ben assentiu.

— O que desejam beber?

O garçom se afastou depois de anotar os pedidos, e ela deu uma olhada ao redor.

— Eu sou a única que está sentindo que viemos para a ilha da Fantasia e que daqui a pouco vai aparecer um miniMasini na nossa frente?

Michael jogou a cabeça para trás e riu.

~~~

Valentino tomou o bourbon e observou de seu escritório no alto a atividade na piscina. Seus olhos foram atraídos para os novos hóspedes no momento em que ficaram à vista. O penteado vintage e a beleza natural de Margaret Rosenthal lhe davam a aparência de uma estrela de cinema, e Michael, seu acompanhante.

Seu olhar se desviou para os outros hóspedes. A sra. Clayton, esposa do bilionário Ron Clayton, magnata dos jogos de internet, continuava olhando para Michael e riu com sua amiga Cynthia Hernandez. Embora as duas estivessem ali para um "fim de semana entre amigas", na verdade estavam dormindo com homens que não eram os maridos. Os acompanhantes haviam se hospedado no bangalô ao lado do delas. O fato de a sra. Clayton continuar olhando fixamente fez Val tomar nota. Cerca de metade dos hóspedes ia ao resort para encontros clandestinos. Os outros não queriam ser incomodados durante as férias.

A pergunta era: Onde Michael e Margaret se encaixavam? Clandestinos ou "não me encham o saco"?

Val não podia deixar de pensar que os dois não estavam simplesmente tirando férias.

— Você se esforçou muito para vir até a minha ilha, Margaret... Por quê? — ele sussurrou para a janela fechada.

O telefone vibrou na mesa, e ele pressionou o viva-voz para atender.

— Sim, Carol?

— O sr. Picano está aportando na doca de carregamento.

— A Gabi está lá?

— Está a caminho.

— Obrigado. — Val desligou a chamada da secretária e pegou os óculos de sol na mesa antes de sair. Espiar o astro de cinema e sua acompanhante teria que esperar.

Ele desceu pela escada em vez de pegar o elevador até o térreo. Os deliciosos aromas da cozinha diziam que a equipe já estava preparando as sobremesas da noite, e os assados estavam no forno. Haveria uma seleção de peixes frescos e vegetais orgânicos trazidos diariamente do continente.

Ao pensar na palavra "orgânico", se lembrou de Margaret fazendo o comentário sobre o resort ser "ecologicamente correto".

Palavras como "fresco" e "orgânico" faziam parte do menu do chef. É o que acontece quando se contratam os melhores na arte culinária. Será que ela zombaria do cardápio? Encontraria algum defeito? E por que ele estava perdendo tempo pensando no que aquela mulher acharia?

Val se sentou ao volante de seu próprio carrinho de golfe e acelerou em direção às docas. Encontrou Gabi e Alonzo Picano parados um ao lado do outro. O iate de Alonzo era um frenesi de atividades, já que várias caixas estavam sendo removidas e empilhadas no cais.

— Picano? — Val falou para chamar sua atenção.

O homem se virou e abriu um enorme sorriso.

— Aí está você.

Val ofereceu um aperto de mão forte, sentindo a confiança do homem com o simples gesto.

— O que você trouxe?

— Vinho, é claro. O que mais?

— Não é gentil, Val? — Gabi perguntou, aproximando-se de Alonzo e empurrando os cabelos para trás do ombro.

— Não posso deixar a adega do meu futuro cunhado secar, não é?

Alonzo colocou o braço em torno de Gabi de forma possessiva e beijou o topo de sua cabeça. Ela se iluminou.

Val havia discursado em um jantar beneficente em Miami, onde Gabi e Alonzo se conheceram. Como muitos homens no salão, Alonzo ficou atrás de sua irmã, só que ele foi persistente. A partir daí, seu principal objetivo passou a ser conquistá-la.

Os dois namoravam havia quatro meses quando ele chamou Val e pediu permissão para se casarem. A tradição podia ser ultrapassada, mas, como os dois haviam perdido o pai muito jovens, isso demonstrava que Alonzo respeitava sua família.

Mesmo para Val, o namoro havia sido muito rápido. Ele acolheu o cunhado, mas honrou o pedido da mãe de que tivessem um noivado longo. Maior do que Alonzo desejava. Por ele, os dois já estariam em lua de mel. Em vez disso, o casamento aconteceria no outono. Como a primavera estava começando a dar lugar ao verão escaldante, haveria tempo para planejar, e para Gabi se certificar de que estava fazendo a escolha certa.

— Tenho muitos fornecedores de vinho, Alonzo. Duvido que meus hóspedes não tenham o que beber.

— Mas o meu é de graça. Isso deve ser uma vantagem.

— E é uma gentileza — Gabi falou.

Alonzo era proprietário de uma vinícola na Itália e estava em processo de adquirir terras em Napa Valley para ampliar a produção. De acordo com a pesquisa de Val sobre o futuro cunhado, ele estava no ramo havia apenas cinco anos. Estava indo bem, mas isso não o tornara um homem rico. Não, a família fez dele um homem rico antes que as uvas se tornassem parte de sua vida. O portfólio dos Picano estava repleto de investimentos em transporte marítimo, propriedades em grandes portos e alguns bancos na América do Sul. Diversificar para o segmento de vinho fazia sentido.

— Você acha tudo que eu faço gentil, meu amor.

— Não quero provar nenhum outro vinho.

Os dois pombinhos faziam Val revirar os olhos. E ele nunca fazia isso

O vento que vinha do oceano empurrou o iate de Alonzo contra o cais.

— Para quando você espera o próximo carregamento, Val? — Alonzo perguntou.

— De manhã. Pode dizer ao capitão para ficar ancorado durante a noite.

Alonzo embarcou no iate e desapareceu.

— Por quanto tempo ele vai ficar aqui desta vez? — Val perguntou para a irmã.

— Só esta noite, mas no final da semana vai voltar para ficar mais tempo.

As visitas de Alonzo eram cada vez mais breves. Ele tinha um negócio para gerenciar, mas parecia não ter muito tempo para sua futura esposa. Talvez fosse o momento de Val perguntar como exatamente Gabi se encaixaria na vida do empreendedor. A verdade era que, apesar de estar um pouco preocupado com Alonzo, ele gostava do futuro cunhado e queria ter certeza de que a irmã seria feliz com quem escolhera como marido.

A equipe de Val levou as caixas de vinho até o hotel. Um dos funcionários de Alonzo os chamou, avisando quais eram garrafas de champanhe, orientando-os a ter cuidado. Todos desapareceram antes que o patrão voltasse.

— A Gabi me disse que você vai embora amanhã. — Val os conduziu até o carrinho e se afastou das docas.

— Não tem outro jeito — Alonzo respondeu. — Preciso pegar um voo até a Califórnia para finalizar a papelada do novo vinhedo.

— Mal posso esperar para conhecer — Gabi disse do banco de trás.

— É o meu presente de casamento para você, amor. Precisa estar perfeito antes de você conhecer.

— Não é maravilhoso, Val?

Quase demais, ele pensou.

— Você nunca vai adivinhar quem está hospedado na ilha.

Se Alonzo não fosse noivo de Gabi, Val chamaria a atenção da irmã.

— Não tenho ideia.

— Michael Wolfe.

— O ator?

— Existe outro? — Gabi perguntou. — Ele é muito legal.

Val olhou pelo retrovisor e viu a irmã sorrindo.

— Você percebeu isso num encontro de cinco minutos?

— É possível saber muito sobre uma pessoa em cinco minutos — ela se defendeu. — A namorada dele também é muito simpática. Não entendi por que você ficou tão preocupado com eles.

— Não fiquei preocupado.

Gabi balançou a cabeça, sem acreditar naquela negação.

— Ele está nervoso desde que eles chegaram — ela disse ao noivo.

Val sentiu a mandíbula apertar e as narinas se expandirem. Forçou uma respiração profunda e esticou o pescoço.

— Eu preciso ter muito cuidado, Gabi. Você sabe disso.

— Quanto tempo eles vão ficar? — Alonzo perguntou.

— Uma semana.

O futuro cunhado de Val abriu um sorriso.

— Você vai conhecer o caráter dele bem antes de eles irem embora, tenho certeza.

Sim, mas se ele ou, mais precisamente, Margaret não fosse confiável, até que eles fossem embora poderia ser tarde demais...

～∞～

— Não gosto dele — Simona Masini resmungou da varanda com vista para o mar.

— Você não o conhece direito — Val insistiu.

— Está nos olhos, Valentino. A verdade está nos olhos.

— Ele ama a Gabi.

A mãe deu uma risada.

— Ele quer que você acredite que ele a ama.

Val passou a mão pelos cabelos, em sinal de frustração. A última coisa de que precisava nesse dia era sua mãe contradizendo tudo.

— O casamento vai acontecer em menos de cinco meses.

Simona fez um sinal com o queixo em direção à janela.

— Às vezes você é muito parecido com o seu pai. Isso me assusta.

Val sentiu os dentes de trás rangerem.

— Falando mal dos mortos, *mamma*?

— Falando a verdade. Ele raramente via a verdade quando algo mais agradável lhe chamava atenção.

Ele não tinha ideia do que a mãe estava dizendo e não queria perguntar o que aquilo significava. Sua irmã havia conhecido um homem e se apaixonado por ele. Quem era Val para intervir e dizer que ela estava tomando uma decisão errada? Ele era irmão, não o pai dela. Riu dos próprios pensamentos.

— Vamos jantar em uma hora. A Gabi convidou nossos novos hóspedes para nos acompanhar.

Simona suspirou, cansada de toda aquela conversa.

— Venha conosco — ele pediu.

— Muito bem.

Valentino virou para sair, mas as palavras da mãe o impediram.

— E você, Val? Quando vai encontrar alguém e assentar? Quando vai me dar *bambinos*?

— Prefiro deixar isso para a Gabi.

— Você devia se casar antes dela. É a tradição.

A mãe o enlouquecia.

— Não estamos na Itália.

Simona soltou um longo e sofrido suspiro.

— Tradição não tem fronteiras.

Val interrompeu a conversa frustrante com a mãe e saiu da suíte, deixando de lado as preocupações dela. Entrou no escritório passando por Carol, que já deveria ter ido para a suíte dela na ilha há muito tempo.

— Preciso que você convide algumas pessoas para jantar conosco esta noite — ele falou.

— Nossos novos hóspedes?

Val hesitou.

— Como você sabia?

— A Gabriella já me pediu. Ela achou que o ator agradaria sua mãe.

Um sorriso raro surgiu nos lábios de Val. Ele amava a irmã e sentiria sua falta quando ela fosse embora.

— Faça um convite elaborado, Carol. Uma mensagem-padrão não vai seduzir nossos hóspedes.

— Pode deixar, sr. Masini.

Val entrou no escritório com os olhos pesados de cansaço.

MEG PRECISAVA SE CONTER PARA manter a boca fechada. Ela devia ter adivinhado que Valentino Masini os "incentivaria" a se juntar a ele e sua família para o jantar. O homem ainda a estava analisando — e irritando.

O que ele faria se ela recusasse? Michael não lhe dera chance de descobrir.

— O convite diz que a mãe dele é uma grande fã. Como eu posso dizer não a uma mãe? — ele perguntara.

— Eu faço isso com a minha o tempo todo.

— Se eu recusasse qualquer coisa para a minha mãe, ela jamais me deixaria esquecer.

— O cara ainda está me investigando — Meg havia insistido.

— Você está deixando transparecer a insegurança, Meg.

— Não estou insegura. — Ela tentara controlar o tom de voz, sem sucesso.

Agora eles estavam caminhando em direção à mesa em que Gabriella estava sentada ao lado de uma mulher mais velha, que Meg assumiu ser a sra. Masini. Valentino, é claro, não estava ali.

— Vocês vieram! — A moça se levantou quando se aproximaram da mesa.

O jantar um tanto formal fez Meg usar a terceira troca de roupa do dia. Quanto exagero. Gabriella usava um vestido de linho creme que ia até os joelhos. As sandálias altas de strass destacavam a pele morena. O vestido não era chamativo demais, apenas elegante e bem cortado.

— Como poderíamos recusar? — Michael perguntou.

— Ah, vocês poderiam, mas estou feliz por não terem feito isso. Mãe, este é Michael Wolfe e sua acompanhante, Margaret Rosenthal.

A sra. Masini ofereceu um sorriso idêntico ao da filha.

— Você é tão bonito pessoalmente quanto no cinema, sr. Wolfe.

Michael abriu um sorriso e piscou um olho para Meg.

— Acho que preciso me sentar perto de você, sra. Masini.

A mulher deu um tapinha no assento ao lado.

— Ótima ideia.

Ele puxou a cadeira do outro lado para Meg.

— Chegamos muito cedo? — Meg perguntou, olhando para os dois lugares vagos na mesa redonda.

— O Val e meu noivo vão chegar logo mais.

Meg olhou para o dedo anelar de Gabriella e notou, pela primeira vez, a aliança de noivado.

— Quando é o grande dia?

Algo parecido com um grunhido saiu da sra. Masini. Gabriella colocou a mão sobre a da mãe e respondeu:

— Daqui a quatro meses e meio.

— Parabéns — Michael falou.

— Você deve estar animada — Meg disse à mãe da noiva.

O sorriso da sra. Masini se desfez enquanto falava sobre o casamento da filha.

— Eu deveria estar, não é?

Interessante.

— Mãe!

— O quê?

— Por favor.

Michael ergueu a sobrancelha.

Antes que alguém fizesse qualquer outra pergunta ou comentário tenso, Valentino e o noivo de Gabriella chegaram.

Agora a tensão podia realmente começar.

Michael se levantou e apertou a mão dos dois.

— Desculpem pelo atraso — Valentino falou. — Vejo que já conheceram a nossa mãe.

Alonzo Picano até que era bonito, mas não o tipo estonteante que Meg imaginou que estaria ao lado de Gabriella, ou Gabi, como a chamavam. O homem sorria bastante, tentando convencer a sra. Masini a sorrir também, mas a mulher nem olhava para ele.

Enquanto todos se sentavam, Meg percebeu que teria o privilégio de ficar ao lado do homem que estava decidido a encontrar alguma falha nela. Ela teria dificuldade em dizer que não gostava de sua aparência ou de seu cheiro picante.

Ele usava smoking preto, camisa branca e gravata-borboleta. Normalmente ela não se sentia atraída por esse tipo de visual, mas Valentino parecia ter nascido para usar essa roupa. Os demais homens à mesa estavam bem-vestidos, mas não se comparavam ao anfitrião.

A sra. Masini puxou Michael para uma conversa particular enquanto Gabriella sussurrava algo para o noivo.

Ao lado de Meg, Valentino suspirou.

— Obrigado por ter vindo, srta. Rosenthal.

Ela tomou um gole da água gelada.

— Eu não sabia que podia recusar.

— Você é uma hóspede. Tem todo o direito de recusar.

Mesmo sentindo o peso do olhar de Val, Meg se negava a encará-lo.

— Vou me lembrar disso.

Pela primeira vez, ela o ouviu rir, e o som a fez abrir um sorriso.

A sala de jantar estava ficando cheia de hóspedes enquanto um homem de smoking tocava um piano de cauda no canto do salão. Toalhas de linho cobriam as mesas, e taças de vidro com velas tremeluziam, cercadas por arranjos de flores.

A mesa dos Masini ficava em uma plataforma elevada, ao lado de várias outras. O espaço entre elas era grande o suficiente para dar privacidade às conversas. Embora o pé-direito fosse muito alto, o salão era relativamente silencioso, com exceção das conversas sussurradas e do piano ao fundo. Grandes janelas exibiam o mar azul-celeste.

— Sr. Wolfe, em que filme está trabalhando?

— Não estou filmando nada no momento, caso contrário não estaria aqui. E, por favor, me chame de Michael.

A sra. Masini sorriu.

— Gostei daquele filme dos carros.

Ele riu.

— Eu também. Nada como dirigir os carros caros de outra pessoa em alta velocidade.

— Você não usa dublês? — Gabi perguntou.
— Nem sempre.
— O sr. Masini, que sua alma descanse em paz, adorava dirigir em alta velocidade. Estar em uma ilha só com carrinhos de golfe o mataria de tédio.
— O *papà* teria encontrado uma maneira de fazer o carrinho chegar a cem por hora.
— Tem razão, *cara* — Valentino disse à irmã. As palavras em italiano faziam o estômago de Meg esquentar.
— Você também gosta de carros velozes, sra. Masini? — Meg perguntou, fazendo o máximo para ignorar o formigamento que se espalhava em seus membros.
— Gosto.
O garçom se aproximou e apresentou uma garrafa de vinho a Valentino. Com um aceno do dono do resort, o funcionário começou a abri-lo.
— Fiquem à vontade para pedir o que quiserem — Gabi disse —, mas o Alonzo é dono do Grotto di Picano. Os vinhos dele são maravilhosos.
Michael se inclinou para a frente e seu interesse se concentrou na bebida.
— Esse vinho é da sua produção? — ele perguntou.
— É, sim.
O garçom serviu a Michael uma pequena quantidade de vinho e deu um passo para trás. Ele girou o líquido, cheirou e bebeu, em seguida assentiu.
— Sua vinícola fica na região da Úmbria?
Gabi sorriu, e Alonzo piscou.
— Na Campânia, na verdade.
Michael tomou outro gole e deu de ombros.
— É bom.
— Obrigado.
— Entende de vinhos, Michael?
Meg preferia uma dose de uísque ou uma boa cerveja gelada. Mas tinha aprendido a tomar vinho, sabia harmonizar e não se importava em beber alguns tintos mais pesados. Já saber de que região vinha a uva... Não, isso não era para ela.
— Um pouco.
Ela balançou a cabeça.
— A adega do Michael é lotada.

38

Ele bateu no joelho dela debaixo da mesa.

— Você precisa adicionar o do Alonzo à sua coleção.

Alonzo se remexeu no assento e deu um tapinha na mão de Gabi sobre a mesa.

— É claro — Michael respondeu.

O vinho foi servido e os especiais do chef foram apresentados.

— Com que você trabalha, srta. Rosenthal?

A pergunta era comum e a resposta sempre vaga.

— Aquisições e relacionamento com clientes — Meg respondeu, afastando o prato de salada.

Alonzo não demonstrou interesse, mas a sra. Masini estreitou os olhos.

— Na indústria do cinema?

— Não.

— O que exatamente você adquire? — Foi a primeira pergunta direta que Valentino fez.

— Você não sabe? Tive a impressão de que você se esforça muito para descobrir tudo sobre seus hóspedes antes de eles chegarem na ilha.

Michael se inclinou para a frente.

— A Meg está um pouco magoada, Valentino. Parece que a demora na aprovação da nossa estadia a deixou chateada.

Foi a vez de Meg bater no joelho de Michael debaixo da mesa.

— É mesmo?

Que audácia. Ele sabia muito bem que ela não tinha ficado satisfeita com sua demora. Meg percebeu que ele a encarava com uma expressão impenetrável e um sorriso ilegível.

Por que ele não era careca e desagradável? Por que seu coração batia como um tambor numa planície africana sempre que olhava para o cara?

— Mulheres não gostam de se sentir rejeitadas, Val. Quantas vezes vou ter que te dizer isso? — Gabi, Deus a abençoe, ofereceu um argumento válido.

— Eu cresci em uma casa com três irmãs. Posso confirmar que isso é verdade. — Michael passou a falar sobre sua família, afastando a conversa sobre a Alliance e seus verdadeiros propósitos. Nunca seria de conhecimento público quem Meg, Sam ou qualquer outra pessoa que trabalhasse na agência atendia.

Enquanto Michael entretinha os outros, Val se inclinou para perto dela.

— Não pude deixar de notar que você desviou da minha pergunta.

— Pergunta sobre o quê? — Meg questionou, apesar de saber muito bem a que Val estava se referindo.

— Sobre o que a empresa em que você trabalha adquire.

Ela pegou a taça de vinho e levou um tempo para saboreá-lo. Sobre a borda da taça, falou:

— Rejeição incomoda, não é?

Ele riu e murmurou em voz baixa:

— *Touché*.

Quando a refeição chegou, Meg deu a primeira garfada no robalo e gemeu.

— Está bom assim? — Michael perguntou com um sorriso de zombaria.

Em vez de responder, ela lhe ofereceu um pedaço.

— Meu Deus.

— Não é? — ela disse, entre garfadas de dar água na boca.

— Meu chef vai ficar feliz por vocês terem gostado. — Val se recostou na cadeira e a observou comer com satisfação.

Meg limpou os lábios e comentou:

— Está fantástico.

Considerando alguns lugares e pessoas com quem ela havia jantado depois de começar a trabalhar na Alliance — uma duquesa, um astro de Hollywood e diversos tipos de milionários —, o peixe estava excelente. A companhia também não era das piores.

Ela se serviu de outro pedaço e balançou o garfo no ar.

— Tem um lugar em San Diego... Market Fish ou algo assim...

— No cais? — Michael perguntou.

— Sim. É muito bom, mas esse aqui é melhor.

Gabi se inclinou sobre a mesa.

— Meu irmão se orgulha dos produtos frescos.

Meg deu uma olhada para ele de canto de olho. Val ainda não tinha começado a comer.

— Você cozinha?

— Não tenho tempo. — O que não respondia à pergunta.

— Suponho que não precise, já que tem tudo isso à disposição.

— Eu ensinei meus dois filhos a cozinhar. Não que eles pratiquem suas habilidades com muita frequência. — A sra. Masini mordiscou o frango.

— Todos vocês moram aqui na ilha? — Michael perguntou.

A sra. Masini deu de ombros.

— Se eu quiser ver meus filhos, é aqui que devo ficar.

— O paraíso está a seus pés — Michael lhe disse. — O eterno pôr do sol.

— Eu gosto de chuva.

— Estamos nos trópicos, *mamma*, chove todo dia — Gabi disse com um sorriso.

— Não é a mesma coisa.

Talvez fosse o vinho ou a comida maravilhosa, mas Meg relaxou, mesmo dividindo o espaço com o homem reservado ao lado dela.

~~~

Eles estavam na ilha havia apenas vinte e quatro horas. Michael saiu do mar de águas quentes e se sentou na cadeira ao lado de Meg, pegando uma garrafa de água gelada.

Ela desviou a atenção do livro que estava lendo.

— Acho que você foi um peixe em uma vida passada.

— Não existe nada tão silencioso como o fundo do mar.

— Do jeito que você fala, parece que eu sou supertagarela.

Ele inclinou a cabeça para trás e fechou os olhos.

— Cheguei à conclusão de que a minha vida é que é barulhenta.

— Você é um astro de cinema. É normal.

Ele suspirou.

— Eu sei... mas isso aqui não é nada mau.

Não mesmo. Considerando a fama de Michael, poucas pessoas se aproximaram deles. Mesmo na noite anterior, no "jantar obrigatório" com Valentino e a família, nenhum hóspede tirou fotos, ficou olhando ou pediu autógrafo.

Meg conhecia Michael havia quase três anos, e isso nunca acontecia no mundo real. Talvez o Sapore di Amore fosse realmente tudo o que se propunha a ser.

— Só está faltando uma coisa nesta ilha — Michael falou.

Faltava alguma coisa?

— O quê?

— Sexo.

— Pelos olhares de alguns hóspedes do outro lado da piscina, você não é o único que pensa assim.

Michael esfregou a toalha no rosto.

— Eu nem notei.

Mas ela sim, ainda que só para ficar de olho nos tabloides quando eles deixassem a ilha. Será que algo vazaria dali? Seria possível que os jornais não saberiam sobre a esposa de um senador com um garotão com metade da idade dela? Será que a mulher havia reconhecido Meg? Elas se conheceram um ano antes, em Sacramento.

Mesmo agora, Meg e Michael estavam na praia e havia poucos hóspedes por ali. Aquele não era um lugar onde as pessoas levavam crianças pequenas. Talvez porque elas tivessem o costume de contar para todo mundo o que viam.

Meg se lembrou de perguntar a Valentino sobre isso. Eles recusavam crianças ali? Ou havia um lugar na ilha exclusivo para famílias?

Em vez de falar sobre isso, Meg perguntou:

— Tem alguém que você gostaria de trazer aqui?

O olhar de Michael deixou o dela e encontrou o mar.

— E-eu não... Sim.

Meg gostava de pensar que ele não era uma pessoa insegura. Mas, quando se tratava de intimidade — intimidade real —, Michael não era o confiante ícone dos filmes.

— E essa pessoa gostaria de estar aqui com você?

— Não iria adiantar muito. Nós temos vidas muito diferentes.

— Ele não é casado, é?

Michael balançou a cabeça.

— Meu Deus, não. É só... É complicado.

— Ele não trabalha no cinema?

— Ele é professor.

Ela não esperava por isso. Em vez de fazer mais perguntas, observou as ondas suaves atingindo a costa.

— Você já teve vontade de mandar tudo à merda? Largar Hollywood e viver a sua vida do jeito que quiser?

— São milhões de dólares por filme, Meg.

— Eu sei...

Meg havia crescido sem dinheiro, e seus pais ainda não tinham quase nada. Na realidade, ela conseguiu economizar alguma coisa depois de quitar os empréstimos estudantis, mas levaria muito tempo até poder pagar férias naquele resort com seu próprio dinheiro.

— Mas quando você vai ter o suficiente?
— É pedir demais querer dinheiro e uma vida amorosa?
Não, ela pensou. Não era.
Michael se virou de bruços e esticou os braços acima da cabeça.
— O que você achou dos nossos anfitriões?
Meg desistiu do livro e empurrou a cadeira para a sombra. Não seria bom ficar ardendo logo no começo da estadia.
— A sra. Masini é demais. Ela te adorou.
— Parece que eu não perdi o jeito com velhinhas encantadoras.
— A Gabi é um amor, mas aquele cara com quem ela vai se casar parece meio estranho.
Michael virou a cabeça e a olhou com as pálpebras semicerradas.
— Alguma coisa nele não me pareceu muito certa.
— Ele ouve muito e fala pouco.
Michael se ergueu apoiado nos antebraços.
— Você percebeu que, quando eu perguntei sobre o vinhedo dele, ele tentou mudar de assunto?
— Sim, por que será? Se eu tivesse a minha própria marca, contaria para todo mundo. Ele parecia animado em apresentar o vinho quando nos sentamos.
Michael balançou a cabeça.
— Não entendi. O vinho era bom. Imaginei que ele evitaria a conversa se fosse ruim.
Meg bateu os dedos na cadeira. Se ela estivesse com o celular, procuraria o nome de Alonzo Picano na internet para saber mais sobre ele. Então lembrou que podia ligar para casa e pedir a Judy que fizesse isso.
— Você está batucando.
Ela parou o ritmo acelerado dos dedos.
— Estou com síndrome de abstinência online.
Michael riu.
— Vou me juntar a você amanhã.
— Somos patéticos.
— Eu notei que você não falou nada sobre o Val.
Ela começou a batucar novamente.
— Ele é irritante.

— Como você pode afirmar isso? Ele falou pouco durante o jantar.

— Ele ficou nos analisando a noite toda.

Michael fechou os olhos.

— Você está quase certa. Ele analisou *você*.

— O que foi uma grosseria. Eu vim com você.

— Ele não é cego.

— E também não ajudou quando a sra. Masini perguntou por que não somos casados e você cortou qualquer pergunta sobre monogamia.

O peito dele retumbou com o riso.

— Não tem graça. "Amizade colorida..." Fala sério, alguém ainda diz isso?

Ele continuou a rir.

Meg pegou a garrafa de água gelada e não pensou duas vezes antes de jogar o líquido nele. Michael pulou da cadeira como se fosse um gato fugindo da água fria.

Ela tentou se esquivar, mas não conseguiu ir muito longe antes de Michael pegá-la nos braços e correr em direção ao mar.

RESORTS COMO O SAPORE DI Amore possuíam academias tão boas quanto qualquer uma de Los Angeles, mas, ao contrário daquelas, superconcorridas, esta estava vazia. Enquanto Michael dormia, aproveitando ao máximo suas férias, Meg saiu da cama. O chef da ilha com certeza a faria engordar uns três quilos se ela não fizesse pelo menos um esforço para queimar algumas daquelas deliciosas calorias.

Ela pensou em nadar, mas, sem alguém que soubesse que seus pulmões nem sempre funcionavam bem, poderia ser arriscado. O atendente da academia, um rapaz de vinte e poucos anos, lhe entregou uma garrafa de água, uma toalha e a cumprimentou pelo nome, mesmo que Meg ainda não tivesse pisado ali.

Ela não podia deixar de ficar impressionada com a atenção da equipe de Val.

Assim que entrou, ouviu a música animada que soava através dos alto-falantes escondidos e notou a vista exuberante do jardim que se estendia para além dos painéis de vidro.

Meg se alongou e seguiu até um dos elípticos para aquecer.

— Bom dia, srta. Rosenthal.

É demais querer malhar em paz?

Sem parar, Meg virou a cabeça em direção à voz e fez uma pausa.

Por que Valentino não estava de camiseta e short de ginástica? Talvez assim ela pudesse ver se ele era bronzeado.

O fato de ele estar muito elegante, usando terno e gravata, não devia tê-la surpreendido.

— Malhar de terno deve ser um saco.

Ele olhou rapidamente para si e voltou a encará-la.

— A minha academia é o mar. — A imagem dele tentando nadar de terno a fez sorrir.

— Não sabia que faziam ternos para nadar. — Assim que as palavras saíram de sua boca, ela percebeu como soavam.

— A ilha é particular, mas normalmente eu uso alguma coisa quando nado.

Imaginá-lo nu e de bruços na água fez as bochechas dela esquentarem.

— Nadar sem roupa na sua própria ilha parece ser um rito de passagem — ela disse, esperando que ele não percebesse seu rubor.

Quando ele ficou em silêncio, Meg deu uma olhada e notou seu sorriso. Era tão raro Val sorrir que ela não podia deixar de ficar arrepiada quando ele o fazia.

Sacana. Agora ela ficaria procurando locais isolados onde ele mergulhava completamente nu.

— Agora eu entendi por que fotos não são bem-vindas.

— Você desvendou meus segredos, srta. Rosenthal.

— Ha! Duvido. — Ela bebeu um gole de água e sentiu as pernas queimarem quando a máquina acelerou. Como ele não disse nada, ela acrescentou: — Você sempre vem para a academia de terno?

— Eu vou a muitas partes da ilha diariamente.

— Ah, um viciado em trabalho. — O que poderia soar como estabilidade para alguns, mas para ela parecia mais um ataque cardíaco precoce.

— Talvez. — O sorriso em seu rosto desapareceu, deixando-a desapontada com o rumo da conversa. — Parece que você é uma mulher que gosta de rotina.

— Por que acha isso? — ela perguntou.

— Você está malhando nas férias, o que me diz que ou você tira férias com frequência e por isso sente necessidade de se exercitar fora de casa, ou gosta de rotina.

Ela pensou nisso por um minuto.

— Ou talvez eu só queira uma desculpa para me satisfazer com o seu menu sem engordar.

O olhar preguiçoso de Val a observando aqueceu a sala.

— Duvido que você tenha que se preocupar com isso.

— Toda mulher se preocupa. Talvez não fale em voz alta, mas se preocupa.
Ele ergueu o canto dos lábios. Não era um sorriso, mas algo bem próximo.
— Obrigado pela lição sobre a psique feminina.
— De nada.
Val a olhou brevemente. Antes de se afastar da esteira em que estava apoiado, ele inclinou a cabeça.
— Desfrute do seu treino de "não quero engordar", srta. Rosenthal.
Meg sorriu.
— Tente não trabalhar demais.

~~~

Val os evitava o dia inteiro e também à noite. Fez questão de ficar longe dos bangalôs, mas, na terceira manhã, encontrou um e-mail em sua caixa de entrada com uma foto.

Margaret Rosenthal rindo nos braços de Michael Wolfe enquanto ele a jogava no mar. A imagem não era íntima ou sugestiva, mas tinha sido fotografada.

E na sua ilha.

Val resmungou uma série de obscenidades em italiano e pressionou o botão do interfone.

— Carol, preciso da segurança no meu escritório em cinco minutos.
— Está tudo bem, sr. Masini?
— Cinco minutos. — Ele desligou e imprimiu a fotografia.

Lou Myong estava diante dele com a imagem na mão quatro minutos depois.

— A foto foi tirada da ilha, não do mar ou de um avião.

Val podia ver isso.

— Consegue descobrir quem enviou?

Ele negou com a cabeça.

— Quero uma equipe trabalhando nisso. Quero saber o endereço de IP de origem. Preciso saber quem enviou essa foto.

Lou dobrou a cópia da foto e a colocou no bolso interno do paletó. Descendente de coreanos, era um pouco mais baixo que Val, mas uns quinze quilos mais forte. Lou era o chefe de segurança da ilha desde antes da chegada do primeiro hóspede. Ele entendia a necessidade de sigilo e fazia com que fotos como a que estava em seu bolso não fossem tiradas.

— A questão é: por que enviaram para você? Por que não mandaram direto para a imprensa? Fotos de astros do cinema em férias valem milhares de dólares.

— Alguém quer que eu saiba que tirar fotos aqui não é impossível.

— Ou estão de olho nesses dois.

Val não gostou de nenhuma das duas possibilidades. Apertou o botão sobre a mesa.

— Carol, pode vir aqui, por favor?

— Agora mesmo.

Assim que a moça ficou diante dele, ele começou a dar ordens:

— Preciso da lista de todos os funcionários designados para atender o sr. Wolfe e sua acompanhante.

Carol lançou um olhar nervoso para Lou e virou para Val.

— Quero que todos sejam questionados e que as conversas sejam gravadas. Preciso saber o que viram. E se a quebra de sigilo partiu daqui de dentro.

Os olhos de sua assistente se arregalaram.

— Quebra de sigilo, sr. Masini?

— Alguém está observando nossos hóspedes, Carol. Preciso ficar de olho em todos e de um relato minucioso das atividades dos hóspedes.

O semblante de Carol se fechou.

— Isso pode ser difícil, sr. Masini.

As costas de Val se tensionaram e ele estreitou os olhos.

— Por quê?

— O sr. Wolfe e sua acompanhante pegaram o barco para Key West depois do café da manhã.

Droga. Uma coisa era manter a segurança na ilha, o que não era possível quando seus hóspedes saíam dos limites do resort.

Val encontrou os olhos escuros de Lou.

— Coloque seu homem de confiança para conversar com os funcionários. Preciso de você em Key West. Encontre-os, siga-os e veja se alguém os está observando.

— Sim, senhor.

— Carol, nem uma palavra. Só nós três sabemos que houve uma quebra de sigilo.

— Sim, sr. Masini.

Os dois deixaram o escritório em silêncio.

— Merda de Key West.

As fotos de Michael Wolfe e Margaret Rosenthal vão estar em todas as revistas de fofocas amanhã de manhã.

―❦―

Onde o Sapore di Amore era silêncio e solidão, Key West era exatamente o contrário.

Meg ficou surpresa por eles demorarem quase quarenta e oito horas antes de procurar emoção fora da ilha.

O barco era exclusivo do resort. Apenas os hóspedes da ilha o usavam. Eles receberam um celular e foram convidados a retornar à marina até as dez da noite. Com tantas lojas, restaurantes e outros lugares turísticos para passar o tempo, Meg não tinha certeza de que dez horas seriam suficientes.

Eles usaram grandes óculos de sol para disfarçar a identidade, fazendo os transeuntes pensarem que Michael não era o ator, mas talvez um dublê dele. Ainda assim, Meg percebeu que alguns celulares se viraram na direção deles. Ela se certificou de ficar bem perto, para passar a ideia de que estavam juntos.

No meio do almoço, em uma varanda externa, Meg sentiu necessidade de olhar por cima do ombro.

— Não sei como você consegue — ela disse.

— Ignore.

— Mas alguém está nos observando.

Ele deu de ombros e tomou um gole de margarita.

— Não é essa a ideia? Ver se vamos ser seguidos até a ilha? Se o lugar é tão seguro como o Valentino diz que é?

Ela olhou novamente por cima do ombro, mas não viu ninguém.

— Sim.

— Então é o que vamos fazer. Vamos bancar os turistas e retornar à ilha quando anoitecer. Se nada aparecer nos jornais pela manhã, intensificamos as ações.

— E como vamos fazer isso?

Michael olhou para ela e balançou as sobrancelhas.

— Sou mais que um rostinho bonito nas telonas.

Ela segurou a bolsa e ficou de pé.

— Vou ao banheiro e dar uma ligada rápida para a sua irmã.

Ele pegou o celular emprestado.

— Não confio nisso aí. Vou usar o telefone fixo do restaurante — Meg falou.

— Isso ainda existe?

Ela riu, perguntando-se se havia um telefone público por ali. Atravessou o bar e foi interceptada por três mulheres de biquíni.

— Aquele com você é o Michael Wolfe? — uma delas perguntou.

Meg olhou para um homem asiático que a observava do outro lado do bar.

— Se eu ganhasse um centavo toda vez que alguém nos pergunta isso, seríamos tão ricos quanto o Michael Wolfe — respondeu.

A mais jovem das mulheres fez beicinho.

— Achamos que era ele.

— Sinto muito por decepcionar vocês. — E se afastou com um sorrisinho.

Meg encontrou um telefone — na verdade, era o celular do gerente — e ligou rapidamente para Judy.

— Oi, *chica*.

— Não me diga que já estão voltando.

— Não, acabamos de começar. Viemos a Key West.

— Não achei que o meu irmão fosse aguentar ficar uma semana isolado.

— A ilha é incrível. Só queríamos testar os limites o quanto antes. Escuta, preciso que você pesquise uma coisa para mim.

— Encontrou um novo cliente?

— Nada disso. Nem conversamos com muitas pessoas além do dono do resort e a família dele. — Meg contou a Judy sobre Gabi e o noivo. Pediu a sua melhor amiga para procurar a vinícola na internet e ver se conseguia descobrir alguma coisa sobre Alonzo.

— Se ele não é um cliente potencial, por que se preocupar em pesquisá-lo?

Mais uma vez, Meg se sentiu observada. Só que ela não estava ao lado de Michael. *Devo estar paranoica.*

A banda de percussão que estava do outro lado começou a tocar e dificultou a conversa ao telefone.

— Alguma coisa nele me incomoda. Chame de intuição adquirida pela minha tarefa de selecionar homens para a Alliance. — Era óbvio que a mãe de Gabi não gostava dele, mas Masini e Gabi pareciam não se importar.

— Ele é babaca?

— Não... Só... blá. Não consigo engolir o cara. E a Gabi é tão doce, tão protegida. Eu odiaria ter um sexto sentido e não tentar descobrir algo.

— Parece que essa Gabi está competindo pelo status de sua melhor amiga.

Meg jogou a cabeça para trás e riu.

— Está com ciúme?

Judy também riu.

— Sempre fui a primeira. Ela não pode me tirar isso.

Como filha única, Meg apreciava a amizade de Judy e sentia falta de algumas coisas comuns do cotidiano, agora que a amiga havia se casado.

— E aí, você pode dar uma pesquisada nele?

— Claro. Considere feito.

— Se algo parecer estranho, fale com a Sam e veja se ela consegue investigar mais a fundo.

As duas conversaram um pouco mais antes de Meg devolver o telefone ao gerente.

— Sentiu minha falta? — perguntou ao se sentar novamente ao lado de Michael.

~~~

Meg e Michael voltaram para a ilha antes do último barco, e Val ainda estava fervendo.

Algumas vezes, quando sua irmã era adolescente, ele costumava esperá-la voltar para casa depois de um encontro, mas nunca se sentira estressado com isso. O interrogatório dos funcionários não dera em nada. Ele ouviu alguns boatos que a camareira contou, mas nenhuma informação explicava quem havia tirado a foto de Margaret e Michael nem por quê.

Será que Margaret pedira para alguém tirar a foto e enviar a ele? A mulher com quem trocara e-mails, talvez. A que conhecera pessoalmente... ele não podia afirmar com certeza.

Ela lhe pareceu sincera quando respondera a algumas de suas perguntas. A reação dela à sua mãe, a maneira como ela conversou com sua irmã, tudo lhe pareceu verdadeiro.

Quanto a Michael Wolfe, o cara era um ator. Como os políticos, Val sabia que não devia levar a sério o que ele falava. Além disso, se o que a camareira dissera sobre os arranjos para dormir fosse verdade, as mentiras estavam crescendo.

Como fofoca, aquela deixou um sorriso em seu rosto.

Margaret Rosenthal e Michael Wolfe podiam ter uma "amizade colorida", mas ela não começava nem terminava no quarto.

A informação o entusiasmou e também o fez se perguntar por que eles estavam lá. Por que no Sapore di Amore? Por que juntos?

Por que agora?

Por que ele gostava da ideia de que os dois dormiam em quartos separados?

Talvez porque fizesse muito tempo que ele não se sentia interessado em uma mulher. Margaret Rosenthal era como um pacote colorido e misterioso, com muitas camadas para desembrulhar. Além do hotel, não havia muitas coisas que o intrigavam. Ele dedicava cada minuto de sua vida à ilha. Assegurar que a irmã e a mãe fossem bem cuidadas era primordial. Ele tinha casos breves e esporádicos, geralmente impelidos por atração física, mas sem nenhum comprometimento emocional.

Engraçado como Margaret era toda emoção.

Você precisa de terapia, Val, pensou.

Então afastou o pensamento sobre mulheres e continuou sua busca na internet pelas últimas postagens sobre Michael Wolfe.

Lou entrou em seu escritório trinta minutos depois que Wolfe e a acompanhante voltaram para o hotel. Era tarde, e o chefe de segurança estava fazendo hora extra, como sempre.

— Quais são as novidades?

Lou detalhou todos os passos do casal, desde o momento em que os encontrou.

— Eles não chamaram atenção?

— Bancaram os turistas, tentaram esconder a identidade usando óculos de sol. Eu até ouvi a srta. Rosenthal dizer a algumas fãs que ela seria rica se ganhasse dinheiro toda vez que o sr. Wolfe fosse confundido com Michael Wolfe.

— Eles encontraram alguém?

Lou balançou a cabeça.

— Nada de conversas longas.

— Fotos?

— Tiraram algumas no celular que estavam usando e mais nada. O telefone foi checado, de acordo com o protocolo. Nenhuma foto incluía algum dos nossos outros hóspedes. Nada sugestivo.

— Fotos de férias. — Val esfregou a ponte do nariz.

— Exatamente.

— Fique de olho neles.

— Pode deixar, chefe.

— Obrigado, Lou. Durma um pouco. Tenho a sensação de que vai ser uma longa semana.

Val seguiu com o carrinho de golfe, passou em frente ao bangalô onde seus hóspedes estavam acomodados e decidiu caminhar ao longo da praia, de volta ao escritório. Normalmente a caminhada, o mar e a luz do luar refletindo na água o acalmariam.

Mas não nesta noite. Agora ele só desejava o conselho de seu pai, esperando que ele estivesse em algum lugar, guiando-o em silêncio. Ele era jovem quando o pai falecera. Estava terminando o ensino médio e se lembrava claramente do último olhar que seu pai lhe dera.

Val queria passar um tempo com os amigos e se divertir, como qualquer jovem de dezessete anos. Seu pai entendia, mas não aprovava. À época, alguns amigos de Val continuaram curtindo a vida, sem maiores preocupações. Não que ele tenha caído no mundo, mas era difícil, crescendo em uma cidade grande como Nova York, não conhecer jovens de todos os estilos de vida. Seus pais haviam provido bem a ele e a Gabi, mas certamente não viviam na Park Avenue.

Ainda assim, um olhar entre Val e o pai, na noite em que este morrera de ataque cardíaco, permaneceu com ele por toda a vida. Ele estava saindo com seus amigos quando o pai o deteve com um abraço inesperado. Conforme se afastou, olhou nos olhos do filho. Um olhar que disse duas coisas: "Eu confio em você" e "Eu conto com você". Agora, passados vários anos, o sentimento que ele guardava dentro de si era o mesmo. Ele ansiava por confiar e contar com alguém.

Val atravessou o bangalô onde Rosenthal e Wolfe estavam hospedados e tentou não olhar. As luzes estavam acesas nos fundos da casa, mas as da frente estavam apagadas.

As câmeras não pegariam nada esta noite. Amanhã, no entanto, seria outra história.

Na manhã seguinte, muito antes do nascer do sol, Val tomou sua primeira xícara de café e abriu sua caixa de e-mails.

Então uma foto sua apareceu — ele estava olhando para o bangalô de Wolfe, com o mar às suas costas.

∞

Uma sombra recaiu sobre Meg, atraindo sua atenção do cochilo que estava tentando tirar. Teria sido lamentável abrir os olhos e encontrar a calça com uma protuberância impressionante que escondia o sol, então Meg deslizou o olhar e percorreu o caminho que conduzia a ombros largos, a barba por fazer e olhos escuros.

— Sr. Masini.

— Srta. Rosenthal.

— Não acha que está um pouco vestido demais para ficar na piscina?

O peso dos olhos dele percorreu sua pele exposta. O biquíni escondia as partes importantes, mas não deixava muito para a imaginação. Ela não sabia dizer se os lábios de Val se contraíram com admiração pelo que viu ou com desaprovação. De qualquer maneira, ela se sentiu um pouco como a aluna católica que aparece no primeiro dia de aula com o uniforme errado — o que realmente aconteceu com ela antes de seus pais decidirem ignorar a sugestão dos avós e resolverem que a escola pública era uma opção melhor.

O olhar dele permaneceu nas coxas de Meg, e ela sentiu necessidade de se contorcer. Em vez disso, simplesmente chamou a atenção dele.

— Você está me encarando, sr. Masini.

Ele balançou a cabeça como se um terremoto pessoal o despertasse.

— Por favor, me chame de Val.

— Já estamos na fase de usar o primeiro nome?

Val se balançou e colocou as mãos nos bolsos, como se não soubesse o que fazer com elas.

Até então ele só fora convencido com Meg. Realmente o novo biquíni havia feito milagres.

— Peço a todos os meus hóspedes que me chamem pelo primeiro nome.

— Mas geralmente eles te chamam de Valentino. Achei que preferisse que só os amigos te chamassem de Val.

— E não somos amigos?

Meg não conseguiu evitar o riso.

— Claro, Val, vamos ser amigos... Pode me chamar de Margaret. Srta. Rosenthal me faz lembrar da minha tia-avó solteirona.

Os olhos dele riram, ainda que os lábios não o fizessem.

— Não te chamam de Meg?

— Não exagera, *Val*.

Ele riu.

E, caramba, foi uma risada tão sexy e gutural que fez despertar algumas partes femininas dela.

— Agora que resolvemos a coisa do nome, por que você está aí de pé, de terno, enquanto eu estou aqui, quase pelada?

A risada de Val se desfez, e ele umedeceu os lábios. O pobre homem realmente não tinha chance com ela. Ele tinha que ser politicamente correto, enquanto ela podia ser bastante irônica.

Meg adorava ironia.

— Queria convidar você e o sr. Wolfe para o almoço.

Ela ergueu o joelho e notou que os olhos dele se deslocaram.

— Almoço?

— Sim, a refeição entre o café da manhã e o jantar. — Talvez ela não fosse a única que podia ser irônica.

— Não posso falar pelo Michael. Ele está dormindo por causa do porre de tequila que tomou ontem em Key West.

— Ah, sim... Como foi a viagem para fora da ilha?

— Divertida, na verdade. Nunca tinha ido lá.

Um pouco do bom humor deixou o rosto de Val.

— E quanto ao almoço?

— Vai ser um almoço formal? — Ela deixou os olhos viajarem de propósito sobre o terno. — Tenho que dizer que me produzir toda no meio do dia, durante as minhas férias, não me atrai nem um pouco.

— Casual.

— Quer dizer que você tem alguma peça de roupa que não seja engomada?

Ele puxou o colarinho.

— Eu moro numa ilha, Margaret, é claro que tenho.

Era mesmo divertido rir dele.

— Confirmado, então. Nem que seja só para ver o que você considera roupa própria para se usar numa ilha.

Val sorriu e seus olhos deslizaram pelo corpo de Meg, que sentiu as bochechas corarem.

— Embora eu não tenha do que reclamar, biquíni talvez seja um pouco informal demais.

Caramba, aquilo era um elogio?

— Sr. Masini, está me paquerando?

Seu olhar profundo encontrou o dela.

— Só estou vendo o que é preciso para fazer você corar, *Margaret*.

Então virou e se afastou mexendo aquela bela bunda.

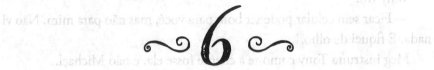

MICHAEL APROVEITOU A MANHÃ PARA dormir e considerar suas opções. Por alguns breves momentos no dia anterior, ele e Meg se misturaram ao mundo. Sim, ele sentiu os olhares, as encaradas, mas houve alguns momentos em que ninguém se aproximou nem os questionou. Outra coisa que ele percebeu enquanto desviava das pessoas foram os casais. Casais de verdade. Nem todos se adequavam ao que a sociedade julgava correto. Ver esses casais trouxe uma inesperada onda de inveja, como se ele nunca tivesse notado outros namorados antes.

Ele não se arrependia da vida que levava. Como poderia? Fora descoberto antes de completar vinte anos. Produtores de cinema e os fãs fizeram dele um nome conhecido nas telonas. Ele amava a vida em Hollywood a maior parte do tempo.

Quando dissera a Meg que queria tanto uma carreira quanto uma vida amorosa, fizera isso sem pensar. Desde então, não conseguia pensar em outra coisa. Sem dúvida, ele estava em um dos lugares mais bonitos e tranquilos que já conhecera, e queria mais.

Michael pegou o telefone ao lado da cama e ligou para seu empresário. Tony atendeu no terceiro toque.

— Tony!

— Caramba, Michael. Achei que você estava brincando comigo sobre não poder usar celular aí.

Se Michael não conhecesse Tony, poderia ficar alarmado com sua intensidade, mas normalmente ele era assim.

— A Meg te avisou.

— Quem tirou o seu celular? Isso é terrorismo, cara. — *Ah, o drama.*

— Me diz que nenhum jornal publicou a minha foto.

Tony riu.

— Ficar sem celular pode ser bom para você, mas não para mim. Não vi nada. E fiquei de olho.

Meg instruíra Tony como se a cliente fosse ela, e não Michael.

— Ficamos em Key West o dia todo ontem. Não apareceu nada por lá?

— Vi alguns tuítes, mas nada concreto.

Michael sentiu um sorriso surgir nos lábios.

— Ligue para a ilha se algo mudar.

— Pode deixar. Quando você volta?

— Não vou voltar tão cedo. — Não se seus planos funcionassem do jeito que ele queria.

— Então aproveite, Michael. E me avise se precisar de alguma coisa.

— Tudo bem.

Michael desligou e digitou outro número.

— Oi, Ryder, é o Mike.

~~~

Val meio que esperava que Meg aparecesse de biquíni, salto alto e batom vermelho. Mas ela estava com um vestido simples e sandália baixa.

O batom vermelho era um bônus.

E estava sozinha.

Gabi a cumprimentou na porta. Pelo beicinho da irmã, Val soube que Michael não se juntaria a eles.

O vento vinha do mar, espalhando fumaça em seu rosto. Val a abanou com a mão e controlou a grelha. Diminuiu o calor e fechou a tampa da churrasqueira. Quando olhou para cima, notou que Margaret o observava.

Ela o olhou de cima a baixo, da mesma forma que ele havia feito com ela no início do dia, e lhe ofereceu um ligeiro aceno de cabeça. A camisa de manga curta e a calça de algodão poderiam parecer excessivas para um churrasco, mas o visual era despojado — e sem goma. Ele teria que perguntar a Carol quanta goma era usada em seus ternos e se aquilo era mesmo necessário.

Alguém deu um tapinha em suas costas, tirando-o do domínio de Margaret Rosenthal.

— Você não me falou que tinha hóspedes tão bonitos.

Val olhou nos olhos de um velho amigo.

— Todos os meus hóspedes são bonitos.

— E jovens... jovens demais para o meu traseiro velho.

Val sorriu. Ele conhecera Jim seis meses após a inauguração do resort. Descansar era importante para o homem que havia se separado da quinta esposa. O problema era que ele não sabia viver sozinho... nem esperar pela mulher certa. Ele havia acabado de completar sessenta anos, criara alguns filhos — nem todos dele — e tinha mais experiência de vida do que Val podia imaginar.

— Nem todas as minhas hóspedes têm vinte e poucos anos — Val falou.

Jim assentiu em direção a Meg.

— Essa aí tem.

Sim, Val sabia. Margareth Rosenthal estava perto de fazer vinte e sete anos. Ela aparentava isso também. A lembrança dela de biquíni olhando para ele não deixaria sua mente tão cedo. Como ele conseguiu formar duas frases coerentes enquanto estava na piscina, jamais saberia. Ainda assim, ele a convidou para almoçar, se perguntando se ela levaria seu acompanhante, planejando conhecê-la um pouco melhor. Ele precisava saber se ela estava por trás das fotos ou se alguém a estava observando.

Val ouviu a carne chiar na grelha e levantou a tampa para se certificar de que não estava queimando.

— Ah, meu Deus, Jim Lewis.

Margaret atravessou o lugar feito um raio. Só que ela não estava olhando para Val, mas para Jim, com olhos vidrados.

— E você é a minha futura esposa.

Margaret Rosenthal corou. Suas bochechas ficaram vermelhas imediatamente, seu sorriso mais radiante do que Val jamais vira. De repente, ele sentiu ciúme.

— Puta merda, é sério? Estou conhecendo *o* Jim Lewis na ilha da Fantasia e nem posso tirar uma foto?

Jim soltou uma gargalhada.

— São as regras, srta...

— Meg. Puta merda.

Ela estendeu a mão e corou ainda mais quando Jim a beijou.

— Meg? Você acabou de conhecer o cara, e ele já pode te chamar de Meg?

— Val não conseguiu deixar de perguntar.

— Estou tendo um momento de fã aqui, Masini. Não me atrapalha.

Val observou seu momento de fã e percebeu que estava vendo a verdadeira Margaret Rosenthal. Essa pessoa espontânea e de olhos perspicazes era a mulher decidida a abrir caminho em sua ilha.

Era essa mulher que Val queria conhecer... completamente.

— Você é muito jovem para conhecer *A ilha da Fantasia*.

— Meus pais tinham a fita. Continuo procurando o miniMasini, mas ele não está aqui.

Jim bateu no peito e gargalhou.

— Isso dói. Estou muito velho.

Meg riu, olhou ao redor e deixou o sorriso morrer um pouco.

— Me desculpe. De todas as pessoas, eu devia saber que não é legal atacar uma celebridade.

— De todas as pessoas?

Foi a vez de Val intervir.

— A Margaret está aqui com Michael Wolfe.

— O ator?

— Sim — ela respondeu. — Uau... eu escuto suas músicas desde... sempre.

Val notou que Jim não havia soltado a mão de Meg. Seus dentes rangeram.

— Você é fã de blues?

— Eu cresci ouvindo todo tipo de música. O blues ficou. É uma música cheia de sentimento, com propósito... digna de ser cantada.

Val se viu entrando no meio deles e sentiu um sorriso se formar quando Jim largou a mão de Meg.

— Você é cantora?

— Sim. Não... — Meg olhou para Val e desviou o olhar rapidamente. — Trabalho em um escritório.

Jim inclinou a cabeça.

— Mas você canta.

— Não como você.

Ele sorriu.

Algo estalou e os três olharam para a churrasqueira.

— Seu miniajudante não está aqui, Masini. Acho melhor você checar a carne.

Jim o empurrou, rindo. Val tirou a carne da grelha em tempo recorde para salvar o almoço.

— Habilidades culinárias? — Meg perguntou.

Val colocou a comida em um prato.

— E eu não estou usando gravata.

Meg ergueu o prato e sorriu.

— Quando você estiver descalço e de bermuda, a gente conversa.

Jim soltou uma risada.

— Essa aí é o seu número, Val.

— *O* Jim Lewis — Meg murmurou enquanto se afastava. — Quais as probabilidades?

∽∞∼

Meg entendeu. Realmente entendeu como era quando fãs malucos encontravam seus ídolos. Jim Lewis fazia parte da sua vida desde que ela tocara as primeiras notas no piano. Claro, ele era mais baixo, mais gordo e muito menos refinado do que ela imaginava, mas era Jim Lewis.

E ele conhecia Val.

Ela umedeceu os lábios. Val talvez não estivesse usando uma roupa realmente casual, mas a camisa fluida e a calça descontraída eram muito diferentes do terno e gravata que ela o vira usar desde o primeiro dia. Ele até deixou de se barbear e, caramba, era muito sexy.

— Traga isso para cá. — A sra. Masini acenou para uma mesa repleta de comida.

Meg colocou o frango e as costelas grelhadas no centro da mesa.

— *Perfetto*. Gabi, mande a Luna trazer as frutas e podemos comer.

— Sim, *mamma*. — Gabi piscou para Meg e entrou para providenciar o pedido.

A parte distante do lado norte da ilha era o espaço particular de Valentino Masini. Meg não pôde deixar de se perguntar se era ali, naquele vasto oceano em frente à sua casa, que acontecia o mergulho sem roupas.

Só alguns hóspedes apareceram no jardim tropical e exuberante onde o almoço estava sendo servido. O espaço podia acomodar perfeitamente uma centena de convidados.

— É lindo, não é? — a sra. Masini perguntou.

— Não vi um lugar na ilha que não seja — Meg respondeu.

A mulher sorriu.

— O Valentino trabalha duro para fazer essa mágica acontecer.

Meg desviou o olhar para Val, que o captou por um instante antes de se virar.

— Ele já fez uma pausa no trabalho alguma vez?

A sra. Masini deu de ombros.

— Essa é a pausa dele: cozinhar uma vez por semana, em vez de depender do chef.

Meg notou uma mesa repleta de pratos, refrigerantes e algumas garrafas de vinho em um balde de gelo.

— Algo me diz que não foi o Val quem fez tudo isso.

A mãe dele riu.

— Ele faz o churrasco. — Ela mergulhou o dedo no prato de costelas e o lambeu. — Meu filho é um mestre na churrasqueira.

— Contando vantagem sobre o seu filho? — Jim se moveu para o lado de Meg, colocando um sorriso instantâneo no rosto dela.

— Só estou elogiando suas habilidades culinárias. — A sra. Masini encarou Meg. — Você cozinha?

Ela pensou no micro-ondas em casa e no freezer cheio de comida congelada.

— Depende do que você considera cozinhar.

Jim riu, e Val se juntou a eles.

— Nenhuma esposa minha precisa cozinhar — Jim falou, e a sra. Masini franziu o cenho.

Ele riu.

Meg sentiu as bochechas esquentarem, e Val disse:

— Talvez, se você tivesse encontrado uma esposa que cozinhasse, ainda estaria casado com ela.

Jim deu um tapinha nas costas dele.

— Talvez eu tente.

— O que é essa conversa sobre esposas? Existe alguma outra sra. Lewis à vista? — a sra. Masini perguntou.

O ídolo de Meg passou a mão sobre seus ombros e a puxou para perto.

— Você não ouviu? A Meg me ama, e ela canta. Fomos feitos um para o outro.

Meg tinha que concordar que ele flertava com estilo.

— Ah, é? — Os olhos da sra. Masini brilharam de verdade. — Qual o sobrenome dela?

Jim olhou para o céu e se aproximou.

— Qual é o seu sobrenome?

— Rosenthal.

Ele recuou com um sorriso brincalhão.

— Judia? Acho que não vai dar certo.

— Disse o roto preto ao judeu rasgado.

Jim a puxou contra si de novo.

— Podemos irritar um monte de gente com essa união. — O homem estava brincando, mas era divertido fazer parte de uma piada com Jim Lewis.

— Minha mãe é católica.

Ele se afastou só para rir.

— Nossos filhos seriam uma confusão.

— Você é muito velho para dar filhos a ela — Val disse com uma careta.

— Me disseram que um homem saudável pode ter filhos até a morte.

Meg encarou Val. Gabi voltou para o almoço e perguntou:

— Qual é a desse papo de filhos e morte?

— Nada, *tesoro*. O Jim é um paquerador descarado e encontrou uma audiência com a pobre srta. Rosenthal — a sra. Masini falou.

— Pode me chamar de Meg.

A mulher acariciou a mão de Meg, e ela percebeu que Val franziu a testa.

— Ele te chamou de "futura esposa"? — Gabi perguntou.

— Sim.

Ela revirou os olhos.

— Você precisa de uma cantada nova.

Val se afastou, anunciando que o almoço estava servido. Meg se sentou entre Gabi e a sra. Masini.

Jim e Val conversaram com vários hóspedes, a risada deles ecoando pelo pátio.

— Você realmente não cozinha? — a sra. Masini perguntou no meio da refeição.

— Usar o micro-ondas é considerado cozinhar?

Gabi estremeceu.

— Você não disse isso.

A sra. Masini deixou o garfo cair.

— Como vai encontrar um marido se não sabe cozinhar?

Meg pensou em seus arquivos, repletos de possíveis futuros maridos.

— Bem...

— Você deve saber fazer alguma coisa.

— Espaguete.

O rosto da mulher se iluminou.

— Com macarrão de pacote e molho pronto — Meg completou.

A expressão se desfez. Gabi gemeu.

— Me deixa te dizer uma coisa, Meg. Corre!

— Massa não se compra de pacote. — A voz da sra. Masini assumiu o tom de uma mãe-demônio. A voz baixa não era algo que um mero mortal poderia ignorar.

— Na minha casa...

— Pai judeu, mãe católica... Eu ouvi. — Ela balançou a mão no ar. — Para encontrar o homem certo, você deve saber cozinhar pelo menos um prato.

— Não estou procurando pelo homem...

— Chega!

Algumas pessoas podiam saber o que era ter o peso do mundo nas costas, mas Meg nunca o sentira antes. A determinação na voz da sra. Masini, suas palavras e a angústia que pairava no rosto de Gabi fizeram Meg se contorcer.

— Amanhã você vem me encontrar aqui, na cozinha do Val.

Meg começou a balançar a cabeça. A senhora estreitou os olhos e acenou com a mão no ar.

— Jimmy!

Meg olhou para Gabi, que olhou para o gramado. Jim Lewis acenou com a cabeça e se moveu em direção a elas, com Val ao lado. Quando estavam do lado da sra. Masini, ela relaxou em sua cadeira e lhes ofereceu um sorriso casual.

— Sim, senhora?

— Você vai cantar hoje à noite, certo?

— O Val me perguntou se eu gostaria.

A sra. Masini acenou, com os olhos fixos em Meg.

— Você vai cantar algo com a srta. Rosenthal.

A boca de Meg se abriu.

— Você disse que canta — a mãe de Val a lembrou.

Ela ficou sem palavras.

— Mas...

— Você vai cantar com o sr. Lewis e amanhã vai voltar aqui para eu te ensinar a fazer um prato.

Tendo crescido em meio a uma mistura de culpa judaica e uma boa dose de ave-marias, Meg sabia quando um familiar levava a melhor.

— *Mamma*, se a Margaret não quiser... — Val começou.

Meg ergueu a mão.

— Shhh, Masini. — A oportunidade de cantar com Jim Lewis era simplesmente maravilhosa demais para deixar passar. Só que Meg queria uma pequena mudança no contrato. — Mas com uma condição.

Todos os olhares estavam pregados nela.

— Vamos gravar nossa apresentação.

Jim ergueu a sobrancelha.

— Só entre nós — Meg falou. — Se formos ruins, você fica com o vídeo. Se não, fico com ele para mostrar aos meus netos.

— Você não quer dizer *nossos* netos? — Jim perguntou, rindo.

Val revirou os olhos, Gabi riu e a sra. Masini esperou.

— Temos um acordo? — Meg perguntou.

65

7

QUEM ERA AQUELA MULHER QUE tomara o corpo de Margaret? A mulher divertida que estava rindo e flertando não se parecia em nada com a pessoa que Val havia pintado quando leu o primeiro e-mail dela, pedindo para ir para a ilha. Sua mãe e irmã foram arrebatadas antes do término do almoço.

Além disso, havia Jim. Se o homem não tivesse trinta anos a mais que Margaret, Val poderia ficar preocupado.

O sol estava brilhando após o meio-dia, e a maioria dos hóspedes havia ido embora quando ele sentiu o celular vibrar.

Carol sabia que não deveria perturbá-lo durante a tarde. Não que Val alguma vez já tivesse se sentido realmente de folga. Ser dono de um resort sempre foi um trabalho em tempo integral. Mesmo quando ele deixava Keys, nunca deixava seu trabalho.

Val checou o identificador de chamadas e pediu licença para atender a ligação.

— Desculpe incomodá-lo, sr. Masini.

— Meu palpite é que você teria evitado se pudesse. O que aconteceu?

— Temos um pequeno problema.

Val instantaneamente pensou nas fotos que vira em seu e-mail nos últimos dois dias e prendeu a respiração.

— O que houve?

— Parece que o sr. Wolfe está solicitando que um convidado se junte a ele e à srta. Rosenthal.

— Solicitando?

Carol limpou a garganta.

— Ele está vindo de Key West com um tal Ryder Gerard. Eles estão a caminho agora. O capitão Stephan está aguardando suas ordens.

Havia momentos em que seus hóspedes faziam adições "inesperadas" ao grupo. E, sim, vários deles arrumavam um *acompanhante* em Key West. Mas Michael Wolfe? E com as fotos que estavam aparecendo diariamente em sua caixa de e-mail?

Val desviou o olhar para Margaret e a ouviu rir de algo que Jim estava dizendo. O que ela sabia sobre esse Ryder Gerard? Como ela podia ter almoçado com ele e com sua família e não ter contado nada sobre esse novo hóspede?

— Faça uma checagem rápida. Descubra onde esse homem mora.

— Já estou trabalhando nisso.

— Diga ao Stephan para circular a ilha até eu confirmar que não se trata de um espião.

— Sim, senhor.

Val desligou o telefone e se aproximou do grupo.

Margaret olhou para ele e no mesmo instante sua risada sumiu. Michael não estava dormindo porque estava de porre; ele estava passeando fora da ilha. Suspeitar dos dois fez o sangue de Val ferver. Tanta confiança para nada.

— Alguém não parece muito feliz.

Val ignorou o comentário da irmã e dirigiu sua atenção para Margaret.

— Posso falar com você?

Ela se levantou da mesa e caminhou até o lado dele. Instintivamente, ele segurou seu cotovelo e a afastou para que ninguém pudesse ouvi-los.

— Por que sinto que estou sendo levada para a diretoria da escola? — Meg comentou.

Val não achou graça.

— Quem é Ryder Gerard? — perguntou sem rodeios.

— O quê?

Ele parou de andar e se virou para ela.

Margaret se soltou, fazendo-o perceber que seu aperto fora um pouco forte demais.

— Parece que seu "amigo colorido" pediu para outro convidado se juntar a vocês.

Ela piscou algumas vezes até compreender suas palavras.

— Pediu?

— Não banque a desentendida, Margaret. O Michael não está no quarto dormindo.

67

Ela cruzou os braços, com olhos acusadores.

— Não estou bancando nada, sr. Masini. O Michael estava no bangalô quando saí para vir me juntar a vocês. Se ele saiu depois de mim, eu não sei. Esqueceu que ele não pode me mandar mensagem para avisar onde está?

— Agora você vai me dizer que o sr. Wolfe não te falou nada sobre trazer um amigo para cá.

Ela ergueu o queixo.

— Parece que você está me acusando de mentir, sr. Masini. Por que eu faria isso? Fui eu que organizei a nossa estadia aqui. O Michael sabe que você faz uma verificação de antecedentes para cada hóspede. Ele entende o porquê melhor do que a maioria das pessoas aqui. Se ele está convidando alguém para vir para cá, acho que tem uma boa razão, e essa pessoa é tão confiável quanto a sua mãe.

— Não coloque a minha mãe nessa conversa.

— Sabe, Masini, suas habilidades sociais precisam melhorar. Eu não sou sua inimiga.

— A privacidade dos meus hóspedes é primordial.

— Como se eu não soubesse disso.

— Não gosto de surpresas.

Ela o encarou com os lábios tensos.

— Deve ser um saco para a sua família comemorar o seu aniversário.

— Quem é Ryder Gerard?

— Não sei.

Val enfiou as mãos nos bolsos.

Por um breve momento, Margaret simplesmente o encarou. Era uma queda de braço, e Val suspeitava de estar prestes a perder.

Ela respirou fundo.

— Escuta, Val. Sinceramente, não sei quem o Michael quer trazer para a ilha. Mas eu o conheço. Ele raramente tira férias ou faz alguma coisa sem um bando de fãs atrás dele. Acho que ele se sente seguro aqui. Não acredito que alguém da imprensa tenha nos visto desde que chegamos, e acho que o Michael quis convidar um amigo dele. Tenho certeza de que, seja quem for esse Ryder Gerard, ele é de confiança.

Val odiava como ela parecia sincera, como seus olhos eram inocentes.

— Você não está chateada por alguém interromper suas férias? — Por que ele perguntou isso?

Os lábios de Margaret se ergueram levemente, o que o fez desejar retirar suas palavras.

— O Michael e eu somos amigos.

— Coloridos.

Ela ergueu a sobrancelha esquerda e fez uma pausa.

— Certo.

Margaret era uma atriz melhor do que seu companheiro? Ela estava brincando com ele? Val odiava o fato de não a conhecer bem o suficiente para confiar nela.

— Tudo bem, Margaret. Contanto que o sr. Gerard não seja um bandido ou trabalhe para a imprensa, vou acatar o pedido do Michael.

Ela sorriu.

Aquele sorriso era contagiante, e ele sentiu os lábios sorrirem de volta.

— Quantos anos a Gabi tinha quando o seu pai se foi?

Ele achou que era uma pergunta sem importância e respondeu sem pensar:

— Catorze.

— Então todos os namoradinhos dela tiveram que passar por você?

— Eu era o homem da casa.

— Que droga, hein?

Val assentiu.

— Foi mesmo.

— Para ela. Que droga *para ela*. Sem querer ofender, Masini, mas você seria o pior diretor de colégio de todos os tempos.

— Seus irmãos não cuidavam de você?

— Sou filha única, Masini. Algo que você deveria saber, se tivesse feito sua verificação de antecedentes um pouco melhor. Até eu sei onde você nasceu, em qual faculdade estudou e qual a sua especialização.

Ela se virou e começou a se afastar antes que suas palavras fossem registradas.

Val a alcançou, mas a soltou quando ela olhou para a mão dele, que segurava firme seu cotovelo.

Margaret o silenciou com uma frase:

— Você nasceu em Nova York, passava os verões na Itália até seus avós falecerem e estudou na NYU, acredito que para ficar perto de casa, para cuidar da sua mãe e da sua irmã depois que o seu pai morreu de ataque cardíaco.

— Como você...

— Você não é o único que verifica antecedentes, Masini.

Com isso, Margaret virou e se afastou.

~oOo~

— Puta merda, Michael. — Meg entrou reclamando no bangalô.

Ele estava na cozinha, servindo vinho em duas taças, com um sorriso radiante no rosto.

— Oi, querida. Acho que você já soube que temos companhia.

Antes que Meg pudesse dizer alguma coisa, um homem um pouco mais baixo que Michael e com um porte quase tão belo entrou no cômodo.

— Ryder Gerard, suponho.

O convidado de Michael abriu um sorriso tímido.

— Você deve ser a Meg.

Ela ofereceu a mão, murmurou um "prazer em conhecê-lo" e se virou para o amigo.

— Você podia ter me avisado, Michael.

— Foi uma decisão repentina.

— A ilha não é tão grande. Você podia ter me encontrado e me dito.

— Você não estava aqui.

Ryder recuou.

— Vocês querem que eu vá embora?

Michael e Meg disseram ao mesmo tempo:

— Não.

Sem pensar muito, Meg foi até as janelas e começou a puxar as cortinas.

— O Masini me pressionou, perguntou sobre o seu convidado inesperado. Eu banquei a boba, o que não foi difícil, já que eu não sabia o que estava acontecendo. — Puxou a última cortina e se virou.

Michael entregou uma taça de vinho a Ryder e puxou outra do armário. Meg pegou o vinho, embora desejasse mesmo uma dose dupla de algo muito mais forte, e se sentou em frente a Michael e seu amigo.

Quando o homem se moveu para o outro lado do sofá, Meg riu.

— Por favor, Ryder. Imagino que você seja o professor amigo do Michael.

O tom de voz dele era suave.

— Estamos nas férias de primavera.

— Que coincidência. Espera... — Não fora Michael quem sugerira que eles viessem naquela semana, ao contrário da que ela havia indicado originalmente? — Você planejou isso.

Michael olhou para o teto.

— Eu não diria que planejei.

Meg colocou o vinho na mesa lateral e se inclinou para a frente.

— Michael!

— Eu tinha esperança, tudo bem? Ontem, quando não aconteceu nada além de um tuíte, liguei para o Ryder.

Como ela poderia ficar brava com ele?

— Por que você não me disse nada?

— Porque eu descobri que, quanto menos informações eu der, melhor.

— Poxa, Michael. Você pode confiar em mim. Sabe disso.

Michael pousou a mão na coxa de Ryder. O sorriso em seu rosto era próximo do nirvana.

— Qual é o plano? — Meg perguntou. — O que vamos falar para quem perguntar? Mesmo se eu fizer de conta que sou a garota desse trio, não sei se a desculpa vai colar.

Ryder cobriu a mão de Michael com a sua e explicou qual era o plano.

⁓○⁓

O carrinho de golfe com um único banco fora trocado para um com capacidade para quatro pessoas. Ryder havia chegado em algum momento antes do jantar. Val prestava atenção nos detalhes, Meg tinha que lhe dar esse crédito.

Meg, Michael e Ryder jantaram no bangalô e depois se arrumaram para curtir a noite.

Meg nunca estivera tão satisfeita com o armário repleto de vestidos novos como naquele momento. Não parava de sorrir. De todas as pessoas do mundo para encontrar na ilha, ser capaz de cantar com Jim Lewis era um sonho que ela jamais imaginara. Tudo o que precisara fazer fora concordar com uma aula de culinária com a sra. Masini.

Ponto!

— Me fale desse Jim Lewis de novo. — Michael fechou o zíper do vestido justo de Meg e lhe deu um tapinha no ombro.

— Eu não acredito que você não sabe quem ele é.
— Só escuto rock and roll.

Meg se virou para o espelho grande e arrumou os "meninos" para ficarem em uma posição respeitável no vestido. Arrumado o decote, se sentou na beirada da cama para se calçar.

— Bem, prepare seus ouvidos para um novo som. Jim Lewis vai fazer você sentir cada palavra que ele canta, ao contrário de qualquer coisa que um rock pesado possa oferecer. — Ela também adorava rock, mas sem dúvida preferia um bar de blues enfumaçado a uma casa de shows. Bem, a parte do blues, não o bar enfumaçado.

— Todos prontos? — Ryder olhou ao redor do quarto.
— Só falta a garota.
— Claro.

Meg estava quase dez centímetros mais alta que o normal.

— Pronto — disse, pegando a bolsa.

Ladeada por dois gatos, ela percorreu a curta distância até o carrinho de golfe e se acomodou no banco do passageiro.

Fazia tempo que não cantava em público. O karaokê não contava. A verdade era que ela não cantava havia quase um ano. E sentia falta.

Desde cedo, ela soube que viver de música era um sonho que não iria perseguir. Além do mais, suas constantes crises de asma não lhe permitiam frequentar bares e outros locais cheios de fumaça — inclusive casas de shows.

— Está nervosa? — Ryder perguntou do banco de trás.
— Animada. — Sim, talvez um pouco nervosa.
— Bem, você está linda.

Ela aceitou o elogio com um sorriso.

— O Val realmente reclamou com você quando soube que eu queria trazer um convidado?

Michael virou a esquina em direção ao prédio principal, onde ficava a boate em que Jim ia cantar.

— Ele não confia em mim.

Michael franziu o cenho.

— Não sei por quê.

— Ele não me conhece — Meg disse quando eles pararam atrás de uma dúzia de carros de golfe. — E não conseguiu descobrir muito a meu respeito pelos meios convencionais.

— Se não existe nada que te desabone, por que ele é tão desconfiado?

— Acho que é exatamente por causa disso. Muitas pessoas que estão aqui têm algo a esconder. Quando alguém não tem, também não tem nada a perder.

Michael rodeou o carrinho e ajudou Meg a descer.

— Ele não conseguiu pegar a Alliance.

— E nem poderia. A Sam aperfeiçoou a segurança e a privacidade da agência muito antes de eu e você chegarmos.

— Acho que não vou gostar desse Val — Ryder comentou.

Era o que Meg continuava dizendo a si mesma. Mas bastava vê-lo frente a frente para se perguntar que mal havia em paquerar o cara.

— Só tem um probleminha — Michael disse.

Eles caminharam até a porta do bar e encontraram o assunto da conversa. Val estava novamente vestindo um terno — preto e perfeito para o anfitrião da noite. Havia se barbeado — o que era uma pena — e usava um perfume com um toque almiscarado de sândalo.

Ela umedeceu os lábios e negou o desejo de se aproximar dele para sentir seu cheiro.

Os olhos dele deslizaram lentamente pelo corpo de Meg.

— Você está deslumbrante, Margaret.

— Obrigada. — Em um gesto repentino, ela estendeu a mão e endireitou sua gravata-borboleta. — O James Bond ligou querendo saber quando você vai devolver o terno dele.

Val sorriu e seu olhar recaiu sobre os lábios de Meg.

— É mesmo?

— É o que dizem.

Ela desviou o olhar.

— Valentino Masini, quero te apresentar Ryder Gerard.

Os dois apertaram as mãos.

— Espero que aproveite a estada em minha ilha.

— É realmente linda. Obrigado por me aceitar com tão pouca antecedência.

— Sem problemas. Se precisar de algo, é só falar.

Meg se controlou para não revirar os olhos quando outro grupo de hóspedes entrou atrás deles.

— Tenho uma mesa reservada para vocês perto do palco — ele falou.

Em seguida, o maître se aproximou e pediu que o acompanhassem. Os três se acomodaram, pediram as bebidas e voltaram a conversar.

— Viu o problema? — Michael perguntou a Ryder.
— Nitidamente.

Meg observou Val na porta. O sorriso fácil e a gentileza para com os outros hóspedes a fizeram se perguntar se ele desconfiava deles também.

— Viu o quê? — ela perguntou.

Val devia ter sentido seu olhar e estreitou os olhos em sua direção. Ela olhou propositadamente para seus acompanhantes.

— O quê?

Ryder abriu um sorriso, e Michael riu.

— Ele pode até não confiar, mas está caidinho por você.
— Mantenha seus inimigos próximos... É o que dizem.
— Continue dizendo isso a si mesma, Meg. E depois me conte se funcionou.

8

VAL NÃO CONSEGUIA PARAR DE olhar.

Meg parecia ter saído de uma revista de pinups dos anos 30. Os seios macios e suaves se insinuavam para fora do vestido vermelho justo, à altura dos joelhos, com cintura bem marcada e uma ligeira fenda nas costas. Na parte de trás da meia-calça, havia delicadas continhas pretas. Os pés calçavam sapatos de salto agulha, com tiras que envolviam os tornozelos. Ela estava muito elegante, mas continuava com aquela língua irreverente. Val queria o pacote todo.

Ele não era o único que a observava minuciosamente. Homens de todos os tamanhos, idades e estado civil estavam fazendo o mesmo. Caramba, se ela cantasse de forma tão sexy quanto sua aparência...

— Aquela é a Meg? — Val ouviu a voz de Gabi à sua direita. Ele assentiu, sem olhar para a irmã.

— Meu Deus, ela está levando muito a sério o fato de cantar com o Jim.

— É o momento dela de fã. — Na ilha da Fantasia *dele*.

Do outro lado do salão lotado, os olhos de Meg encontraram os dele. Em vez de desviá-los, ela ergueu o copo de martíni em saudação, antes de tocá-lo com os lábios vermelhos. Quando ela lambeu a umidade da beirada do copo, ele teve de desviar os olhos, ou se arriscaria a ficar envergonhado na frente dos hóspedes.

— Parece que os dois acompanhantes dela não são suficientes para entretê-la — Gabi falou, sem malícia.

As luzes no palco se acenderam, evitando que Val respondesse à observação da irmã. Ele caminhou pela multidão e subiu no palco para apresentar seu convidado especial.

— Senhoras e senhores, obrigado por se juntarem a nós nesta linda noite.
— Val olhou para os hóspedes e encontrou os olhos brilhantes de Margaret observando cada movimento seu. — Hoje convidei alguém especial, um ícone que ouso chamar de amigo, para subir neste palco. Por favor, recebam o homem que dispensa apresentações: sr. Jim Lewis.

Poucas pessoas sabiam que Jim iria tocar, e, com o anúncio de seu nome, o público aplaudiu com entusiasmo, honrando seu amigo.

Jim caminhou dos fundos do salão, apertando as mãos de alguns hóspedes ao longo do caminho. Em seguida apertou a mão de Val e se inclinou em direção ao microfone.

— Que tal uma salva de palmas para o nosso anfitrião?

A multidão continuou aplaudindo. Val inclinou a cabeça em sinal de agradecimento.

— É difícil negar alguma coisa para o meu amigo — Jim falou. — Especialmente quando ele me oferece as melhores acomodações de graça.

A plateia riu, e Jim levou o banquinho até o centro do palco. A banda se acomodou atrás dele. O roadie trouxe a guitarra de Jim e colocou um copo de água na mesa ao lado.

Jim dedilhou algumas cordas, e o salão ficou em silêncio.

— Tenho cantado para sobreviver há quase trinta anos. — Dedilhou a guitarra novamente e parou.

A plateia riu.

— Toquei em casas de shows, auditórios, estádios, mas nenhum desses lugares é melhor do que este, onde posso tocar, conversar e sentir como se estivéssemos em casa, falando mal dos vizinhos.

O tecladista tocou algumas notas e parou.

— Você já teve uma vizinha mais gostosa que a sua namorada?

O tecladista tocou novamente e, desta vez, o baterista acompanhou.

— Ah, é bem ruim quando a sua garota descobre.

Teclado, bateria e, agora, um baixo preparavam a abertura de Jim.

— Com vocês, "The Baby Next Door Blues".

Jim se inclinou em direção ao microfone, cantou a primeira nota e arrebatou o público.

Val já o vira tocar muitas vezes, até em sua própria sala. Mas ali, no palco e se sentindo em casa, Jim vibrava.

Val se pegou observando Margaret. A mão dela batucava o tampo da mesa ao ritmo da música. Seus lábios murmuravam as palavras de uma das canções mais famosas de Jim.

A música diminuiu, passou por uma nota alta e terminou com uma salva de palmas.

Margaret foi a primeira a ficar de pé e uma das últimas a se sentar antes de Jim começar outra canção.

Val abriu caminho através das mesas até encontrar o lugar ideal, no fundo do salão, onde todas as notas podiam ser ouvidas perfeitamente. Jim ajudara a projetar a acústica. Naquele local, Val podia ouvir todas as notas tão claras quanto um pássaro da manhã cumprimentando o dia.

A segunda música era mais rápida, e dois trompistas adicionaram um toque de requinte à canção.

Quando a música chegou ao fim e a plateia se acalmou, Jim olhou para a multidão. No momento em que seus olhos pousaram em Margaret, Val sentiu o pulso acelerar.

Ela estava nervosa? Alguma coisa era capaz de deixar aquela mulher ansiosa?

— Vocês já conheceram alguém e pensaram: *Caramba... se eu tivesse uns vinte anos a menos?*

— Talvez trinta — Michael Wolfe respondeu da plateia.

Jim jogou a cabeça para trás e riu.

— Eu conheci uma coisinha doce e audaciosa há apenas algumas horas. Se a voz dela for tão sexy quanto seu vestido, vamos nos deliciar. Com vocês, Meg Rosenthal.

Margaret subiu ao palco como se tivesse feito isso muitas vezes. Val se sentia hipnotizado. Jim passou a mão ao redor da cintura dela e beijou sua bochecha. Ela ergueu a perna e piscou para a plateia.

— Arrasa, garota!

Val ouviu o incentivo, mas não prestou atenção em quem havia gritado. Em vez de seguir até o microfone, ela mandou um beijo para Jim antes de se aproximar do piano.

— Você se importa? — perguntou.

Ruben ergueu as mãos e se afastou, dando-lhe espaço. O roadie foi até lá e ajustou o microfone.

— O que vamos cantar, meu bem? — Jim perguntou.

Margaret pousou os dedos nas teclas, tocando alguns acordes familiares.

— É "meu bem" agora? O que aconteceu com "futura esposa"?

O sorriso dele iluminou o palco.

— Querida, se você fosse minha esposa, eu estaria morto antes do raiar do dia.

A plateia riu.

Val estava gostando da brincadeira.

Margaret encarou Jim e deslizou os dedos sobre o piano, mostrando a todos que sabia tocar o instrumento.

— Algo quente e animado, Jim?

Ele puxou a gola da camisa e deixou que ela conduzisse o show. Ela desacelerou a melodia, fazendo o salão suspirar.

— Algo lento e sensual?

Foi a vez de Val ajustar a gravata.

— Você escolhe, boneca, e eu tento acompanhar.

Margaret ergueu as mãos, esfregou uma na outra e começou a tocar.

— Acho que você conhece essa.

Demorou dois acordes para o público reconhecer a melodia.

— Já esteve em San Francisco, Jim? — Ela continuou tocando.

Ele fechou os olhos e esperou, assim como Val, até Margaret se inclinar em direção ao microfone e começar os primeiros versos de "Sittin' on the Dock of the Bay".

Jim soltou um grito de aprovação e se sentou no banco com ela. Quando Margaret deixou sua casa na Georgia, conforme dizia a letra, o vidro das janelas estremeceu com o tom perfeito de sua voz.

Eles continuaram cantando, e o restante da banda se sentou e ouviu.

Eram somente Margaret, Jim e o piano. O refrão foi harmonioso, um deixando o outro se destacar no palco a cada verso, cedendo a vez para o outro cantar o seguinte.

A voz de Meg saltou facilmente sobre as notas finais, e os dois encerraram a canção, agradando à plateia.

Todos ficaram de pé, e Jim ofereceu a mão a Margaret quando ela desceu da plataforma onde ficava o piano.

A mulher brilhava.

Jim a beijou novamente, segurou sua cintura e a conduziu para fora do palco.
— Meu bem, cante comigo sempre que quiser.

～∞～

Meg havia acabado de cantar uma de suas músicas favoritas com Jim Lewis. Estava tão feliz que não conseguia parar de sorrir.

Michael a beijou no rosto quando ela voltou à mesa.
— Você foi sensacional. Eu não sabia que tinha tanto talento.

Ryder puxou a cadeira para ela, e os três ouviram a próxima música de Jim.

Quando as luzes se acenderam no intervalo, eles pediram outra rodada de bebidas, e Jim se juntou a eles.

— Não sei o que você está fazendo num escritório com uma voz dessa — ele disse.

Provavelmente Meg só iria parar de sorrir na véspera do Natal.
— Isso significa que eu posso ficar com a gravação?
— Desde que eu fique com uma cópia. — Ele apertou a mão de Michael e de Ryder. — Preciso poluir meus pulmões. — Então se virou e saiu.

Meg aceitou os elogios das pessoas que a cercavam. Mas, ao olhar em volta, não viu Masini em nenhum lugar.

Quando Jim terminou o show, a banda continuou a tocar.

Michael e Ryder conversavam em voz baixa, e Gabi se sentou ao lado dela.
— Você foi incrível.
— O Jim é o profissional. Sou só uma curiosa.

Gabi continuou negando o comentário quando Michael as interrompeu:
— Vamos voltar para o bangalô.

Meg olhou para eles e decidiu que três era demais.
— Vou ficar mais um pouco.

Ele lhe entregou a chave do carrinho de golfe.
— Vamos andando.

Gabi se recostou e acenou para os dois.
— Então, quem é o cara?
— O Ryder?
— Sim.

— Ele é um velho amigo. Acabou de passar por uma separação. Como o Michael tem uma agenda maluca, decidiu convidá-lo para ver se o anima um pouco.

A desculpa funcionou.

— Parece que muitas celebridades gostam de juntar amigos e familiares quando têm a oportunidade. Acho que eu não gostaria de ser tão ocupada a ponto de não poder conciliar as duas coisas.

— Você acha que vai ser uma mulher muito ocupada quando se casar com um produtor de vinhos?

Gabi sorriu.

— Sinceramente, não sei como vai ser a minha vida quando eu e o Alonzo nos casarmos. Ele pensa que eu vou ficar aqui a maior parte do tempo enquanto ele dirige os vinhedos.

— Vocês vão morar separados? — Parecia um casamento arranjado pela Alliance.

— Até que a propriedade da Califórnia esteja pronta.

— Não vai ser difícil? Você parece muito apegada à sua família.

— Está na hora de encontrar o meu lugar. O Val cuidou de nós durante anos. E, se a minha mãe quiser, pode se mudar para perto de mim.

— O Alonzo aceitou isso bem? — Meg não imaginava ter a mãe morando tão próximo. Ela visitava os pais sempre que podia, mas não ansiava pela presença deles.

— Como eu disse, ainda não conversamos sobre isso.

Meg se perguntava sobre o que eles já tinham conversado. Para uma futura noiva, Gabi tinha pouca noção de como seria a vida de casada.

— Srta. Masini? — um garçom as interrompeu. — Lamento incomodar, mas estamos com um problema e não tenho certeza de onde o sr. Masini está.

Gabi ficou de pé.

— Sinto muito.

— Não, por favor. Eu estava prestes a ir embora.

Boa parte do público já havia partido. Meg saiu na cálida noite do Caribe e começou a andar na direção oposta à do seu bangalô. A última coisa que queria era interromper Michael e Ryder. Além disso, a noite tinha sido ótima, e ela ainda estava animada com seu momento no palco com Jim. Estava ansiosa para ver a gravação.

Também estava doida para pegar o celular e mandar uma mensagem para Judy, contando sobre os acontecimentos da noite. Mas isso teria que esperar.

Caminhou pela ampla varanda do prédio principal. O pátio externo do restaurante estava vazio.

Parou por tempo suficiente para observar as ondas suaves que tocavam a costa, observando a luz que vinha do prédio brilhar na água. Então entendeu por que Val morava no mesmo lugar onde trabalhava. A vista e o clima daquela ilha eram perfeitos.

O piano usado para entreter os hóspedes lá fora estava fechado. Meg se aproximou e tocou a tampa antes de abri-la.

Havia algo no som do piano de cauda que nenhum outro podia capturar. Para um instrumento que passava muitos dias fechado, estava afinado à perfeição. Meg olhou para o mar e tocou alguns acordes da música que cantara antes.

Ela se perguntou se Val havia gostado de sua performance e se questionou ainda mais por que pensava nele naquele momento.

Então emprestou a voz para uma canção que falava de desejo. Era sensual, um pouco triste e se encaixava em seu humor do momento. Quando terminou, parou de tocar lentamente e ouviu um aplauso solitário.

Val estava inclinado contra a grade, com a gravata solta no pescoço. Delicioso demais.

Ela abriu um sorriso e assentiu com uma pequena reverência.

— Muito obrigada, gentil senhor.

— Você foi brilhante esta noite — ele disse, saindo das sombras.

A aprovação dele a aqueceu.

— Eu me diverti muito.

— Todos perceberam. — Ele se afastou da grade e se inclinou sobre o piano. — Há quanto tempo você toca?

Sem saber o que fazer com a atenção que ele lhe dispensava, Meg dedilhou as teclas suavemente.

— Meus pais sempre tiveram instrumentos em casa. Eles eram jovens demais para ir a Woodstock, mas, se pudessem, correriam pelados por aí com uma guitarra cobrindo os atributos.

— Eles te ensinaram a tocar?

— Eu meio que aprendi sozinha. Educação formal não era importante para eles. — Ela tocou algumas notas de Bach, em seguida mudou para Pink Floyd.

— Você sabe ler partituras?

— Eu me viro. Meu professor de coral no ensino médio disse que eu tenho um bom ouvido.

— Assim como a voz.

Ela sorriu, sentindo o perfume da pele de Val.

— Isso e um case de guitarra aberto poderiam ter me rendido alguns dólares em algum canto da cidade.

— Mas você não estava disposta a arriscar não ter uma casa pelo sonho de ter uma carreira na música. — A observação era certeira.

— Meus pais vivem um dia após o outro, Masini. Eu não queria isso para mim. — A música que vinha do piano começou a soar sombria. Meg deliberadamente mudou para algo rápido e animado. — E você? Já quis algo diferente da vida que não tenha feito?

Quando ele não respondeu de imediato, ela olhou e viu que ele a observava.

— Ainda não.

— Parece que tem algo.

Ele roçou a lateral do rosto dela com o dorso da mão e se aproximou. Meg parou de tocar, sentindo o pulso acelerar.

— Onde está o Michael? — Val sussurrou.

— O Michael? — Ela não registrou o nome.

Ele levantou a sobrancelha esquerda.

— O homem com quem você veio para a ilha.

Certo.

— Ele... hum... — Caramba, o cheiro dele era delicioso.

A palma da mão de Val capturou seu pescoço e a fez ficar de pé.

— Ele é só um amigo, não é, Margaret?

A maneira como os lábios dele se moviam a fez se aproximar. A necessidade de prová-los, senti-los sobre os dela, era tentadora.

— Se eu te dissesse que somos mais que amigos...

Os olhos de Val deslizaram dos lábios dela para os olhos.

— Então eu teria que me afastar de você. — Ele afrouxou os dedos em seu pescoço, mas, em vez de recuar, Meg se inclinou para perto.

— E parece que você lamentaria essa decisão. — Ela colocou a mão em seu peito firme. O cara era duro por baixo dos ternos abafados.

— Eu não corro atrás da mulher dos outros — ele disse, sem se afastar.

— Bom saber, Masini. — Ela ergueu os lábios para perto, sentindo a respiração dele se misturar à sua. — Eu não pertenço a ninguém.

Val hesitou por um instante e então capturou seus lábios. O beijo começou suave, preocupado em não se apressar. No entanto, quando ele passou a mão livre ao redor da cintura dela e seus corpos se encaixaram, Meg se abriu para ele, encorajando-o a prová-la. Quando ele o fez, ela enlouqueceu. Ele tinha gosto de bourbon e sexo. E ela quis explorar aquele beijo durante horas. Ele beijava como se estivesse em uma missão. E talvez estivesse mesmo. Quem saberia dizer se beijar uma mulher diferente a cada semana não era algo corriqueiro para Valentino Masini? De alguma forma, ela não achava que fosse assim. Ele geralmente era muito reservado. Mas não ali... não com a língua dele explorando a sua e as mãos fortes apertando sua cintura. Cada elevação rígida do corpo dele se encontrava com as curvas suaves dela.

O beijo prosseguiu até que o peito dela se apertou com um aviso familiar. A excitação tinha que diminuir, ou ela poderia ter um ataque de asma. Algo frustrante em sua vida nos últimos anos. Um dos motivos que a mantinham solteira a maior parte do tempo: seus encontros eram, no máximo, mornos.

Val estava ameaçando acabar com o ar em seus pulmões com apenas um beijo.

Um calor a atingiu naquele beijo mortal. Ela se afastou, e Val foi atrás de seus lábios.

Ela tentou recuperar o fôlego, sem conseguir respirar fundo.

— Espera — murmurou, se afastando.

— Foi demais, *cara*?

Você não faz ideia.

Ela estendeu a mão, sentindo a cabeça girar um pouco. Seu inalador estava na bolsa. As duas respirações seguintes não satisfizeram a necessidade de ar. Em vez de tentar fugir de seus braços com uma mentira, ela lhe deu um pequeno empurrão e disse:

— Não... consigo... respirar.

Ele sorriu, mas o sorriso se desfez quando percebeu que ela não estava sendo fofa.

— Você está bem?

— Bolsa.

Ele a guiou até o banco do piano e lhe entregou a bolsa. O inalador fez seu trabalho, e ela voltou a respirar profundamente, recuperando o fôlego devagar.

Val se ajoelhou ao lado dela, observando-a com as mãos na lateral de seu corpo.

— Você está bem?

Constrangida, ela assentiu.

— Isso nem sempre acontece.

Ele franziu o cenho, preocupado.

— Quer que eu chame um médico?

Ela colocou a mão em seu ombro.

— Não. — O aperto passou lentamente. — Geralmente eu consigo evitar. Não queria te assustar.

Val apertou as coxas dela.

— Eu quero te deixar sem fôlego, mas não desse jeito.

Meg sorriu.

— Pode adicionar beijo mortal ao seu currículo.

Ele segurou as mãos dela e as levou aos lábios.

— É sempre assim?

— Não. Só quando... — Admitir que tinha ficado excitada com um simples beijo não parecia certo, não logo depois da primeira vez que se beijavam.

Puta merda. Ela tinha acabado de beijar Valentino Masini. E ali, na ilha, bancando a namorada de Michael. O que havia de errado com ela?

Meg tentou se levantar.

— Acho melhor eu ir.

Val a fez se sentar de novo.

— Espera.

— Eu realmente não devia estar aqui com você, assim...

Ele estreitou os olhos.

— Você disse que não pertencia a ninguém.

— E não pertenço. Mas não é esse o ponto.

Havia um entendimento nos olhos dele, uma sensação de confiança que Meg não estava acostumada a dividir com os caras com quem saía.

— Tudo bem, Margaret. Vou deixar você fugir... por enquanto.

— O que isso significa?

— Que não terminamos aqui.

— Nada convencido, hein, Masini?

Ele não respondeu; ficou de pé e a ajudou a se levantar.

— Posso fazer isso sozinha — ela disse quando ele começou a andar ao lado dela.

— Tenho certeza que pode. Mas não vou te deixar até que você esteja na porta do seu bangalô.

Discutir demandava muito esforço e, além disso, ela não era idiota. Seus pulmões ainda estavam um pouco sem fôlego, e se esforçar sem alguém por perto era uma receita para o desastre.

— Tudo bem.

Val riu e manteve a mão nas costas dela enquanto a conduzia até o carrinho de golfe que a levaria a suas acomodações.

9

— ALGUÉM CHEGOU TARDE NA noite passada — Michael começou enquanto se servia de uma xícara de café.

— Alguém foi dormir cedo na noite passada — Meg respondeu.

Ele tomou um gole de café e fechou os olhos, com prazer.

— Caramba, estou me sentindo bem.

— O sexo faz isso com as pessoas.

Michael balançou as sobrancelhas e se sentou no balcão da cozinha.

— Cadê o Ryder? — ela perguntou.

— Ele é madrugador. Decidiu dar uma corrida bem cedo na praia. Utah é desprovido de litoral.

Meg apoiou o queixo nas mãos.

— Acho que nunca te vi brilhar assim, Michael.

Ele esboçou uma surpresa fingida.

— Homens não brilham.

— Que mentira.

Ele olhou para a xícara de café por alguns segundos.

— Às vezes eu me pergunto como seria viver com alguém...

— Como o Ryder?

— Como o Ryder. — O sorriso em seu rosto desapareceu.

— Michael, você sabe que o único jeito de descobrir é tentando.

— Seria o fim da minha carreira.

— Você não tem certeza disso. Hollywood manipula muitas situações para corresponderem às necessidades de mercado. Quem disse que você não pode manipular as coisas que o mundo sabe... ou pensa que sabe?

Ele estava refletindo sobre isso, Meg podia ver. Quando Michael começou a fazer uma cara triste, ela mudou de assunto, confessando os pecados da noite anterior.

— Eu beijei o Val.

Ele ficou boquiaberto.

— Ele me beijou, na verdade. Logo depois eu tive uma crise de asma, que droga... Mas, sim, a gente se beijou.

Michael estava sorrindo, curtindo o desconforto dela com a confissão.

— Como foi?

— Antes dos meus pulmões entrarem em colapso? Ótimo. Quer dizer, você já viu o cara?

— Muito lábio, a quantidade certa de língua?

Meg estreitou os olhos e começou a rir.

— Como você sabia?

— Foi só um palpite.

Ela soltou um suspiro.

— Eu não devia ter feito isso.

— Por que não? Ele é gostoso e hétero. Perfeito para você.

— Estou te acompanhando aqui.

— Algo me diz que vocês não tiveram público.

— Estávamos sozinhos.

— Então qual é o problema? O Val com certeza quebrou as próprias regras quando se permitiu fazer isso. Ele não me parece o tipo de cara que beija e sai por aí falando.

Ela ainda não se sentia bem a esse respeito.

— Escuta — Michael falou. — Eu e a Karen ficamos casados durante um ano e meio. Nenhum de nós estava envolvido com alguém, e ninguém se machucou. Você está aqui me acompanhando. Da última vez que chequei, isso não era considerado um relacionamento nem aqui nem na China.

— Mas...

— Mas nada. Beije o cara, transe com ele, faça o que quiser. Eu não tenho nenhum direito e não diria nada para te desencorajar, independentemente do que possa resultar dessas férias. Além disso, não existem câmeras por aí tirando fotos e paparazzi fazendo perguntas. O lugar está fora do mapa. Com certeza eu vou voltar.

Um pouco da tensão no peito de Meg diminuiu.
— Com o Ryder?
— Talvez.

O sino que ficava na porta da frente tocou com um barulho que os surpreendeu. Michael atendeu enquanto Meg observava.

— Desculpe perturbar, sr. Wolfe. Correspondência para a srta. Rosenthal.

Correspondência? Nas férias?

Michael pegou os envelopes e fechou a porta.

— Achei que nas férias ninguém recebia cartas.

Ele olhou para os três envelopes antes de entregá-los.

— Uma é da sua irmã — Meg disse. A caligrafia de Judy era tão familiar quanto a dela. O endereço do remetente, no entanto, era ilegível.

Meg abriu a primeira, de Judy.

Oi, você que está vivendo uma vida mansa às custas de outra pessoa.

Duas coisas, já que não consigo pegar a porcaria de um telefone e te ligar como qualquer pessoa normal faria em pleno século XXI... Primeiro, eu não soube NADA sobre você ou o Mike desde que viajaram. E estou procurando em todas as redes sociais, assim como o Batman e o Robin.

Meg sabia que ela estava se referindo a Rick e Neil. Ambos haviam trabalhado no serviço de inteligência militar e eram pessoas totalmente confiáveis.

Segundo, sobre o cara que você me perguntou. Não estou gostando da informação que encontrei. Ou, melhor dizendo, não encontrei. Não sei por que você me perguntou sobre esse sujeito, mas "não confie nele". Palavras do Batman.

Espero que você esteja se divertindo.

Estou ansiosa para saber de tudo... ou não.

Mande um beijo para o meu irmão.

J

Meg coçou a cabeça.
— O que foi?

— A Judy te mandou um "oi". — Ela deixou o beijo passar. — Disse que está tudo calmo no mundo real.

— Que bom.

— Sim.

— Por que a cara feia?

— Eu pedi para ela checar o tal do Alonzo.

Michael franziu o cenho.

— E o que ela encontrou?

— Ela não disse. Só falou que o Rick e o Neil disseram para não confiar nele.

Michael se virou e encostou o quadril no balcão.

— Não é problema, já que o cara nem está mais aqui.

— É o que eu espero.

A porta dos fundos se abriu, atraindo a atenção dos dois. Ryder entrou na sala de estar, meio sem fôlego.

— Utah não é nada parecido com este lugar — ele falou.

— Águas transparentes, brisa do mar... Tenho que concordar. — Michael abriu o armário e pegou uma xícara. — Café?

— Eu adoraria. Bom dia, Meg.

— Bom dia.

Ela abriu o segundo envelope. Esse não tinha endereço.

Minha mãe é uma ditadora na cozinha... Não diga que não avisei.
Val

— Droga.

— O quê?

Ela havia se esquecido da aula de culinária.

— Eu... eu tenho uma dívida para pagar. — Olhou para o relógio. Ainda tinha tempo para tomar banho. Maquiagem e produção teriam que esperar.

Recolheu rapidamente as cartas e saiu correndo da sala.

Tomou um banho rápido, vestiu um short e aplicou um pouco de rímel. Então saiu apressada.

Simona Masini usava um avental e já estava na cozinha de Val. O lugar estava repleto de tomates frescos, farinha e ovos quando Meg chegou.

A cena parecia ter sido tirada de um filme de terror. Bem, pelo menos para Meg.

— Desculpe, estou atrasada — ela foi dizendo ao entrar pela porta dos fundos.

A sra. Masini ofereceu um sorriso apaziguador.

— Tenho o dia todo — respondeu, entregando um avental a Meg. — Coloque isto.

— O dia todo? — Ela o vestiu e se perguntou se já havia usado um avental antes. *Não.*

— Não faça essa cara, Margaret. Você parece uma mulher brilhante. Tenho certeza de que posso te ensinar o básico sobre massas.

A sra. Masini abriu um enorme recipiente de plástico e jogou várias xícaras de farinha no balcão de mármore.

— Começamos com a massa, para ela poder secar enquanto preparamos o molho.

— Quando se usa massa industrializada, a gente sai na frente.

Era difícil não rir do cenho franzido da mulher.

— Primeiro vou te mostrar, e em seguida você faz. Lave as mãos.

Meg foi até a pia e executou a ordem.

— Preciso te avisar, sra. Masini, que eu e a cozinha somos inimigas declaradas. Até meus cookies são industrializados.

— Sua mãe não cozinha? Não faz nada do zero?

Meg pensou nos pés de maconha em vasos e nas prateleiras de secagem que seus pais usavam mesmo antes de legalizarem a erva.

— Ela seca as próprias ervas.

A sra. Masini não ficou impressionada. Fechou a mão em punho e a colocou na farinha, em seguida quebrou os ovos no centro de seu pequeno vulcão.

— Massa é o mais básico dos alimentos. É fácil memorizar a receita. — Ela remexeu a farinha, adicionou uma pitada de sal e mais alguma coisa. — Por que você está aí parada, me olhando? — Acenou com a mão suja para o outro lado do balcão. — Comece com a farinha.

Meg tentou imitar sua professora, fez um buraco grande demais em seu monte de farinha e percebeu que, se fosse adicionar um ovo, a coisa passaria para o outro lado como o monte Santa Helena. Ela consertou a lateral de sua montanha e quebrou um ovo. O primeiro caiu perfeitamente, mas o segundo foi com parte da casca, que Meg puxou antes de pegar o terceiro ovo. Então deu uma olhada na direção da sra. Masini, que a observava em silêncio.

— Não é tão difícil.

O terceiro ovo caiu na borda do monte de farinha e se espalhou pelo balcão. Meg tentou parar o fluxo com a palma da mão, mas viu sua montanha desmoronar.

— Ah, não.

Quanto mais ela tentava conter o vazamento, maior se tornava a bagunça.

A sra. Masini limpou as mãos no avental e pegou uma lata de lixo. Com a ajuda de uma toalha de papel, toda a montanha foi descartada.

— Comece de novo.

O segundo vulcão não entrou em erupção, até que a sra. Masini lhe mostrou como misturar os ovos e a farinha. A terceira tentativa foi quase perfeita. Ou, pelo menos, ganhou um ponto de aprovação.

A sra. Masini conversava enquanto abriam a massa, cortavam em tirinhas e as colocavam em uma prateleira para secar.

Quando todos os tomates estavam picados, assim como a cebola e o alho, a mãe de Val pegou uma garrafa de cabernet e a entregou para Meg.

— Abra isto.

Meg estava começando a gostar da ideia de cozinhar com a sra. Masini.

— Onde estão as taças? — perguntou, ao abrir a garrafa.

A sra. Masini revirou os olhos, tirou a garrafa da mão de Meg e colocou um pouco de vinho no molho que elas haviam preparado.

— Ah. — Meg olhou para o rótulo, decepcionada. — Esse não é o vinho do seu genro?

— Ele não é meu genro!

— Ainda.

A sra. Masini grunhiu.

— Pelo visto você não aprova a escolha da sua filha.

Ela hesitou.

— O homem nem me olha nos olhos.

— Você acha que ele está escondendo alguma coisa?

A sra. Masini não concordou nem discordou.

— O que pensar de alguém que se diz loucamente apaixonado e, em seguida, deixa a namorada sozinha por semanas a fio? Ele ainda não apresentou a Gabi para os pais dele. Que tipo de família ele tem?

Meg pensou nos próprios pais.

— Nem todo mundo é definido pela família.

— É verdade, mas casamento é mais do que simplesmente duas pessoas se juntando. Como posso aprovar a família dele se nem a conheci? Eu não confio nele.

O veneno em suas palavras ecoava na cabeça de Meg. Era sua vez de observar em silêncio enquanto a sra. Masini andava pela cozinha. Ela se aproximou de um armário e pegou duas taças, serviu o vinho e tomou um grande gole.

— Conheça o homem com quem você vai se casar, Margaret. Conheça a família dele.

— Casar não está nos meus planos.

— Por que não?

Meg pensava nisso desde que fora trabalhar para a Alliance.

— Eu sempre acabo me interessando pelos tipos artistas.

— Como o Jim?

Meg assentiu.

— Só que algumas décadas mais novos — ela disse com uma risada. — Mas caras como o Jim não ficam por perto nem conseguem pagar a conta de luz, que dirá o aluguel.

A sra. Masini pesou suas palavras e tomou um gole de vinho.

— Então você precisa encontrar alguém com mais estabilidade.

Meg conhecia muitos executivos. Estava arranjando casamento para eles havia alguns anos. Eles podiam ser estáveis, mas a incapacidade de rir e curtir a vida era algo desanimador.

— Há algum tempo eu decidi que não quero só metade do pacote... Também descobri que o homem perfeito não existe, e Deus sabe que eu não estou nem perto de ser perfeita.

— Ninguém é perfeito, querida.

— Seria mais fácil se as minhas expectativas não fossem tão altas. Meus pais são felizes sendo pobres juntos. Se um deles quisesse algo diferente, o outro ficaria arrasado. — Ela preferia ficar solteira e feliz a ser casada e miserável.

— Então você está procurando um artista estável.

— Não estou procurando ninguém.

— E quanto aos seus "amigos coloridos"? — A sra. Masini deu um sorriso malicioso que revelou a Meg que ela também já tivera vinte e poucos anos.

— Amigos para se divertir não são a mesma coisa que amigos para uma vida inteira.

Algo disse a Meg que ela ouviria o grunhido da sra. Masini no futuro.

— Toda mulher se casa, mais cedo ou mais tarde.

Meg abriu a boca para negar, mas a senhora a interrompeu.

— Um dia você vai querer ter filhos.

— Eu sou...

— Quando você pega o seu filho no colo pela primeira vez, toda a amargura da vida desaparece. Você vai sacrificar muita coisa por eles e pela sua família. É difícil ver os próprios filhos tomarem decisões erradas.

— Como se casar com a pessoa errada.

A sra. Masini inclinou a taça de vinho na direção de Meg.

— Exatamente.

— O que mais te preocupa em relação ao sr. Picano? Você acha que ele vai ser um marido cruel? — Ela mudou o assunto para Gabi rapidamente, mas a sra. Masini não perdeu o foco da conversa.

— Ele é um homem muito frio. Como é possível um italiano ser tão comedido? — A mulher balançava as mãos no ar agora, a voz aumentando pelo menos uma oitava. — O sr. Masini, que sua alma descanse em paz, viveu a vida com paixão. Ele amava com todo o coração. E não queria nada menos que isso para a nossa menina. Um homem que não consegue expressar raiva vai guardá-la dentro de si até que uma hora ele explode. Então eu temo pela minha filha.

— Alguns homens não são tão afetados pelos estresses da vida.

A sra. Masini balançou a cabeça.

— Alonzo Picano guarda os sentimentos. Vejo isso nos olhos dele.

Uau, ela realmente não gostava do cara.

— Talvez você simplesmente não o conheça muito bem.

Ela grunhiu.

— Agora você está parecendo o meu filho. Eu o conheço o bastante para saber que ele não é bom o suficiente para a Gabriella. Ele vai voltar à ilha amanhã. Você vai ver exatamente o que eu vejo se prestar atenção.

A sra. Masini se afastou da bancada e mexeu o molho de tomate antes de tampá-lo e baixar o fogo.

— Achei que a Gabi tinha dito que ele ia voltar só daqui a uma semana.

— Ele mudou de ideia. Até parece uma mulher. Um homem de negócios não pode se dar ao luxo de mudar de ideia.

Meg não podia argumentar contra isso.

— Aconteceu alguma coisa?

A sra. Masini gemeu.

~~~

Michael chegou ao topo do penhasco antes de Ryder. Eles começaram o dia com wakeboard, depois decidiram fazer uma caminhada e um piquenique no ponto norte da pequena ilha. Parecia que a maioria dos hóspedes do Sapore di Amore gostava mais da piscina e da praia, uma vez que eles não haviam encontrado ninguém durante o passeio.

A brisa era mais forte algumas centenas de metros acima do nível do mar, e a vista, deslumbrante.

Ryder chegou ao topo e se virou para olhar.

— Uau.

— Uma vista assim é realmente de tirar o fôlego — Michael disse.

— Me faz pensar por que estou morando em Utah.

— É onde nós crescemos. É seguro. — Pelo menos era assim que Michael pensava quando morava lá. Ele gostava de voltar, agora que o relacionamento com seus pais, mais especificamente com o pai, havia melhorado. Não que ele pensasse em voltar a morar lá. Nos últimos anos, ele revelara sua sexualidade à irmã mais velha e ao irmão, e só recentemente a uma das irmãs mais novas. Era apenas uma questão de tempo para conversar com seus pais. A distância ajudava a manter seus segredos. Ainda assim, revelar sua sexualidade ao pai era um obstáculo que ele ainda tinha que transpor.

Eles se sentaram no chão gramado, e Ryder se apoiou nos antebraços, atraindo a atenção de Michael. Os dois tinham compartilhado mais momentos juntos do que qualquer outra pessoa na vida de Michael. Quando passavam algum tempo próximos, era como se fossem adolescentes novamente, ou pelo menos uma década mais jovens. A vida ficava completa, cheia da promessa de um futuro brilhante.

— Sabe, existem escolas em todos os lugares. Você não precisa ficar em Hilton.

— Tentando me atrair para a cidade grande, Mike? — O sorriso provocador de Ryder mostrou duas covinhas.

Será que ele estava?

— Por que é que a nossa vida tem que ser tão complicada?

— Porque somos gays.

Michael soltou uma risadinha.

— É mesmo? Eu não tinha percebido.

Ryder virou de lado e sorriu para ele.

— Se eu fosse embora de Utah, para onde iria? Para Beverly Hills com você, me tornar um homem sustentado?

Ninguém faria de Ryder um homem sustentado. Ele era muito forte, muito cabeça-dura.

— Você trabalharia.

— E quando as pessoas perguntassem por que eu estava morando com você?

— Muita gente divide a casa com amigos. — Dizer as palavras em voz alta deu a Michael espaço no cérebro para considerar a possibilidade. — Você não está cansado de morar em uma cidadezinha com pessoas de mente tão fechada?

Ryder estendeu a mão e a pousou em sua coxa.

— Isso poderia comprometer tudo pelo que você tanto trabalhou.

O coração de Michael acelerou. Ele pensou nas palavras de Meg, perguntando se ele já não tinha dinheiro suficiente para ser feliz. O dinheiro no banco era realmente tão importante comparado a esse momento, no alto de um penhasco, ao lado de seu amado?

Michael pegou a mão de Ryder e a apertou.

— Nós dois temos algo a perder.

— Temos que pensar seriamente nisso — Ryder concordou e desviou o olhar.

Eles ficaram em silêncio por um instante, observando as gaivotas sobrevoarem as ondas para pegar alimento.

— É lindo mesmo — Ryder falou.
Michael observou seu perfil.
— Sim, é mesmo.

10

A SRA. MASINI DECIDIU QUE tirar uma soneca durante a tarde era uma boa ideia, então deixou Meg sozinha, mexendo o molho durante meia hora.

É claro que ela não sabia com que facilidade Meg poderia estragar uma receita. Provavelmente o fato de metade da garrafa de vinho ter desaparecido não ajudava. Meg esperou quarenta e cinco minutos e colocou uma panela com água para ferver, conforme fora instruída a fazer. Segundo a sra. Masini, uma boa massa servida um pouco mais tarde era a refeição perfeita. Meg estava convencida de que comer às duas era uma desculpa para beber mais vinho.

Ela foi até a pia para lavar o molho das mãos quando ouviu a água derramando no fogão.

— Ei, calma aí. — Claro, Val tinha que entrar na cozinha exatamente quando Meg estava fazendo bagunça.

Ele diminuiu o fogo, acalmando a água fervente. Estava mais uma vez usando terno e colete, e ela... Meg olhou para as próprias roupas ao mesmo tempo em que Val a observava da cabeça aos pés.

O avental ao redor da cintura evitou que toda a farinha a sujasse, mas ainda havia uma boa quantidade daquela porcaria em suas roupas. Certamente as crianças do jardim de infância eram capazes de fazer uma massa com muito menos bagunça.

Val cobriu a boca para esconder o sorriso.

— Vá em frente, pode rir.

A mão dele caiu.

— Você parece... parece...

Ela afastou uma mecha de cabelo dos olhos e caminhou ao redor dele, indo até o fogão. Ela não estragaria o molho porque ele não conseguia falar como ela parecia ridícula.

— Precisei de três tentativas para fazer a massa direito. — Ela assentiu com a cabeça para o macarrão, que estava secando.

— Eu te avisei.

Ela grunhiu de um jeito surpreendentemente parecido com o da sra. Masini.

— Onde está a minha mãe?

— Foi descansar. Parece que criar essa perfeição culinária a deixou exausta. Ela pediu para eu acordá-la quando a massa terminar de cozinhar.

Val tirou o paletó e afrouxou a gravata.

— Se servir de consolo, o cheiro está delicioso.

— Ganhei alguns cabelos brancos preparando essa refeição, espero que fique boa.

Ele riu, enrolou as mangas da camisa e lavou as mãos.

— Não acho que sejam cabelos brancos. É só farinha.

A ideia de jogar em Val o pano de prato manchado passou pela cabeça de Meg. Mas ela sujaria a camisa de linho dele. Talvez se ele estivesse usando algo mais casual...

— Eu disse a ela que não sabia cozinhar.

— Foi o seu primeiro erro. — Ele pegou a bandeja de macarrão seco e o colocou sobre a água fervente.

Meg parou ao lado dele e sentiu seu perfume se sobressair ao cheiro do alho e dos tomates. Em vez de prestar atenção naquilo, se concentrou em mexer o molho.

Quando acabou de colocar a massa na panela, ele olhou para ela.

Meg o encarou de volta, sem virar a cabeça.

— O que foi?

Ele estendeu a mão, tocando sua bochecha.

— Você tem um pouco de...

Farinha? Molho? Podia ser qualquer coisa, mas o toque lhe provocou um arrepio enérgico nas costas.

— Pensei em você na noite passada — ele disse.

— É mesmo? — Ela não estava gostando muito do fato de que aquele cara a fazia sentir as emoções à flor da pele. Seu jeito convencido na noite anterior a deixou acordada a maior parte do tempo. Não que ela fosse lhe contar isso. — Eu dormi como um bebê.

— Tem certeza?

Ele se moveu para trás dela, segurou o botão de acendimento do fogão e roçou seu corpo no dela de propósito.

— Sabe, Masini, eu sei me mexer.

— Onde estaria a diversão nisso? — Ele tinha razão.

— Você é tão convencido.

— Você já disse isso na noite passada.

— Ainda está valendo.

Ele riu e roçou o braço dela com uma das mãos. Ela começou a se inclinar na direção dele quando perceberam que não estavam sozinhos.

Meg tentou disfarçar o susto, sem querer parecer tão óbvia, mas falhou.

— Oi, Gabi.

Admirada, a moça observou os dois e deu um sorrisinho malicioso.

— Olá, Meg. Eu sabia que você estava cozinhando... mas não fazia ideia.

Val riu, e Meg deu uma cotovelada nele.

— Seu irmão é muito paquerador.

— É mesmo? Nunca percebi.

Meg se afastou do olhar atento de Val e deixou cair o pano de prato no balcão.

— Acho que vou acordar a sua mãe.

— Eu vou — Gabi respondeu. — Vocês dois... podem continuar.

Meg balançou um dedo acusador para Val assim que ficaram sozinhos.

— Supostamente, eu estou aqui com o Michael.

— Não de verdade.

— Algo que deveria ser segredo. Por que você acha que estamos aqui?

— Não precisa se preocupar com a Gabi. Ela nunca faria nada para comprometer o que acontece na ilha.

Ele desligou o fogo e levou a panela pesada de massa até a pia. O escorredor já estava no lugar. Era evidente que Val conhecia bem a cozinha.

— Pelo visto a sua mãe te ensinou a cozinhar.

Ele sorriu.

— Na verdade, foi o meu pai. E ainda bem. Minha mãe não quis saber de cozinhar durante meses depois que ele morreu.

— Você é um bom filho até o último fio de cabelo. — Ela falou aquilo em tom de elogio, mas as palavras saíram um pouco sarcásticas.

— Família é importante.

Meg se perguntou se aquela coisa de lealdade familiar não estava em seu sangue. Ela amava seus pais, mas não sentia nenhuma necessidade de protegê-los ou cuidar deles. Eles sempre pareceram suficientes um para o outro, deixando-a um pouco solitária.

Gabi desceu a escada dos fundos até a cozinha.

— Ela vai descer em alguns minutos. Acho que vou pôr a mesa. — Levantou a bolsa de Meg para colocá-la em outro lugar.

Meg pensou na carta de Judy e não conseguiu lembrar se o nome de Alonzo havia sido mencionado nela. Como o papel estava dentro da bolsa, correu para tirá-la das mãos de Gabi.

— Eu guardo.

Gabi a entregou e se virou quando alguns papéis caíram. Meg não precisava se preocupar, pois ela não vira a carta antes de tirar tudo da mesa e começar a colocar os pratos.

A sra. Masini parecia cinco anos mais nova depois da soneca. Ajudava o fato de que ela não estivesse enfarinhada como Meg. Val serviu o vinho, e Gabi, a comida.

Antes de comerem, Val ergueu a taça.

— Aos novos amigos.

A sra. Masini ergueu a dela.

— Aos novos cozinheiros.

Gabi se juntou a eles.

— À grande sacada para conseguir cantar com Jim Lewis.

Meg riu e fez seu próprio brinde.

— A sobreviver à minha comida.

Com o sabor do vinho nos lábios, ela encontrou o olhar de Val quando ele deu a primeira garfada.

— Ah, *cara*. Perfeito.

— Melhor que a minha primeira tentativa — Gabi disse, dando uma segunda garfada.

— Sério? — Meg ergueu o garfo e experimentou. — Hummm...

Não estava ruim. Na verdade, estava muito bom.

— Claro que ficou perfeito. Sou uma boa professora, não sou?

— A melhor, *mamma*.

Eles conversaram sobre comida, sobre as primeiras vezes que cozinharam até conseguirem acertar. Riram quando Meg descreveu o vulcão de farinha, dizendo como era parecido com o monte Santa Helena.

E comeram.

Meg não conseguia se lembrar de uma refeição melhor. Ela se sentiu orgulhosa quando Val repetiu.

Ao terminarem, foram para o pátio externo, e Meg descansou a mão no estômago cheio.

— Como você consegue continuar magra comendo desse jeito? — ela perguntou a Gabi.

— Muita natação.

— Não deixe a Gabi te enganar — Val disse, na frente das duas. — Ela come feito um passarinho na maior parte do tempo.

— Tenho que caber no vestido de noiva.

Com a menção do casamento por vir, a sra. Masini fez aquele grunhido que Meg tinha começado a reconhecer durante o tempo que passaram juntas.

— Seu marido deveria te amar gorda ou magra.

— Quero ser magra para mim, *mamma*.

— Acho que vou continuar a minha soneca — a sra. Masini falou, se retirando. Em seguida parou ao lado de Meg. — Obrigada pela companhia, Margaret.

Meg se levantou e abraçou sua professora.

— Eu que agradeço. Me diverti de verdade.

A mulher beijou sua bochecha e entrou. O celular de Val vibrou, afastando sua atenção.

— Parece que tenho que voltar ao trabalho.

— Acho que vou tomar um banho para tirar essa farinha antes que ela se torne parte de mim.

Gabi pousou a mão no braço de Meg.

— Não está tão ruim.

Todos entraram e Meg foi pegar a bolsa. Pescou o bilhete que Val lhe mandara e acenou para ele.

— Obrigada pelo aviso.

— Ela pegou leve com você.

Meg guardou o bilhete e notou um envelope ao lado dos outros dois. Seu nome estava na frente, mas não constava a identificação do remetente. Ela se perguntou se Val tinha enviado dois bilhetes.

Enquanto Gabi perguntava ao irmão sobre um dos hóspedes, Meg abriu a carta.

Só que não era uma carta.

Era uma foto da noite anterior.

Uma foto dela nos braços de Val, o abraço íntimo deixando pouco para a imaginação de qualquer um que visse aquela imagem.

— Mas que droga é essa?

— O que houve?

— Isso é uma piada? — Porque, se fosse, ela não estava achando graça. Val pegou a foto e ficou rígido.

— Ah, meu Deus... — Os olhos de Gabi estavam arregalados.

— Onde você conseguiu isso? — Val perguntou com tom acusatório e os olhos escuros.

— Você que devia me dizer. Chegou de manhã ao meu bangalô, com a correspondência.

— São vocês dois — Gabi declarou o óbvio.

— Só agora você está me mostrando? — Val acusou.

— Eu não tinha aberto ainda... E por que você está falando comigo nesse tom? Eu não tirei essa foto, Masini. Estava um pouco ocupada naquele momento.

— Ninguém está te acusando de nada — Gabi disse. — Mas quem... e por quê?

— Quem entregou isso?

— O mesmo mensageiro que me trouxe o seu bilhete.

Val disse algo em italiano, em voz baixa. Meg podia apostar que ele estava praguejando.

— Isso não pode sair desta sala — ele sibilou.

— Achei que você não permitia câmeras na ilha. Como isso foi acontecer?

— Eu não permito.

— Não parece que foi tirada de fora. — Parecia que a foto havia sido tirada de dentro do restaurante, com uma lente de longo alcance.

— Alguém está me provocando — Val murmurou.

— Te provocando? Nós dois estamos na foto.

— Como isso aconteceu, Val? — Gabi perguntou. — Por que alguém se importaria com vocês dois se beijando? — As palavras dela morreram e seu rosto ficou vermelho.

Val encarou Meg.

— Talvez não tenha nada a ver comigo.

Ela bateu no peito.

— Não sou eu a celebridade por aqui. O Michael que é. — Ah, espere. Se alguém estivesse na ilha com uma câmera... — Ah, não! — Ela virou e se preparou para correr até o bangalô.

Val segurou seu braço e a girou.

— Eu dirijo.

Eles seguiram até o carrinho de golfe e aceleraram. O coração de Meg estava disparado. E se fosse tarde demais? E se Ryder e Michael já tivessem sido pegos pela câmera?

Ela se forçou a respirar fundo, tentando evitar que os pulmões se fechassem novamente.

VAL FEZ AS CURVAS MUITO rápido, passando o braço sobre o corpo de Meg para evitar que ela caísse do carrinho. Quando chegaram, ela desceu correndo, mas parou na porta.

— Espere aqui.
— *Cara*.
— Espere. — Ela respirou fundo e entrou no bangalô, chamando por Michael. Segundos depois, apareceu e pediu que Val entrasse. — Eles não estão aqui.

Val entrou, deu uma olhada no espaço e pegou o celular.

— Sim, sr. Masini? — Carol atendeu ao segundo toque.
— A srta. Rosenthal está procurando o sr. Wolfe. Ele deixou a ilha?
— Não, senhor. Vou fazer algumas ligações e retorno com a localização dele.

Val desligou.

— Vamos saber onde ele está em um instante.

Meg passou a mão pelos cabelos e começou a andar pela sala.

— Isso é nada bom, Val. É totalmente péssimo.
— Fique calma, Margaret. — Ele podia ouvir um suave sibilar em seus pulmões e se perguntou se o remédio dela estava por perto.
— Não me diga para me acalmar. Não era para esse tipo de merda acontecer aqui na ilha. Tivemos mais discrição em Key West do que aqui. — Ela continuava falando enquanto andava. — Eu sabia que isso aqui era bom demais para ser verdade.
— Sabe, *cara*, me beijar não é pecado. — A menos que... ela tivesse outra pessoa. — Espere... Tem alguém...

— Ah, meu Deus, não. A sua verificação de antecedentes é tão limitada que você não conseguiu encontrar um amante ciumento?

— Eu respeito a privacidade dos meus hóspedes. — Ele fez uma pausa e inclinou a cabeça. — Espera, como é que a *sua* verificação de antecedentes é tão minuciosa?

Ela abriu a boca e fechou no mesmo instante.

— *Cara?*

— Por que você está me chamando assim? E o que é que isso significa?

— Significa "querida", meu bem. — Parecia adequado, já que ela não tinha dado autorização para ele usar seu apelido.

Ela grunhiu, como a mãe dele.

— Você não respondeu à minha pergunta — Val a lembrou.

— E nem vou responder. Eu não te conheço bem o suficiente.

— Eu enfiei a língua na sua garganta e você não me conhece bem o suficiente? — Ele quis rir, mas achou a declaração perturbadora.

— Uma vez. Um beijo, Masini. Você não me conhece, e eu não te conheço. — Ela olhou para o relógio na parede. — Onde é que você se enfiou, Michael?

Meg passou a mão pelo peito, e Val se aproximou.

— Por favor, *cara*. Acho que o Michael não queria que você ficasse preocupada a ponto de não conseguir respirar.

Um pouco do gelo em seus olhos derreteu.

— Precisamos encontrá-lo, Val. Precisamos encontrar os dois antes que tirem mais fotos.

Val pensou que estava começando a compreender o problema, mas não ousou perguntar. Se a especulação dele estivesse correta, "isso é totalmente péssimo" não era uma declaração forte o suficiente.

Um clique na porta da frente desviou a atenção dos dois. Michael entrou no bangalô, rindo com Ryder ao lado.

Meg correu na direção dele e o puxou para dentro da sala, fechando a porta.

— Graças a Deus vocês chegaram.

— O que aconteceu? — A risada de Michael se desfez abruptamente, e a preocupação tomou seu rosto.

— Alguém na ilha tem uma câmera.

Ele ficou pálido.

— O quê?

Margaret colocou a mão no peito dele.

— Hoje de manhã, com as cartas, eu recebi uma foto minha com o Val.

— Você com o Val?

Margaret ergueu as mãos no ar e olhou ao redor da sala. Então colocou um dedo nos lábios enquanto empurrava todo mundo pela porta deslizante.

— O que estamos fazendo aqui fora? — Val perguntou, assim que chegaram à varanda.

— Temos que ser paranoicos, Masini. — Ela foi até o aparelho de som externo e ligou em uma estação de rock. — Isso deve funcionar.

— Nossa, Meg, você está me assustando.

Val percebeu que Ryder estava pálido, mas ainda não havia falado uma palavra.

— Se alguém tem uma câmera, pode ter áudio também.

Michael ficou tenso. Val odiava que seus hóspedes se preocupassem com quebra de privacidade. Quem ele estava tentando enganar? A segurança já tinha ido pelos ares. A única coisa que faltava era a notícia vazar para a imprensa.

— Preciso avisar a segurança — Val disse e Meg assentiu, sem olhá-lo nos olhos.

Lou foi informado e Val voltou para o bangalô de Wolfe.

Os três olhavam a foto com atenção.

— Como isso foi acontecer, sr. Masini? — Michael perguntou.

— Não sei, mas vou descobrir.

Ryder finalmente falou:

— Acho que devíamos ir embora.

Michael balançou a cabeça.

— E parecer que somos culpados? Acho que não.

— Mike.

Lá estava, a cumplicidade estampada no olhar entre duas pessoas. Tudo ficou perfeitamente claro. Michael Wolfe e seu amante — que não era Margaret Rosenthal — temiam que sua relação estivesse prestes a se tornar pública.

Val pensou nas duas primeiras fotos que havia recebido. Ele detestava aborrecer seus hóspedes, mas percebeu que a única coisa ética a fazer era abrir o jogo. Ainda que isso ameaçasse sua chance de beijar Margaret de novo.

— Alguém está observando vocês. — Ele dirigiu seu comentário para Meg. — Não tenho certeza se o foco está na Margaret ou em você, sr. Wolfe.

— A foto é minha — ela observou.

— É verdade. E, apesar de eu não ter nenhum problema com relação a isso, se ela se tornar pública, vai ameaçar seus planos aqui. No entanto, a outra colabora com o plano.

Margaret encontrou seu olhar. O corpo dela ficou tenso.

— Outra?

⁓∞⁓

Foi ótimo Lou ter aparecido naquele momento. Não havia como dizer que tipo de estrago Meg estava prestes a provocar no homem que a beijara. Ela até havia cozinhado para ele, pelo amor de Deus.

Descobrir que a primeira foto surgira no dia seguinte à chegada deles à ilha e só agora ela estava ouvindo falar sobre isso a deixou fora de si.

Lou também usava terno e colete, como Val, só que seu corpo era enorme. E parecia familiar.

Val entregou a foto a ele.

— Quero saber exatamente de onde isso foi tirado.

— É pra já, sr. Masini.

Ele se virou para sair, mas Meg saltou na frente dele.

— Você é o chefe da segurança, certo?

— Sim, senhora.

O homem era mais alto que ela e tinha um tronco tão largo que tampava a visão ao redor. A prudência dizia para filtrar suas palavras.

— Faça uma varredura no nosso bangalô. Veja se não tem nenhuma escuta.

Lou olhou para além dela. Meg acenou a mão na frente dos olhos dele.

— Agora, sr. Myong. Eu preciso saber que ninguém está me ouvindo fazer xixi.

— Sim, senhora.

Meg o seguiu para dentro do bangalô, deixando Michael e Ryder lá fora. Val também os acompanhou. Lou e Val ajudavam, mas Meg tinha mais recursos. Ela nunca se sentira tão feliz por seus contatos como naquele momento.

Pegou o telefone.

— Para quem você está ligando? — Val perguntou.
— Apoio.
Rick atendeu imediatamente.
— Oi.
— Rick, é exatamente com você que eu preciso falar.
— Oi, Meg. Como está o paraíso?
Ela esfregou a testa.
— Preciso saber se esta linha é segura.
— O quê?
— Você me ouviu.
— Merda.
— Merda dupla.
— Margaret? — Val disse atrás dela.
— Calma aí, Masini. — A linha estalou algumas vezes e a preocupação se arrastou pela coluna de Meg. — Você está aí?
— Estou. Parece que a linha está limpa. Mandei uma mensagem para o Neil. Ligue para ele, que ele vai fazer uma segunda checagem — Rick orientou.
— Ok.
— Me ligue de volta se estiver tudo certo.
— Pode deixar.
Ela desligou, digitou o número de Neil e passou pela mesma rotina. Neil era menos descontraído.
— Tudo limpo.
— Obrigada, Neil.
— Você pode falar?
Ela olhou ao redor da sala, preocupada que houvesse escutas escondidas atrás de algum relógio.
— Ainda não sei.
— Ligue quando souber.
— Ah, não se preocupe. Vou ligar.
Ela desligou e começou a discar para Rick de novo.
— Por que eu tenho a sensação de que o serviço secreto invadiu o seu corpo? — Val perguntou.
Ela pensou nos diferentes casamentos que havia organizado, na riqueza e no poder daquelas pessoas... amigos dela. Judy, Michael, Samantha, sua

chefe. Talvez o senso de lealdade estivesse em seu sangue, só havia se transferido de seus pais para seus amigos.

— O serviço secreto teria sorte se me tivesse — ela disse, sem nenhum traço de humor.

Rick atendeu ao primeiro toque.

— Vou entregar o telefone para o Lou. Ele é o chefe de segurança de Valentino Masini. Vamos testar se o cara suporta a pressão, sim?

— Pode deixar. A Judy quer que você saiba que podemos chegar aí em quatro horas e meia.

Ela sorriu.

— Deixe o piloto da Sam de sobreaviso.

— Tudo bem.

Meg encontrou Lou em seu quarto, vasculhando tudo.

— Fale aqui com o Rick. Passe a ele o seu nome.

— Desculpe, srta. Rosenthal, mas...

— Está tudo bem, Lou — Val disse da porta.

Meg tentou se acalmar.

— Ele é um fuzileiro naval aposentado que se especializou em segurança, Lou. Talvez ele possa te ajudar a encontrar qualquer coisa escondida.

Quando Val assentiu, Lou pegou o telefone da mão de Meg e o colocou na orelha.

O bangalô estava limpo. E, mesmo que algo tivesse passado despercebido, Lou tinha um dispositivo de interferência que emitia ondas de alta frequência e afetaria qualquer dispositivo externo. Meg insistiu para ter seu celular de volta e, quando Rick fez outra checagem e chegou à conclusão de que não havia escutas, ela foi lá fora falar com seus amigos. Assim que os atualizou sobre a situação, pediu que Rick transmitisse a Sam tudo o que poderia ser checado no resort que ainda não havia sido feito.

— Acho que eu devia ir até aí, verificar com meus próprios olhos o que está acontecendo — disse Rick.

— Vamos ver o que conseguimos fazer aqui sem você.

— Não estou gostando disso — Judy falou, de uma extensão na casa.

— Eu também não. O Michael não falou muito, mas está preocupado.

— Talvez eu devesse falar com ele.

Como irmã, Judy poderia ajudar. Mas Michael e Ryder estavam caminhando ao longo da costa, tendo uma conversa séria. Andavam a vários passos um

109

do outro, mas era possível ver que eles não estavam prestando atenção em nada além das palavras trocadas.

— Vou falar para ele te ligar, se precisar.

As duas encerraram a ligação e Meg entrou na sala, onde Val estava ao telefone.

— Todo mundo, Carol. Ninguém entra nem sai da ilha sem falar comigo primeiro. Nossos funcionários conhecem os procedimentos de isolamento. Diga a eles que é uma simulação. — Val instruiu a assistente e guardou o telefone no bolso interno do paletó.

Meg sentiu a mão dele em seu ombro. Ela pulou, e ele afastou a mão.

— Vou encontrar quem está por trás disso.

— *Nós*... Nós vamos encontrar quem está tirando essas fotos.

— Não acho que eles estão de olho em você, *cara*.

— Eu sou o fator em comum nessas fotos. Se eu fosse a mulher de um senador, pagaria caro por elas. — Ela precisava escrever tudo num papel para organizar os fatos em sua cabeça. Abriu as gavetas da cozinha; havia um bloco lá em algum lugar. Ela o vira quando fizeram o check-in.

— O que está procurando?

Ela puxou o bloco da gaveta e pegou uma caneta.

— Achei. Vou precisar de um computador com acesso à internet.

— Margaret...

— Nem pense em negar. Se não descobrirmos quem está fazendo essa porcaria, nós dois vamos sair perdendo.

— O que exatamente você tem a perder, Margaret?

Ela hesitou, não apreciando a posição em que se encontrava.

— A Alliance organiza acordos contratuais entre clientes exclusivos.

— Fale a minha língua, *cara*.

— Nós arranjamos casamentos. Contratos temporários de casamento consensual entre dois adultos.

— Tipo uma agência de acompanhantes?

Ela o encarou.

— Sexo não faz parte do contrato. Nunca. É um acordo comercial como qualquer outro. Para as pessoas acreditarem que o casamento é por amor.

Val esfregou o queixo.

— E por que alguém precisaria desse tipo de arranjo?

Meg revirou os olhos.

— Olhe em volta, Masini... Use a imaginação.

Seus olhos se iluminaram quando a compreensão surgiu.

Ela arrancou três folhas e escreveu no topo delas: "Michael", "Meg", "Masini"...

— Eu estava nas duas fotos. — Escreveu "foto" e o número dois no papel com o nome dela, e o número um nas demais folhas.

Val deu um passo à frente, pegou a caneta da mão dela, rabiscou o número um no papel com o nome dele e escreveu o número dois.

— Tiraram uma foto minha sozinho.

Meg franziu o cenho.

— Mais alguma coisa que você não tenha me contado, Masini?

— Não, acho que é só isso.

Confiar nesse cara estava cada vez mais difícil. Ela olhou para os papéis de novo e pegou a caneta de volta.

— Quem poderia ser ameaçado pelas fotos?

A reputação de Meg não seria prejudicada se uma foto dela com Val circulasse por aí, nem se ela fosse vista ao lado de Michael. Ela afastou sua folha e pegou a de Michael. Nada o comprometeria também. Então pegou a página de Masini.

— Me beijar não é o fim do mundo, mas, se descobrissem que fotos estão sendo tiradas aqui, seu resort poderia ficar vazio.

Ela anotou o raciocínio nos papéis e continuou. Val a observou em silêncio.

Era óbvio que Michael e Masini teriam muito a perder se fossem tiradas mais fotos. Será que o fotógrafo tinha outras e só estava aguardando a oportunidade de mostrá-las?

— Os paparazzi já teriam publicado essas fotos se fosse alguém da imprensa. Então acho que podemos descartar essa possibilidade. Algum hóspede, talvez?

Val caminhou pela sala.

— Vou fazer uma lista das pessoas que estão aqui e têm algo a esconder. Essas podemos descartar. Os demais, quem sabe?

— Você fez algum inimigo para chegar aonde está? Alguém que possa ter ficado irritado com o seu sucesso?

— Inveja? Você acha que alguém quer me prejudicar por inveja?

— É um dos pecados mais comuns, Masini. Sugiro que você pesquise no seu diário se forçou a barra com alguém.

— Se eu tivesse feito isso, eles não teriam tirado fotos comprometedoras? Por que tirar uma foto minha caminhando na praia ou beijando uma mulher bonita? Não seria melhor fotografar a esposa de um senador, como você colocou?

— É uma boa pergunta. — Ela escreveu no papel e circulou. — Eu e o Michael somos um elo... Por quê?

— O primeiro instinto do Ryder foi fugir. Talvez seja o que o fotógrafo quer — Val respondeu.

— Talvez o Michael conheça alguém na ilha que não quer que ele saiba que está aqui. — Meg escreveu isso.

— Pode ser.

— Não passamos muito tempo nas áreas comuns do hotel. Talvez devêssemos fazer isso.

Ela virou os papéis e se sentou em uma das cadeiras da cozinha.

— Agora, vamos pensar na hipótese de chantagem.

GABI SENTIU A FRUSTRAÇÃO DE seu irmão tão intensamente como se fosse sua. O resort podia não ser dela, mas ela era parte daquilo e faria qualquer coisa para manter intacto o que o irmão havia construído.

Ela trabalhou ao lado de Carol para levantar quem havia chegado ao hotel e quem poderia ter partido e voltado durante o tempo em que Wolfe e sua acompanhante haviam chegado. Três voos aterrissaram e decolaram. A equipe da pista não havia deixado o prédio. A maioria dos hóspedes pegava o barco para Key West e um voo comercial de lá.

As entregas eram feitas diariamente, sempre pelas mesmas pessoas. A maioria nunca passava das docas. Ainda assim, Gabi passou a tarde conversando com a equipe responsável por receber as mercadorias.

— Obrigada pela compreensão. — Gabi apertou a mão de Adam, o responsável pelas entregas. Nada entrava na ilha sem o conhecimento dele. Pelo menos, nada de origem orgânica.

— Eu gosto do meu trabalho, srta. Masini. Se essa *simulação* me ajudar a mantê-lo, tudo bem.

Adam foi a terceira pessoa a insinuar que a "simulação" tinha algo mais por trás. Talvez pela intensidade das perguntas, ou pelo fato de Lou ter convocado toda a equipe de segurança para participar.

O primeiro grupo de funcionários que estava terminando o turno foi entrevistado e lentamente conduzido para o barco que saía da ilha. A segurança verificou suas bolsas e agradeceu a compreensão de todos.

Gabi se esforçou para sorrir e agradeceu a paciência da equipe. A segurança entrevistou os funcionários que chegavam, antes de se dirigirem para as áreas de trabalho designadas.

Durante uma pequena pausa nos trabalhos, Gabi resolver dar uma volta no armazém.

Olhou para os paletes de comida, bebida, material de limpeza e de escritório, tudo o que era necessário para o funcionamento do resort. Quando se virou, encontrou Julio mexendo em várias caixas de vinho. Ao vê-lo, colocou um sorriso no rosto.

— Oi, Julio.

O imediato do iate de Alonzo tinha cerca de um metro e oitenta, ostentava uns quinze quilos de sobrepeso e tinha um sorriso bondoso. Ela só o encontrara algumas vezes.

— Srta. Masini. — Ele pareceu surpreso ao vê-la ali.

— O Alonzo chegou mais cedo? — Seu iate não estava na doca.

— Não, ah... Ele vai chegar amanhã.

Estranho.

— Como você veio para cá?

— Fiquei doente na semana passada, quando chegamos. O sr. Masini me ofereceu um lugar para me recuperar. Os alojamentos do iate não iriam me fazer bem.

Fazia sentido.

— Espero que esteja se sentindo melhor.

— Muito. Obrigado. Não vejo a hora de voltar a trabalhar.

O olhar dela recaiu sobre as caixas de vinho.

— Espero que essas garrafas não estejam aqui desde que o Alonzo veio. — Deveriam ter sido levadas para a adega, onde o vinho era mantido à temperatura certa.

Julio olhou para as caixas. Gabi acompanhou seu gesto e tocou a lateral dos engradados. Estavam frescos, como se tivessem sido colocados no armazém recentemente.

— Talvez o sr. Picano quisesse...

— Isso é tolice. — Gabi caminhou até o fim do corredor e viu Adam se afastando. — Adam?

O homem se virou e veio até ela. Assim que se aproximou, Gabi apontou para as caixas.

— Sabe por que isso está aqui e não na adega?

Ele deu de ombros.

— Não faço ideia.

— Alguém deve ter cometido um erro. Você pode levar essas caixas lá para baixo? Eu odiaria que estragassem no calor.

— Sim, senhora.

— Obrigada. Vou encontrar o meu irmão e ver até que horas vai a simulação.

Adam franziu o cenho, como se não estivesse convencido.

— Vou cuidar das coisas por aqui.

Carol interrompeu Gabi no caminho, pedindo-lhe para intervir com algumas funcionárias que estavam descontentes por ter a bolsa revistada.

Uma hora mais tarde, após uma breve ameaça ao emprego das funcionárias se elas negassem uma simples revista, Gabi estava pronta para comer um pouco mais que um passarinho. Talvez até tomasse um drinque... ou dois.

~~~

— Não gostei do plano. — Val entrou rapidamente em seu escritório, descartando tudo o que Meg propôs com um movimento de pulso.

— Você tem outro? Porque não acho que estamos mais perto de encontrar quem está por trás disso do que estávamos antes da sua investigação.

— Colocar alguém no centro das atenções de um fotógrafo é uma péssima ideia.

— Meu Deus, Val, essa pessoa tem uma câmera, não uma arma.

— Se suas fotos circularem, cada vez com um homem diferente... vai ser...

— Vai ser o quê? Meus pais são maconheiros declarados, não padres nem nada parecido.

Val a encarou com um olhar firme.

— Não gosto e não vou fazer parte disso.

Tudo bem. Ela ficou de pé e pegou a bolsa. Ele não precisava fingir beijá-la, mas isso não a impediria de dar uns beijos de mentira em outra pessoa.

— Aonde você vai? — ele perguntou quando ela passou por ele.

— Me arrumar para o jantar... Talvez dançar um pouco.

— Margaret?

— Fique aí e assista, Masini. Você faz o que acha que é certo, e eu também.

Ele se pôs na frente dela, bloqueando a porta.

— *Cara*, por favor. Tem que haver outra maneira de atrair o nosso fotógrafo.

Ela o empurrou.

— Quando você descobrir, me avise.

Meg o ouviu xingar, ou pelo menos era isso que ela achou que ele estava fazendo, já que era difícil saber com certeza quando ele resmungava em italiano. Talvez ela devesse aprender o idioma para conviver melhor com sua boca suja.

Meg se parabenizou por sua ideia brilhante e voltou para o bangalô que compartilhava com dois caras lindos. Que coisa difícil...

Mais tarde, os três entraram no restaurante: o ator, a cantora e o relutante coadjuvante. Ela usava o vestido com que havia chegado ao resort, o cabelo arrumado por um dos muitos especialistas do salão de beleza da ilha. Jantares tarde da noite eram comuns, e o lugar estava lotado. Ao contrário da primeira noite, quando ela e Michael chegaram, dessa vez eles foram até lá para se certificar de que seriam vistos.

Meg se inclinou para ouvir Ryder falar.

— Tudo que fizemos foi sentar e todos já estão olhando — ele disse em voz baixa.

— Você ainda não viu nada — ela sussurrou antes de se recostar e rir, chamando a atenção das mesas mais próximas. Pousou a mão em Ryder e a deixou lá. — Ah, querido, você é brilhante.

Michael escondeu o sorriso atrás da carta de vinhos. Ela se inclinou para perto dele e fingiu ler a lista.

— Escolha algo que não me dê dor de cabeça, tá?

— Os vinhos italianos são os melhores para isso. — Ele bateu o dedo no menu. — Vamos provar outro do Picano?

— Você é quem sabe.

— Havia algo familiar na garrafa que tomamos naquela primeira noite.

— É porque todos os vinhos são iguais. — Pelo menos na humilde opinião de Meg.

— Vou fazer você engolir essas palavras — ele disse com uma risada.

— Ou beber?

— Ele é terrível quando se trata de vinhos, Meg — Ryder falou.

Ela já sabia disso. Michael conversou com o garçom sobre a seleção de vinhos enquanto uma hóspede se dirigia até a mesa deles.

— Srta. Rosenthal, certo?

— Sim. — Ela não reconheceu a mulher que fazia a pergunta.

— Só queria dizer que gostamos muito do seu show na noite passada.

Meg aceitou o elogio graciosamente e virou para Ryder e Michael assim que a senhora voltou para sua mesa.

— Sabe quem era? — Michael perguntou.

— Não faço ideia.

Outro casal parou para cumprimentar a performance de Meg na noite anterior, à medida que deixavam o restaurante.

— Acho que não vai ser tão difícil chamar a atenção de todos que estão olhando — Meg falou.

O vinho foi trazido, e Michael seguiu o protocolo antes de aprovar. Olhou para a taça como se estivesse vendo ervas milagrosas que desvendariam seu futuro.

— Tem gosto de vinho — Meg falou.

— Eu nunca ouvi falar desse rótulo, mas o sabor é familiar.

— Tem gosto de uva amassada, Mike. — Ryder deu um gole e piscou um olho para Meg.

— Também não entendo — ela falou.

Eles tomaram a primeira garrafa. Michael pediu a segunda e voltou a ponderar.

Meg deixou os dois beberem a maior parte, optando por ficar lúcida o restante da noite. Eles jantaram sem ser interrompidos. Meg garantiu que as risadas fossem um pouco mais altas que o normal, e, quando os rapazes passaram da metade da segunda garrafa, a atenção recaiu ainda mais sobre eles.

A música do DJ estava alta e havia vários casais na pista de dança. Eles ficaram ao redor de uma mesa alta, e Meg pediu vodca com gelo. Foi para a pista antes que a bebida chegasse. Uma vez lá, se virou para Michael e Ryder e balançou o dedo, chamando-os.

Ryder cutucou Michael e eles se juntaram a ela, como haviam planejado. Meg não era uma dançarina formidável, mas Michael se saía bem. A música era rápida, sexy... perfeita.

Quando Ryder os interrompeu, alguns olhares se voltaram para eles. Meg gargalhou, exuberante.

Ryder era ainda melhor na pista de dança. A certa altura, ela sentiu a mão dele em seu traseiro, um pouco antes de ele a girar. Ele a levou de volta para a mesa e acenou para o garçom, pedindo água e outra rodada de bebidas.

Após dançarem novamente, Michael puxou Meg para o terraço para tomarem um pouco de ar. Ela levou consigo a bebida e a deixou rapidamente na mesa mais próxima antes de se afastarem da multidão.

— Estamos longe o suficiente?

Ela fingiu tropeçar e ele a segurou.

— Cuidado, meu bem.

Ele acariciou seu pescoço como um amante faria.

— Cuidado, Michael... Não queremos que o Ryder fique nervoso.

Ele riu, segurou seu rosto com as duas mãos e foi para cima dela. Foi bom, ela tinha de admitir, mas era o beijo de um amigo e, além do aspecto físico, ela não sentiu nada.

— Acho que isso deve bastar — ele falou, antes de soltá-la.

— Não é de admirar que você ganhe tanto dinheiro.

Ele passou a mão na cintura dela e voltaram para a boate. Durante todo o tempo, ela observou o bar à procura de certo alguém, mas não o encontrou. Não até Ryder sussurrar em seu ouvido com o intuito de atraí-la, depois de um beijo inocente.

— Se divertindo? — Val perguntou ao se aproximar da mesa.

Ele sabia do que se tratava, mas ainda assim a olhou como se fosse um pai censurando a filha adolescente.

Ela se inclinou e beijou seu rosto.

— Estava me perguntando se você viria.

O maxilar dele tensionou.

— Alguns hóspedes estão querendo bis. — Ele fez um gesto para o palco, onde um funcionário abria o piano.

Meg estreitou os olhos.

— Quer que eu cante para você?

Ele empurrou o copo para longe dela.

— Antes que você não consiga mais.

Meg jogou a cabeça para trás, riu e lhe entregou o copo com um sussurro:

— É difícil ficar bêbada tomando água, Masini.

Não era à toa que a vodca era a bebida da noite. Era engraçado como as duas bebidas se pareciam para alguém que olhasse de longe com uma câmera.

— E então? — ele perguntou depois de tomar um gole da água e abrir um sorriso.

Meg apontou para o palco.

— Alguém precisa me apresentar, Valentino.

Ele se aproximou tanto que só ela podia ouvi-lo.

— Por que eu sinto que tem uma viúva-negra rastejando sobre a minha pele, *cara*?

Ela segurou sua gravata e o puxou para mais perto, arrumando-a.

— Você se preocupa demais.

Val foi o anfitrião perfeito. Agradeceu a presença de todos e deixou que a iluminação recaísse sobre Meg para convidá-la ao palco.

Quando a plateia parou de aplaudir, ela se certificou de que tinha a atenção de todos.

— Acho que mereço um desconto na minha diária por todas as vantagens que estou lhe proporcionando, Masini.

Ele a surpreendeu com sua resposta:

— Pela sua conta no bar, acho que estamos quites, Margaret.

Ela riu.

— Por falar nisso, eu aceito outra rodada. — Ela foi até o piano, tocou alguns acordes e fez um movimento para o técnico, certificando-se de que o som não incomodasse quem estivesse ouvindo. — Eu faço o meu trabalho melhor depois de uns drinques.

Michael riu acima da multidão, e ela apontou o dedo em sua direção.

— Pra você chega.

O público riu e, em meio minuto, uma vodca com gelo estava sobre o piano.

— Tenho que admitir, Masini... esta ilha é linda. — Ela continuou falando, o som do microfone baixo demais para ela. O técnico de som que ficava nos fundos do salão ajustava os níveis a cada palavra que ela dizia. Ela tomou um gole da bebida, acrescentando um pouco de coragem.

A plateia aplaudiu, e ela continuou falando e ajustando o teclado. Os acordes começaram a soar como um órgão. Ah, o que ela não faria para ter o acompanhamento de alguns metais e uma guitarra.

— Mas acho que vou precisar de terapia depois de tanto tempo sem internet.

— É isso aí!

O salão explodiu em risadas, louvando sua observação.

Val se recostou no balcão e cruzou os braços.

Na noite passada, a música fora uma experiência para ela. A alegria de cantar com Jim Lewis era algo que ela jamais esqueceria.

Mas esta noite...

Ela começou a canção... esperou o momento em que a plateia reconheceria a música e olhou diretamente para Val enquanto dava vida a "My Funny Valentine".

VAL PRESENCIOU O MOMENTO EM que Wolfe puxou Margaret até o terraço e a beijou. Pareceu bastante convincente. Ryder deu uma apalpada nela. Ver aquilo o matou. Ele nunca tinha se incomodado por ver uma mulher que ele havia beijado acompanhada de outro homem. Bem, houve Lissa e Philip na quinta série, mas não contava de verdade. Além do mais, a amizade de Philip era muito mais importante que o beijo de Lissa.

Agora Margaret estava cantando no palco. Sem dúvida, ela cantava para ele. Embora a letra não se encaixasse exatamente na situação, não havia dúvida de que Valentine se referia a Valentino.

Cada célula do seu corpo disparou em uníssono quando Meg terminou a canção.

— Obrigada. — Ela fez uma reverência estranhamente recatada e se retirou do palco. O DJ tocou uma música lenta, dando seguimento à festa.

Meg foi abordada por muitas pessoas antes de conseguir continuar para sua mesa.

Val a deteve.

Havia muito mais gente do que ele gostaria olhando para eles enquanto segurava sua mão e a levava para fora.

Ele a conduziu até a lateral do clube, para um corredor escuro, pouco acessível.

E então seus lábios se grudaram aos dela antes que qualquer pensamento lógico o impedisse. Meu Deus, ela era tão macia e cheirava à brisa do oceano na primavera.

Meg gemeu e se moveu para mais perto dele. Ele a olhou e encontrou seus olhos fechados, o corpo relaxado contra o dele.

Aquele não era um beijo para as câmeras, Val disse a si mesmo. Era um beijo para ele. O gosto dela o preencheu, fazendo-o desejar mais. Ele acariciou sua nuca, a inclinou e moveu os lábios para a pulsação que batia em seu pescoço, deslizando a língua ao longo da pele.

Como recompensa, Meg fincou as unhas em suas costas.

Ele encontrou a curva de seus quadris e desceu mais, até encontrar a barra do vestido.

Val estava perdido. Sabia que controle não fazia mais parte dele no momento em que procurou a coxa dela para descobrir seu corpo e o que ela desejava.

A cabeça de Meg recuou e bateu na parede com um barulho baixo.

— Merda.

Sua exclamação parou o movimento das mãos dele, fazendo-o lembrar que estavam em um local público.

Ele a afastou da parede e segurou sua nuca.

— Você está bem?

Ela o agraciou passando a língua nos lábios.

— Um pequeno aviso, Masini. — Sua respiração estava ofegante, os seios se erguendo a cada inspiração.

Meg respirou devagar. Ele não a ouviu sibilar como na noite anterior. Confiante de que ela não estava prestes a sufocar, ele aliviou a pressão e tocou a lateral do rosto dela.

— Você canta como um anjo, *bella*.

— Gostou?

Ele deu um beijo rápido em seus lábios, pressionando o corpo contra o dela.

— Você fez amor com o salão inteiro com a sua voz. Fiquei com ciúme de todo mundo ali.

Ela levantou o joelho de encontro à perna dele e o deslizou lentamente de volta. Eles olharam nos olhos um do outro até que a respiração de Meg se acalmou.

Val sabia que não era o momento certo, sentia isso dentro de si, mas não conseguiu deixar de confessar:

— Eu quero você na minha cama, *cara*.

Meg ergueu o queixo com uma inspiração profunda.

— Val...

— Eu sei. — Ele deu um beijo suave em seus lábios e recuou. — Eu te quero lá, mas estou disposto a esperar.

Ela arregalou os olhos com surpresa e mordiscou o lábio inferior.

— Temos muito em jogo agora.

Val sorriu e colocou o dedo em seus lábios para silenciá-la.

— Eu sei.

Ele se afastou relutantemente, sentindo falta daquelas curvas suaves no mesmo instante.

Meg puxou o vestido e arrumou o decote. A ponta dos dedos dela tocou os seios, um lugar que ele ainda queria sentir.

— Você está me secando, Val.

— *Sei bellissima*. — Ele desviou o olhar para os olhos dela, sentindo-a sorrir. — Significa "Você é linda", *cara*.

— Tenho certeza de que muitas mulheres bonitas já estiveram nesta ilha.

Ele adorou seu momento de insegurança, sentindo prazer com isso, até que ela desviou o olhar.

Então ele ergueu seu rosto delicadamente.

— Nenhuma tão linda quanto você — sussurrou.

⁕

Era impossível dormir. Meg, Michael e Ryder riram e brincaram durante todo o caminho de volta para o bangalô. Lá dentro, fecharam todas as persianas. Tinham feito mais barulho que o necessário até que Michael e Ryder foram dormir. Meg virou o travesseiro pela quinta vez em uma hora, sem conseguir encontrar uma posição confortável. Pensar em Val a beijando e no truque que eles estavam tentando aplicar em quem estava tirando as fotos era como um tornado em sua cabeça.

Meg pegou o celular na mesa de cabeceira, digitou o número de Val e deixou os dedos trabalharem.

> Estive pensando... Como essa pessoa imprimiu uma foto aqui na ilha?

Apertou o botão de "enviar", sem perceber o adiantado da hora.

Se seu beijo havia provocado as mesmas sensações em Val, talvez ela não devesse deixá-lo se aproximar novamente.

Quando pensou que ele estivesse dormindo, três pontinhos no fundo da tela a informaram que ele estava enviando uma resposta.

> Eu pensei nisso. Deve ser uma impressora daqui.

> Você tem muitas?

> Não sei. Vou confirmar com a Carol amanhã cedo.

Meg virou de lado.

> Não sei como essa informação pode ajudar.

> Vai restringir os departamentos em que devemos procurar. Alguém da equipe de limpeza que usasse uma impressora seria estranho, por exemplo.

> A equipe de limpeza não vai embora todos os dias? Eles poderiam trazer as fotos de casa, não é?

Os três pontinhos começaram a piscar, hesitaram e piscaram de novo.

> Você realmente acha que as minhas camareiras querem fotos nossas?

> Se aparecer uma carta pedindo dinheiro, sim. Se não, acredito que não.

> Se o nosso homem imprimir as fotos de hoje à noite, talvez a gente consiga pegá-lo.

Meg sorriu e sentiu os olhos pesarem.

> Vamos torcer para ele imprimir.

> Lamento que todo esse estresse esteja te dando insônia.

Ela considerou o que responder e decidiu que não havia nenhum mal em ser um pouco sincera.

> A sedução supera o estresse, Masini.

Não houve resposta até que o telefone dela tocou. Ela atendeu com a voz suave.

— Guarde o telefone e durma um pouco, *cara*. — A voz dele era um ronronar baixo e o mais perto que ela havia chegado em muito tempo de uma conversa na cama.

— Tão mandão — ela sussurrou.

— Você não viu nada... ainda.

Meg estremeceu com a indireta.

— Declarações como essa não vão me ajudar a dormir.

Sua risada baixa a manteve sorrindo.

— Boa noite, *bella*.

— Boa noite, Val.

Meg não sonhou com fotos e impressoras, mas com beijos profundos que lhe roubavam o ar.

~~~

— Não sei o que é pior, as fotos ou o silêncio.

Mike concordava com as palavras de Meg, mas ficou quieto.

Val tinha ligado na primeira hora daquela manhã para dizer que não havia recebido nada. Ninguém lhe entregara carta alguma.

— Talvez o interrogatório de ontem tenha assustado a pessoa, e ela não quis correr o risco de tirar mais fotos — Ryder falou.

Eles estavam sentados na varanda, tomando o café da manhã. Decidiram pedir o serviço de quarto, na esperança de dar uma oportunidade ao fotógrafo de enviar outra foto. Mas tudo o que conseguiram foram muffins e frutas frescas.

Michael e Ryder ficaram acordados até tarde, conversando. Ryder estava preocupado. Se algo sobre eles fosse divulgado, ele podia dar adeus ao seu trabalho de professor. Tecnicamente, não era proibido ser homossexual e dar aulas, mas Ryder também era o técnico do time de futebol. E alguém, em algum lugar, veria problema nisso. Uma cidadezinha do interior não aceitaria esse tipo de coisa. O escândalo não valeria todo o estresse.

— O que vamos fazer agora? — Ryder perguntou.

— Acho que devemos continuar agindo normalmente. — Meg olhou para os dois. — Tudo bem, quase normalmente. Não vamos oferecer ao fotógrafo algo realmente escandaloso.

— Ao contrário da noite passada? — Mike perguntou.

Ela piscou.

— Minha reputação pode aguentar o tranco — brincou. — Se tudo que esse cara fizer for tirar fotos minhas beijando um monte de caras gatos... Pelo menos assim ele não vai ter nada de escandaloso para falar de vocês. — Ela balançou o dedo no ar. — Fui eu que te convenci a vir para cá.

— Fui eu que convidei o Ryder.

— Eu não fui obrigado a vir — Ryder respondeu.

— Então somos todos responsáveis. Maravilha. Vai ser ótimo quando a carreira do Michael for pelos ares, você perder o seu emprego, a ilha do Masini não for mais a ilha da Fantasia dos ricos e famosos... e a Alliance aparecer na imprensa pelo que realmente é. Porque os repórteres que resolverem ir atrás dessa história vão procurar até encontrar toda a sujeira. — Meg ficou de frente para o mar e murmurou: — Merda.

— Acho que devíamos simplesmente ir embora — Ryder disse, pela décima vez.

— Se as fotos já foram tiradas, que bem isso nos traria? Pelo menos aqui podemos tentar encurralar essa pessoa e vencê-la no seu próprio jogo.

— Pagar pelo silêncio dessa pessoa, você quer dizer?

Meg balançou a cabeça.

— Isso seria como negociar com terroristas. Não. Quem joga sujo está envolvido com sujeira. Vamos encontrar todos os podres de quem está por trás disso.

Ryder cutucou o braço de Mike.

— Fico feliz que ela esteja do nosso lado.

— Vamos ver o que acontece hoje. Não acho que esse cara vai ficar quieto por muito tempo.

— Vamos embora na segunda-feira. — Faltavam apenas três noites.

— As aulas começam na segunda. — Mike quis segurar a mão de Ryder, mas não se atreveu a fazer isso ao ar livre. Para compensar, lhe ofereceu um olhar solidário.

— Vamos fazer o que já estava acertado. O Ryder vai embora no domingo, e nós vamos na segunda... ou você vai — Meg falou.

— E você?

— Vamos dançar conforme a música. Tirar algumas fotos nossas. Já que estou ficando com o Masini, é natural querer ter algumas fotos com ele. Se elas começarem a circular, podemos dizer que fomos nós que tiramos.

— Gostei da ideia, Meg. Se bem que isso pode ajudar o nosso lado, mas não ajuda o Val se quem está por trás disso tirar fotos de outros hóspedes.

GABI ESPERAVA NAS DOCAS QUANDO o iate de Alonzo apareceu no horizonte.

— Aí está você. — Meg saiu atrás dela. — Seu irmão disse que você estaria aqui fora.

Gabi aceitou o abraço da nova amiga.

— Não precisa esperar comigo.

— É uma decisão completamente egoísta da minha parte. Quero ver esse iate de que você tanto fala.

— Você acredita que eu só andei nele uma vez? — Gabi disse enquanto as duas observavam a embarcação se aproximar.

— Por quê?

Ela deu de ombros. Porque Alonzo estava sempre indo ou vindo e raramente permanecia muito tempo por ali para ficar com ela.

— Ele é muito ocupado.

Gabi virou e viu que Meg a observava.

— Tenho certeza de que isso vai mudar quando vocês se casarem.

— Espero que sim.

Meg afastou um fio de cabelo do rosto.

— Ele fez alguma coisa para aborrecer a sua mãe, ou ela detesta a ideia de sua garotinha estar transando com alguém?

Gabi deu risada.

— Queria que fosse a última opção. Mas o Alonzo tem mantido a linha. Ele até sugeriu passarmos um tempo longe um do outro para a minha mãe desencanar do medo de ter um neto antes da hora.

— Você nem imagina por que ela não aprova o relacionamento de vocês?

— Ela só fala que não gosta dele... não confia nele.
Meg levantou a mão para proteger os olhos.
— Mas você confia. É isso que importa.
— É o que eu falo para ela.
Meg abriu a boca e fechou de novo.
— O que foi?
— E as suas amigas... o que elas falam do Alonzo? Eu sempre encontrei pistas sobre os homens da minha vida através das minhas amigas. Às vezes elas sacavam algo que eu não sacava. Quando eu estava a fim de um cara que elas não gostavam, nunca dava certo.
Gabi se remexeu.
— É difícil fazer amigas numa ilha cheia de funcionários e hóspedes em férias.
— Ah. Que pena...
Gabi balançou a cabeça, cortando o assunto. Meg apoiou a mão no braço dela.
— Que bom que estou aqui, então. Vou te dar a minha opinião sincera, mas espero que não me odeie por isso.
— E se eu não concordar com você?
— Uma boa amiga dá opiniões, mas apoia as decisões que você tomar. A menos que ele seja violento...
— Meu Deus, não!
Meg sorriu.
— Bom saber.
Gabi se perguntou se essa nova amizade seria duradoura. Ela não conseguia nem lembrar quando fora que tivera uma amiga de longa data.
Meg tossiu algumas vezes e colocou a mão no peito.
— Você está bem? — a moça perguntou.
— Asma — Meg disse, como se aquilo explicasse tudo. — Tem me atacado um pouquinho desde que cheguei aqui.
— Por favor, não me diga que a umidade está causando isso.
— Estresse. Parece loucura — tossiu de novo —, mas piora quando a minha vida fica meio bagunçada.
— Isso é normal?
— Para mim é. Acho que está na hora de trocar o meu remédio.

Gabi colocou a mão no braço de Meg.

— Existe alguma coisa que ajude, fora o remédio?

Meg olhou para o céu como se ele tivesse a resposta.

— Eu costumava praticar tiro ao alvo.

Gabi fez uma cara de dúvida.

— Sério, a concentração ajudava. O Val não tem tiro esportivo aqui?

A expressão no rosto de Meg se iluminou ao falar o nome de Val.

— Tem sim.

Após um instante, Meg perguntou:

— Você aprova o relacionamento entre mim e o seu irmão?

— Gosto de como ele sorri quando te vê. Ele trabalha demais e leva tudo muito a sério. É bom vê-lo relaxar.

Meg assentiu enquanto a tripulação das docas caminhava na direção delas. O iate de Alonzo entrou lentamente no pequeno porto e ancorou. Gabi procurou no convés, mas não encontrou Alonzo. Finalmente ele apareceu, depois que a tripulação firmou a passarela.

Seu olhar se alternou entre Gabi e Meg.

— Gabriella.

Ela abriu os braços para seu corpo rígido.

— Meu amor.

O beijo foi breve, muito mais do que nas últimas vezes em que ele visitara a ilha.

— Sem exibições de afeto na frente de estranhos, Gabi — ele cochichou.

Ela riu de sua preocupação.

— Você se lembra da Margaret?

— Claro. Estou surpreso que ainda esteja por aqui.

— É bom te ver novamente também, sr. Picano. Vamos ficar mais alguns dias.

— A Meg queria ver o iate — Gabi disse.

Alonzo tentou sorrir, mas a noiva soube que ele não ficou feliz com a ideia.

— Minha equipe precisa de um tempo para arrumar tudo. Talvez amanhã.

— Ela veio até aqui para isso...

— Tenho certeza que a Margaret vai entender. Você gostaria de apresentar uma casa suja para alguém?

Alonzo era um pouco perfeccionista. Quando Gabi navegara no iate, a equipe mantivera tudo na mais perfeita ordem.

— Eu entendo — Meg falou com um sorriso generoso. — Quem sabe da próxima vez.

— Sim, da próxima vez — ele murmurou.

— Acho melhor eu voltar — Meg interrompeu o momento de silêncio embaraçoso. — Te vejo no jantar.

— Até mais tarde — Gabi disse antes de Meg se afastar.

— Jantar? — Alonzo questionou.

— Nos aproximamos muito nos últimos dias. Ela é uma pessoa adorável.

Ele soltou a cintura dela e fez sinal para alguém da equipe.

— Não sei como você pode afirmar isso em tão pouco tempo. As pessoas aqui tendem a fingir aquilo que não são.

— O que você quer dizer com isso?

— Cuidado com as pessoas em quem confia, Gabriella. — O aviso parecia estranho vindo dele.

— Ela é minha amiga, Alonzo. Por favor, não a trate mal.

Ele desfez o sorriso.

— Você não tem amigas.

Suas palavras machucaram, em parte porque eram verdadeiras.

— Agora tenho.

O capitão desembarcou e caminhou até eles.

— Você está ocupado. Te vejo depois que se instalar. — A raiva que ela não estava preparada para sentir alimentou os passos rápidos enquanto se afastava.

Alonzo foi atrás dela e segurou seu braço.

— Desculpe — disse quando ela o olhou. — Tive uma semana estressante.

Ela queria dizer que também tinha tido, mas ficou quieta.

— Tudo bem.

Ele a puxou para si, e foi a vez dela de enrijecer. Então ela notou que os homens da tripulação os observavam e rapidamente desviaram o olhar.

— Sem exibições de afeto na frente de estranhos, Alonzo — ela devolveu suas palavras, e ele a beijou na testa.

— Te vejo no hotel.

Ela anuiu e se afastou. Seria bom ter uma amiga, especialmente alguém extrovertida como Meg.

Por que a opinião de Meg agora era importante para Gabi? Se ela esperava que a nova amiga aprovasse seu noivo, algo lhe dizia que isso não aconteceria.

A sra. Masini pulou o jantar por conta da companhia. Ou pelo menos foi o que Meg pensou.

Val convidou outros dois casais para suavizar o clima do jantar, o que era perfeito para Meg. Pensar em falar de qualquer drama na frente de Alonzo fazia o estômago dela se contorcer.

O sr. e a sra. Dray eram a imagem das grandes indústrias de petróleo do Texas. A menos que gostassem de brincar de se fantasiar na cama, a única razão pela qual estavam na ilha era pela praia e pelo pôr do sol. A sra. Cornwell — viúva de um renomado empresário do ramo de restaurantes de Chicago — e seu "amigo" de longa data, o sr. Shipley, completavam os assentos da mesa redonda.

Meg se encolheu ao ver o vinho na mesa. Estava cansada daquela coisa depois de tantos dias.

A sra. Dray manteve um ar de superioridade que lembrou Meg dos vizinhos esnobes que tivera, mas nunca vira, enquanto morava na casa de Michael. Estava prestes a descartar a mulher como alguém que não queria conhecer, até que ela declinou o vinho e pediu ao garçom para lhe trazer um bourbon.

— Acho que gostei de você — Meg disse. — Vou querer um também.

— Perdão, sr. Picano. Eu aprecio uma boa taça de vinho com a refeição, mas prefiro algo um pouco mais forte antes do jantar.

Alonzo ofereceu um sorriso, que Meg só conseguiu classificar como falso, e balançou a cabeça.

— Sem problemas, sra. Dray.

— Meu noivo me tornou uma verdadeira amante de vinhos — Gabi se vangloriou.

— Noivo? — a sra. Cornwell perguntou.

— Quando é o casamento? — a sra. Dray completou.

— No outono.

— Que momento incrível da vida. Parabéns aos dois. — Os comentários foram previsíveis e insípidos, e Meg desejou secretamente que o garçom se apressasse com o uísque.

— Seu vestido de noiva vai ser tomara que caia? Está na moda atualmente.

Gabi olhou para Alonzo e depois para Meg.

— Ainda não escolhi o vestido.

A duas senhoras pararam de sorrir.

— Você vai se casar no outono e ainda não escolheu o vestido?

— Isso é realmente inédito. A minha Millie escolheu o dela seis meses antes do casamento, e demorou mais do que ela imaginava.

— E sempre tem os ajustes. Deus sabe quanto tempo isso pode levar.

Parecia que elas tinham muito a dizer sobre vestidos de noiva.

O garçom serviu a bebida de Meg.

— Deus te abençoe — ela sussurrou.

Ele sorriu.

— Você devia correr com o vestido, querida.

Gabi ficou pálida.

— Conheço alguns estilistas incríveis em LA que trabalham no ritmo de Hollywood para quem precisa de tudo para ontem, Gabi. Talvez você possa ir conosco quando formos embora — Meg ofereceu.

A cor de seu rosto começou a voltar.

— Isso é ridículo. Tem muitas costureiras no sul da Flórida — Alonzo disse.

— Gostei da ideia de ir para Los Angeles encontrar o vestido perfeito.

Quando Alonzo deu um tapinha na mão de Gabi, Meg desejou chutá-lo debaixo da mesa. Em vez disso, cutucou Michael, certificando-se de que ele havia notado o gesto sutil.

— Tenho certeza de que eu posso encontrar alguém por aqui para fazer o que você precisa.

Antes que Meg pudesse protestar, as duas senhoras intervieram:

— O noivo não pode ver o vestido antes do grande dia.

— É claro que não.

Alonzo não disse nada, mas ficou segurando a mão de Gabi até que ela a puxasse para tomar um gole de vinho.

Michael mudou de assunto.

— Sr. Picano.

Alonzo voltou a atenção para longe de Gabi.

— Tenho que lhe dizer que na noite passada tomamos uma garrafa do seu merlot 2009. É um dos melhores que já provei — declarou.

— Obrigado. Estou surpreso que ainda tenham garrafas disponíveis. Achei que tivessem acabado.

— Havia um palete de vinhos no armazém ontem. Será que esse merlot estava nessas caixas?

— Vinhos deixados num armazém? Nesse calor, isso é péssimo — a sra. Cornwell anunciou, e ela sabia do que estava falando.

— As caixas estavam frescas, eu garanto — Gabi disse à senhora, e então a Alonzo: — Achei que você tivesse chegado mais cedo e reabastecido o estoque. O Julio pareceu surpreso por estarem lá.

Meg notou a atenção de Val se voltar para a conversa.

— Tenho certeza de que os seus hóspedes não querem ouvir sobre entregas de vinho — Alonzo disse a Gabi.

— Ou sobre vestidos de noiva — o sr. Dray acrescentou.

A sra. Dray o cutucou com o cotovelo.

— Falamos o suficiente com a Millie sobre isso para durar até que os nossos netos estejam casados.

— Acho que devíamos pedir para o Michael nos contar sobre o seu próximo filme. — Ryder cortou a conversa, e os homens mudaram de assunto.

Gabi ouviu tudo sem comentar, mas seu silêncio dizia muito mais que qualquer palavra. Algum tempo depois, entre os aperitivos e o jantar, ela ficou de pé e pediu licença para ir ao banheiro.

— Eu vou com você — Meg disse. — Não lembro onde fica.

Os homens se sentaram novamente enquanto elas se afastavam.

Como Meg imaginava, assim que entraram no banheiro feminino, Gabi se jogou em uma das cadeiras e lutou contra as lágrimas.

Meg pegou uma caixa de lenços de papel da bancada.

— Não comece com isso. Sua maquiagem vai borrar.

Gabi pegou um lenço e secou a parte de baixo dos olhos.

— Ele está sendo horrível.

— Ah, não sei... O Val é bastante encantador.

O sorriso que Meg estava procurando não apareceu.

— Ele não é assim.
— Controlador, condescendente e difícil?
— Você notou, não é?
Meg notou isso e muito mais.
— Acho que é importante conhecer todos os lados de uma pessoa antes de se casar.
Gabi ficou de pé de repente e se aproximou do espelho.
— Eu vou com você para LA. — Ela se virou. — Se realmente foi um convite, e não algo dito por educação.
Meg parou ao seu lado e ajeitou seu vestido.
— Eu insisto. E tem mais uma coisa que eu quero fazer por você.
— Ah, é?
— Uma das coisas que eu faço no meu trabalho é encontrar cada detalhezinho do presente ou do passado de uma pessoa que possa impedir um contrato entre duas partes.
— Você quer dizer entre mim e o Alonzo?
— Casamento é um grande passo.
Um olhar franzido marcou a testa de Gabi.
— Isso não viola alguma lei?
— Não é ilegal perguntar por aí.
— E imoral?
— Eu sou uma judia católica. Vivia escutando: "Não coma o bacon que é pecado!" e "Coma todo o seu bacon!" Como você pode ver, já sou moralmente confusa.
Gabi finalmente riu.
— Eu adoro bacon.

15

VAL ESTAVA SE SENTINDO MAL por ter que agir como se nada estivesse acontecendo. Não apareceu nada em sua caixa de entrada durante todo o dia, nem chegou nada pelo correio. O jantar estava tenso, mas ele não conseguiu descobrir por quê.

Parecia que Gabi e Margaret estavam se dando bem à medida que a noite seguia do jantar para os drinques na danceteria.

Surpreendentemente, Alonzo se recolheu, sozinho. Val notou que ele e Gabi conversaram de maneira acalorada do lado de fora do restaurante, antes que Alonzo pedisse licença.

Em vez de se abrir com ele, Gabi foi para a mesa de Margaret e se sentou entre os três. Em pouco tempo, o sorriso de sua irmã voltou, e Michael a levou para a pista de dança.

Jim encontrou Val parado num canto e deu um tapinha em suas costas. Eles se cumprimentaram e trocaram gentilezas.

— Vou embora amanhã cedo — Jim disse.

— Quando vou te ver de novo?

— No casamento da Gabi? — Os dois olharam para a pista de dança.

— Ainda vai ter casamento?

Val pensou em Michael Wolfe e seu "amigo", que estava sentado e o observava. Gabi começou a dançar com outra pessoa.

— Eu te aviso — Val respondeu.

Jim riu e se afastou. Val o viu tocar no ombro de Margaret e convidá-la para dançar.

Ele a girou e a puxou contra si, sussurrando algo em seu ouvido. Ela o afastou, riu e continuou a dançar.

Val não se considerava um homem ciumento, mas, caramba, Margaret estava mudando isso.

Eles eram a atração da pista: a loira magra de pele clara e o robusto cantor negro de blues. Parecia que todos os observavam dançar, curtindo os movimentos de Jim e a recatada atenção de Margaret para com seu parceiro.

Val tinha de admitir: eles eram envolventes.

Em seguida a música terminou, e Margaret fez algo inesperado.

Deu um selinho na boca de Jim e o deixou tropeçar para trás, segurando o peito. Val estava muito afastado para ouvir a conversa dos dois, mas várias pessoas em volta começaram a rir quando Jim deu um tapinha brincalhão no traseiro dela e foi embora.

Val se aproximou e a pegou antes que ela saísse da pista. A música era mais lenta que as outras, o que lhe proporcionou a chance de puxá-la contra si.

— Você está me matando, *cara*. Sabia?

— O Jim é inofensivo — ela disse perto de seu ouvido.

— O homem foi casado cinco vezes. Com mulheres tão jovens quanto você.

O balanço de seus quadris contra o corpo de Val o lembrou quanto ele a desejava. Ele respirou fundo.

— Não vou ser nada dele, Masini.

Ele sabia disso. Tinha certeza. Então por que suspirou como se tivesse acabado de alcançar a superfície para poder respirar?

— Você vai mesmo embora na segunda?

A conversa tranquila na pista de dança o manteve firme para ouvir suas palavras, exceto quando ele sentiu sua respiração no lóbulo da orelha. Aquilo era uma tortura.

— E vou levar a sua irmã comigo.

Ele recuou para ver se seus olhos mentiam.

— Sério?

Ela assentiu e se aproximou para falar com ele.

— Você costuma sair da ilha?

Ele não fazia isso com frequência, mas tinha pessoas confiáveis para cuidar de tudo na ausência dele.

— De vez em quando.

Entre Val, Jim, Michael e Ryder, Meg não encontrava uma brecha para se sentar. Gabi também não parava de dançar e, pela expressão em seu rosto, estava se divertindo bastante.

    Naquela noite Meg estava tomando bourbon, que a deixou um pouco tonta. Foi até o banheiro entre uma dança e outra e, quando entrou no lugar errado e acabou indo parar em uma área de serviço, percebeu que precisava começar a beber Coca-Cola. Ela virou em dois corredores antes de perceber que não estava caminhando em direção à música, mas para o lado contrário.

— Ei. Parada aí.

Meg não tinha certeza do que a assustou mais: se o homem que a deteve ou a roupa que ele estava vestindo.

— Eu já estava voltando.

Era difícil ver seu rosto por baixo do capuz.

Aliás, por que ele estava usando capuz? Não estava frio.

Ele apontou o dedo para ela.

— Você é aquela que sai beijando todo mundo.

— O quê?

O homem, que era mais alto que ela e tinha uns vinte quilos a mais, se aproximou.

Meg recuou.

— Você não devia estar aqui. — Sua respiração azeda a atingiu, e ele umedeceu os lábios.

É engraçado como o pânico deixa a gente sóbria. O desconhecido estava muito perto, muito oculto para ser reconhecido e quieto demais para Meg.

Os dois corredores estavam vazios, e ela não conseguia se lembrar de onde tinha vindo.

Sentiu os pulmões se contraírem.

O estranho se aproximou cerca de meio metro. Mais um pouco e ela gritaria.

Ele colocou a mão na parede atrás dela, prendendo-a de um lado.

— Recue, Margaret.

Essa fala não é minha?

— É melhor você ir embora antes que se machuque.

O homem colocou o dedo na sombra do capuz, em sinal de silêncio. Em seguida, foi embora.

Há momentos na vida de uma pessoa em que se tem uma segunda chance. Como quando você passa no sinal vermelho sem perceber e ninguém bate em você, ou quando enfia o dedo em algum aparelho ligado na tomada e ainda assim permanece de pé e com os cabelos lisos para contar a história.

Aquele momento foi um deles. Meg sabia disso.

Mas seus pulmões, não.

Seu inalador estava na bolsa, em cima da mesa, na danceteria.

Ela deu alguns passos e sentiu o corredor girar. Em vez de lutar contra, deslizou pela parede e baixou a cabeça.

Devagar, respirou lenta e profundamente.

⁂

— Gabi? — Val falou com a irmã na mesa. — A Margaret saiu faz algum tempo. Pode dar uma olhada nela?

Embora o sorriso da irmã fosse brilhante, ele não conseguia se lembrar de ver seus olhos tão enevoados.

— A Meg foi ao banheiro sem mim?

Ele não queria dizer à irmã que não seria difícil com toda a atenção que ela estava chamando para si na pista de dança.

— Faz algum tempo, *tesoro*.

Gabi assentiu e foi ao banheiro feminino. Quando voltou sem Margaret, a coceira no olho esquerdo de Val se intensificou.

Michael e Ryder conversavam com alguns hóspedes do hotel em uma mesa alta.

— Fique aqui — ele instruiu à irmã, que estava embriagada.

Val tocou o ombro de Michael.

— A Margaret voltaria para o bangalô sozinha?

Michael olhou além dele.

— Não sem avisar.

— O que está acontecendo? — Ryder perguntou.

— Ela sumiu.

— Sério? — O sorriso de Ryder se desfez.

Michael assentiu e fez sinal para o lado de fora.

— Você olha lá fora — disse a Ryder.

— Vou começar pelos fundos. — Val foi até o banheiro feminino e sentiu Michael atrás de si.

No corredor para os banheiros não havia nenhuma loirinha. Pelo menos não a que ele estava procurando.

Ele voltou ao salão para verificar novamente. Ele e Michael se separaram e voltaram para o banheiro menos de cinco minutos depois.

— Ela não está na boate — Michael disse.

Val voltou para o corredor dos banheiros, notou a porta da área de serviço e a atravessou.

— Ela não teria vindo por aqui.

— Ela estava bebendo. — Val pensou na irmã e no brilho em seus olhos. — Margaret! — gritou. Então pegou o corredor para os fundos do restaurante, atento a qualquer movimentação.

Michael o deteve, com a mão firme em seu peito. Um golpe suave atingiu uma parede repetidas vezes.

Eles correram.

Val sentiu parte dele morrer quando viu Meg caída, batendo na parede com a mão fraca.

— *Cara!*

— Meu Deus, Meg.

Eles desabaram ao lado dela.

Val segurou seu rosto, no intuito de fazer seus olhos adquirirem foco.

— Bolsa.

O quê?

— O que aconteceu?

— Inalador. Bolsa.

Levou um instante para Val processar suas palavras. Michael foi mais rápido. Saiu correndo, voltando pelo mesmo caminho por onde tinham vindo.

Val entrou em pânico. Mas, mesmo apavorado, sabia o que tinha que fazer. Tirou imediatamente o celular do bolso.

— Boa noite, sr. Masini.

— Preciso de uma enfermeira no corredor entre o salão e o restaurante. Agora.

— É pra já, sr. Masini.

— Ligue para uma ambulância aérea.

Margaret balançou a cabeça, mas ele não ligou.

— Agora mesmo, sr. Masini.

Ele deixou o telefone cair ao lado dela e ouviu o pouco movimento de ar em seus pulmões.

Michael atravessou a porta com a bolsa na mão. Ryder, Gabi e vários funcionários vieram atrás.

Michael pegou o inalador, sacudiu e o colocou em seus lábios.

— Respira fundo.

Ela inspirou profundamente, e ele repetiu o processo.

— O que aconteceu? — Gabi gritou atrás deles.

— Alguém chame uma ambulância.

Val focou em Margaret. Seus olhos encontraram os dele enquanto inalava outra dose do medicamento.

Ele não percebeu que estava apertando sua mão até ela apertar a dele de volta.

— Estou aqui, *cara*. Você vai ficar bem.

— Você teve sorte, srta. Rosenthal.

Ela ainda estava sibilando, os pulmões não estavam completamente bons, mas muito melhor do que quando desembarcaram no Miami General.

Quando a segunda dose do inalador não a fez se recuperar, ela soube que estava com problemas.

Val continuava falando. Ele a ajudou a respirar devagar e a controlar o pânico que a ameaçava.

Ela não conseguia se lembrar de ter ficado tão ruim assim.

— Quando foi a última vez que você foi a um pneumologista? — o dr. Empertigado perguntou.

— Vou ao clínico geral uma vez por ano.

— Você precisa de um pneumologista. Devia saber disso.

Ela sabia, mas ignorava a necessidade todos os anos quando se consultava com o clínico. O médico estava controlando relativamente bem sua asma. Pelo menos até aquele momento.

— Conhece algum em LA?

O plantonista franziu o cenho.

— Tenho um amigo, o dr. Eddy. Vou ligar para ele e perguntar se conhece alguém por lá.

— Obrigada.

— Atualmente existem medicamentos muito melhores no mercado. — Ele explicou o que estava prescrevendo antes que ela deixasse o hospital. A receita continha um comprimido e um inalador diário, além de um inalador de emergência diferente, que ela nunca havia usado. Parecia que os medicamentos que usava desde o ensino médio estavam obsoletos.

Quem poderia imaginar?

O médico fez menção de sair do quarto.

— Doutor?

— Sim?

Ela suspirou e ajustou o tubo de oxigênio.

— Obrigada.

Ele apontou para ela.

— Espero que não precise me agradecer uma segunda vez. Sabe quantas mulheres jovens como você morrem todos os anos de um ataque de asma por ignorar os sintomas?

Ela balançou a cabeça.

— Não seja uma delas. — Ele olhou para o monitor acima de Meg. — Você vai ficar aqui por um tempo, srta. Rosenthal. Devia tentar dormir um pouco.

Ela fechou os olhos e sentiu o pulso bater rápido. Até sua respiração estava acelerada. Mas pelo menos estava conseguindo respirar. Meu Deus, ela sabia como um peixe fora d'água devia se sentir.

— Srta. Rosenthal? — A enfermeira a acordou. Como ela conseguira dormir?

— Sim?

— Tem algumas pessoas ansiosas do lado de fora querendo saber como você está.

Meg se ergueu na maca.

— Peça para eles entrarem, por favor.

— Todos eles?

— Melhor todos juntos do que um de cada vez.

A enfermeira sorriu e abriu a porta. Michael entrou no quarto primeiro, com seu sorriso forçado.

— Eu sabia que você gostava de atenção, Meg, mas isso foi demais.

Ryder bateu nele e beijou a bochecha dela.

— Como está se sentindo?

— Melhor.

Val estava atrás da irmã e da sra. Masini. A expressão dolorosa daquela senhora havia permanecido em algum lugar dentro dela.

— Você nos deu um susto — Gabi disse ao pé da cama.

— Desculpa.

— O que aconteceu? Como você foi parar lá?

— Eu errei o caminho. — Seu olhar encontrou o de Val, que parecia analisar se ela estava falando a verdade.

Michael se sentou na beirada da cama.

— Dançou demais?

Isso e o susto que ela teve. Os rostos ansiosos, o da sra. Masini em particular, a impediram de falar sobre o encontro com o homem de capuz.

— D-deve ter sido isso. Me desculpem por todo o trabalho.

— Não seja ridícula, Meg — a sra. Masini falou.

Meg olhou para o relógio do hospital com uma careta.

— Já passa das duas da manhã. Vocês deviam voltar, descansar um pouco.

Michael balançou a cabeça.

— Leve a sra. Masini e a Gabi de volta com você. Cuide para elas chegarem bem em casa, tá?

— Podemos te esperar — Gabi falou.

— Eles querem que eu faça outro tratamento para ter certeza de que não vou ter uma recaída. Talvez demore um pouco.

— Você não pode descansar com todos nós aqui, não é? — a sra. Masini ofereceu a melhor razão para eles irem. Então se inclinou e acariciou a mão de Meg.

A reação à medicação fazia com que a mão dela tremesse terrivelmente.

— O Valentino vai ficar com você e te levar de volta quando estiver completamente boa — a sra. Masini lhe disse.

Val se afastou da parede.

— Eu não faria diferente, *mamma*.

Michael beijou o dorso da mão de Meg.

— Tem certeza?

— Tenho, sim. Eu volto para o café da manhã — ela respondeu e olhou novamente para o relógio. — Talvez para o almoço.

Ela aceitou abraços e beijos antes de todos saírem.
Val puxou uma cadeira até o lado da cama e pegou sua mão.
— O que aconteceu, *cara*?
Seu olhar suave e sutil se endureceu com as primeiras palavras de Meg:
— Tinha um homem...

16

O JATO PARTICULAR DOS HARRISON pousou na pequena ilha para deixar algumas pessoas e pegar outras.

Val deu um passo à frente para cumprimentar o sr. e a sra. Evans. O fuzileiro naval aposentado o encarou e ofereceu um firme aperto de mão.

— Obrigado por virem.

— Como está a Meg? — Judy Evans não se incomodou com conversas educadas.

— Reclamando porque a estou fazendo ir embora.

Rick Evans tinha um sorriso cativante.

— Está se sentindo melhor, então.

— Muito. — Ele os conduziu em direção ao carrinho de golfe que os levaria até o hotel. — Lamento estarmos nos conhecendo nessas circunstâncias.

— Fico feliz que alguém esteja sendo racional. A Meg é difícil quando enfia algo na cabeça.

Val havia sido informado de que Judy e Meg eram melhores amigas e fizeram faculdade juntas. Obviamente, ela a conhecia muito bem.

— O caminho é curto — Val disse. — Não vai demorar muito para que tudo esteja pronto para partirem.

Do lado de fora do bangalô de Meg, dois carrinhos de golfe estavam repletos de bagagem. Depois de estacionarem, Judy saltou e entrou na casa. Rick ficou para falar com Val em particular.

— O motivo da minha presença aqui deve ficar apenas entre nós dois.

— Podemos confiar na minha segurança — Val insistiu.

— Tenho certeza de que você confia, sr. Masini.

— Val, por favor.

— Mas confiança é algo que se conquista, não se dá.

Val concordou com um aceno de cabeça. Eles entraram juntos e ouviram Judy discutindo com a amiga.

— Você está pálida. Um vampiro é mais corado que você.

— Não quero ninguém me assustando e me fazendo mudar de rotina.

Judy colocou as mãos nos quadris.

— Você lembra com quem está falando?

— Não é a mesma coisa, Judy. Ninguém me ameaçou.

Val não concordaria com isso. Assim como os outros na sala.

— Um cara escondendo o rosto debaixo de um capuz te encurrala em um corredor escuro e ninguém te ameaçou? "Antes que se machuque" parece uma ameaça para mim. — Michael estava puto da vida. — Você foi parar no hospital, Meg. Estamos indo embora, você vai com a gente e ponto-final!

Margaret esfregou o peito e tossiu um pouco. Algo que Val havia notado que ela vinha fazendo muito desde que voltara do hospital. Ele entrou no quarto.

— Podem nos dar alguns minutos, por favor?

Ryder e Michael saíram pela porta dos fundos. Rick pegou a última mala no quarto e levou Judy com ele.

— *Cara.* — Ele a pegou pela mão e a sentou no sofá. — O que você pode realmente fazer aqui?

— Posso te ajudar a encontrar quem está por trás disso.

Não sem se arriscar, ele quis dizer.

— Você é uma bela distração que vai me impedir de encontrar seja lá quem for. Você ouviu o médico, precisa descansar e dar tempo para a medicação fazer efeito.

— Estou me sentindo bem. — No instante em que disse essas palavras, tossiu. — Droga — murmurou.

Ele decidiu dar um incentivo para convencê-la a ceder.

— A Gabi está ansiosa para visitar Los Angeles e encontrar o vestido perfeito para o casamento. Ela não sai da ilha há um bom tempo. Você pode me ajudar a rastrear os e-mails e encontrar a origem deles mais facilmente com a ajuda dos seus amigos. E o Michael ficará a salvo de olhares curiosos.

Meg olhou para ele, percebendo sua tática.

— Você está jogando sujo.

— Você confia no seu amigo Rick?
— Claro.
— Ele pode me ajudar por aqui. E, quando tivermos algo, vou ao seu encontro — ele disse, beijando-lhe a ponta dos dedos. — Eu quero mais de você — sussurrou.
— Agora você está realmente jogando sujo.
Ele se inclinou e lhe deu um beijinho na boca. Não ousou arriscar mais e encurtar sua respiração. Quando se afastou, observou suas pálpebras semicerradas e suspirou. Não, o caso deles não havia terminado. Não estava nem próximo disso.
Ele colocou uma mecha de cabelo dela atrás da orelha, esperando que ela abrisse os olhos.
— Tudo bem, eu vou. — Ela abriu os olhos lentamente.
Alonzo estava ao lado de Gabi na frente do avião. Os dois estavam muito mais próximos que na noite anterior, e Gabi sorriu para o noivo antes de ele a puxar para um beijo terno.
Val desviou o olhar, dando-lhes privacidade.
— Obrigado por tudo. — Michael apertou a mão de Val. — Manteremos contato.
Ryder também se despediu antes de embarcar. Judy beijou o marido e seguiu seu irmão.
— Me ligue quando aterrissarem — Val pediu.
Margaret fez uma careta.
— Se eu estivesse me sentindo um pouco melhor, não iria embora. Acho que você devia saber disso.
Ele sorriu pelos dois.
— Anotado.
— Ei, Meg! Vamos ou não? — Judy gritou da escotilha do avião.
— Tenho que ir.
Certo.
Val se aproximou, inclinou o corpo e baixou o rosto. O beijo teria que servir por algum tempo, então ele aproveitou.

~~~

— Geralmente os trabalhos de investigação são bem frustrantes. — Rick Evans tirou os olhos das câmeras de vigilância e ergueu o dedo indicador. — No entanto, mais cedo ou mais tarde alguém comete um erro, e é aí que pegamos o cara.

— Sem querer ofender, Rick, mas você não parece o tipo de cara que fica sentado, curtindo uma frustração por muito tempo.

O telefone no bolso de Rick tocou, lembrando a Val que ele ainda não tinha tido notícias de Margaret.

— Oi, baby. Não, ele está bem aqui.

Val prestou atenção na conversa quando Rick fez contato visual.

— Não. Eu falo para ele. Sim, pode deixar. Também te amo.

Rick colocou o telefone de volta no bolso e começou a digitar no teclado do computador.

— Era a Judy. Elas chegaram bem. A Meg estava exausta e já está na cama.

O coração de Val doeu com o pensamento.

Rick apertou "enter" com um grande gesto e se virou.

— Com relação a eu ficar sentado, juntando informações, você está certo. É uma merda. Todos esses dados estão a caminho do Russell. Esse meu parceiro adora se sentar e procurar coisas. Ele vai rastrear os e-mails, observar as transmissões e investigar qualquer coisa suspeita.

Val sentiu o olho esquerdo se contrair.

— Todas as minhas câmeras estão sendo acessadas de fora da ilha?

— Você ainda pode acessá-las aqui.

Val colocou a mão ao redor do próprio pescoço.

— Pode ficar tranquilo, Val. Eu entendo de segurança.

— O Lou também. — Seu principal homem estava informando a equipe da ilha sobre a presença de Rick e trabalhando na instalação de mais câmeras nos corredores de serviço.

— É bom ter outro par de olhos atentos. O Russell não conhece o Lou como você. Ele vai questionar tudo o que vir. A pessoa que estamos procurando conhece a ilha, as regras, os procedimentos e tem a sua confiança. Ou pelo menos a da equipe aqui.

— Ninguém entra na ilha com uma câmera particular.

Rick se recostou na cadeira do escritório, pensativo.

— Como você pode garantir isso?

— A bagagem dos hóspedes é examinada através de equipamentos de raios X. Os celulares são guardados e as câmeras da ilha são analisadas e verificadas antes que eles deixem o hotel. — Val continuou a falar sobre os procedimentos de chegada e saída dos hóspedes e como funcionavam os voos privados.

— Existem relógios com câmera — Rick ressaltou.

Val passou a mão pelos cabelos.

— As fotos foram tiradas com uma lente de longo alcance. Embora eu tenha certeza de que os militares podem tirar fotos do espaço, não acho que ninguém aqui tenha um equipamento desses. Além disso, meus hóspedes desejam privacidade tanto quanto eu. É por isso que eles estão aqui. Todos estão sujeitos à minha política de privacidade. Se houver qualquer tipo de violação, eles assumem o risco de um processo que eu posso garantir que não vou perder.

Rick estudou a parede atrás dos computadores.

— Eu não acho que o nosso cara é um hóspede.

Val também não.

— Restam meus funcionários.

— Perder o emprego não se compara com o dinheiro que eles poderiam ganhar com fotos ou fofocas que poderiam vender. E quanto aos trabalhadores temporários? Tenho certeza que a manutenção aqui é bem frequente.

— Eu dirijo o Sapore di Amore como um navio de cruzeiro. O serviço de limpeza tem áreas designadas onde a entrada é permitida, a equipe de garçons da mesma forma. A manutenção das áreas comuns é feita depois que os hóspedes vão embora. As situações de emergência exigem a presença da equipe de segurança. — Val já havia analisado tudo isso.

Rick ficou de pé e esticou as costas.

— Então vamos começar pelos deques inferiores. Com aqueles que têm pouco a perder, e daí avançamos.

Val pegou o paletó que estava apoiado no encosto da cadeira. Rick sorriu.

— Está muito quente. Por que o terno?

Val arrumou a gravata.

— Para lembrar aos meus funcionários que eu sou o chefe.

Eles começaram pelas docas, de onde muitos funcionários nunca saíam. Uma das primeiras coisas que Rick notou foi o iate de Alonzo ancorado no cais.

— É seu?

Val negou com a cabeça.

— Do noivo da Gabi.

Rick estreitou o olhar.

— Tudo isso proveniente do negócio de vinhos?

— É um grande negócio.

— Ainda melhor que uísque falsificado, não é, Val? — Alonzo surgiu atrás deles, obviamente ouvindo a conversa.

— Já tomei uísques falsificados muito bons — Rick ofereceu enquanto apertava a mão do outro homem.

Alonzo piscou.

— Eu também, mas não conte a ninguém.

— Está indo embora? — Val perguntou.

Alonzo assentiu.

— Você já tem o suficiente para se preocupar sem meus homens por aqui.

Val não havia pensado na equipe de Alonzo.

— Onde seus funcionários dormem quando você está na ilha? — Rick perguntou.

Alonzo demorou a sorrir.

— No iate, sr. Evans. As acomodações deles são bastante confortáveis.

— Faz sentido.

Alonzo voltou a atenção para Val.

— Parece que você teve muitos consumidores de cabernet, meu amigo. Vou pedir para o meu assistente enviar mais.

— Obrigado. — A última coisa que passava pela cabeça de Val era o baixo estoque de cabernet.

— Sei que você está preocupado, mas queria que soubesse que, assim que a Gabi voltar, planejo levá-la para uma viagem curta.

— Ela já sabe?

— Ainda não. Estou resolvendo alguns detalhes. Andei dando pouca atenção à minha noiva e preciso consertar isso.

Val estava totalmente de acordo. Ter a irmã e Alonzo fora da ilha por um tempo seria bom para todos eles. Apertou a mão do cunhado.

— Não trabalhe demais.

— Eu diria o mesmo, mas sei que você vai dar menos importância ao meu conselho do que eu ao seu.

Os dois eram viciados em trabalho. Era surpreendente que Alonzo tivesse encontrado tempo para conhecer Gabi, que dirá se casar com ela.

Talvez por dormir na própria cama, ou quem sabe por respirar aquela poluição, ou então por sentir o cheiro ruim da comida da vizinha, mas o fato é que Meg apagou e acordou revigorada de um jeito que não se sentia havia semanas.

Até o chuveiro parecia melhor do que ela se lembrava. Respirou fundo no medidor de fluxo de oxigênio para ver como os pulmões estavam. Os níveis estavam melhorando com a medicação que o doutor prescrevera. Era incrível como uma boa oxigenação tornava o dia mais brilhante.

Ela praticamente correu pelas escadas em direção ao cheiro do café da manhã.

— Olha só quem está de pé.

Meg passou os braços ao redor de Judy e Gabi, que estavam debruçadas sobre o fogão.

— Comida caseira? Para mim?

— Não é para acostumar. Foi a Gabi que insistiu.

Meg se serviu de uma xícara de café e sentou ao balcão da cozinha.

— É bom estar em casa.

— É sempre ótimo tirar férias, mas chegar em casa é melhor — Judy falou.

— Sim, bem... Foram as férias mais cansativas que eu tive nos últimos tempos.

Gabi fez uma careta.

— Desculpe.

— Tudo bem, querida. A ilha é linda, a comida é fantástica, e a companhia... — Ela imaginou Val com um sorriso. — É... Enfim, não foi por causa de nada disso.

— Foi a ida de helicóptero para o hospital. Te pega toda vez, não é? — Judy sempre tinha um jeito de chegar direto ao cerne da questão.

— A preocupação com o Michael... — Meg cortou suas palavras e olhou para Gabi.

— Por favor, eu não sou cega. Ele não é a primeira celebridade que vai à ilha do meu irmão posando como alguém que não é. Podem acreditar em mim.

Judy cutucou Gabi.

— Quero perguntar quem, mas não vou.

— Eu não diria. — Gabi sorriu com uma piscadela.

— Ah, não! — Meg pensou em Val e olhou ao redor da cozinha, à procura da bolsa.

— O que foi?

— Esqueci de ligar para o Val ontem à noite.

— Não se preocupe — Judy lhe disse. — Já falei com o Rick.

Meg suspirou, deixando a conversa de lado por um tempo.

— Será que eles estão mais perto de encontrar o cara?

Judy colocou um prato de ovos mexidos, torradas e bacon na frente de Meg.

— Se o cara do capuz ainda estiver lá, o Rick vai encontrá-lo.

— Ele não fez nada.

— Ele te assustou a ponto de você passar mal. — Judy colocou o próprio prato na bancada e se sentou ao lado dela. — Eu te conheço há muito tempo. Isso não acontece com frequência, e nunca tive que te levar para a emergência. Então "ele não fez nada" não me convence. Você ficou apavorada.

— Eu dancei a noite toda, corri o dia inteiro...

— Por que você está minimizando o que aconteceu? O cara te encurralou, disse umas coisas desagradáveis e fugiu.

Judy tinha razão.

— Acho que não quero pensar que uma pequena ameaça me transforma numa pilha de nervos que vai parar no hospital.

Judy apontou o garfo na direção de Meg.

— Com exceção dessa sua descrição, você não pode ser acusada de melodramática.

A campainha da casa de Tarzana tocou, e Judy foi atender.

— Entrega para a srta. Rosenthal.

Meg se inclinou para ver o corredor curto que terminava na porta da frente. Judy pegou um enorme buquê do que parecia ser duas dúzias de rosas.

— Ah, meu irmão é tão fofo — Gabi anunciou quando Judy trouxe as flores para a cozinha.

Meg não pensava ser o tipo de garota que gosta de receber flores, mas se pegou sorrindo. Abriu o cartão e leu.

Em seguida, começou a rir.

— O que está escrito? — Judy perguntou.

— Não é do Val.

— Não?

Meg se inclinou e cheirou um botão perfumado.

— Não. É do Jim Lewis.

Gabi inclinou a cabeça para trás com a gargalhada.

— Talvez ele esteja tentando conquistar a próxima esposa, no fim das contas.

Judy coçou a cabeça.

— Quem é Jim Lewis?

— **LEMBRA DA SHANNON WENTWORTH?** — Meg entrou no estúdio de fotografia de sua cliente, com Gabi logo atrás.

— Sim, claro. Você e seu marido foram nossos hóspedes no início do ano.

— Sim. Perdão, esqueci seu nome.

— Gabriella Masini, irmã do Valentino.

Shannon apertou a mão de Gabi e ofereceu um sorriso gracioso.

— Tivemos momentos maravilhosos na sua ilha.

— A ilha é do meu irmão, mas obrigada. Gosto de pensar que ajudo de alguma forma.

— Como vai a campanha política? — Meg perguntou após as apresentações.

— Cansativa. Sem falar que muito calórica. Juro, tem mais jantares do que dias na semana.

Shannon usava os longos cabelos presos em um rabo de cavalo liso. A cintura fina e a forma física não eram algo que Meg conseguia imaginar com excesso de peso.

— Coma um palito de aipo, tenho certeza de que vai equilibrar as coisas.

Shannon entendeu o humor de Meg e bateu no braço dela.

— O que te traz ao meu canto de Beverly Hills?

O estúdio para onde Shannon se mudara, após sua cerimônia de casamento contratual, era localizado no centro de Beverly Hills, ao lado da Rodeo Drive. O endereço elegante fazia parte do negócio. Ela podia tirar fotos informais — ou não tão informais assim — da clientela exclusiva que almoçava na Rodeo apenas para ser vista. Também fazia fotos de formaturas, bebês ou de casamento. Shannon sempre quis orientar jovens talentosos, e seu estúdio lhe proporcionava isso.

Meg alisou as costas de Gabi.

— A minha amiga está organizando o casamento. Ela ainda precisa escolher o vestido e, como você é fotógrafa, achei que pudesse nos indicar alguém. Mostrar alguns ensaios, nos apresentar algumas pessoas. Em Hollywood, o importante é quem você conhece, não o que você sabe.

O olhar de Shannon recaiu sobre Gabi com interesse renovado.

— Você vai se casar?

Gabi levantou a mão direita e balançou os dedos.

— Vou.

— Parabéns! Espere. — Shannon estreitou os olhos e se voltou para Meg. — Ela é sua cliente?

Meg riu. Em hipótese alguma Alonzo teria passado pela verificação de antecedentes.

— Ah, não. A Gabi já estava noiva quando nos conhecemos.

— Ah, desculpe. — Shannon se voltou para Gabi pela segunda vez. — Parabéns. Quando é o grande dia?

Gabi demorou um pouco para responder.

— No outono. O que você quis dizer com isso, se eu sou cliente da Meg?

— Eu falei para você que trabalho com verificação de antecedentes — Meg ofereceu como meia resposta.

— Verificação de antecedentes?

Shannon entrou na conversa.

— Eu conheço muitas pessoas. Vamos dar uma olhada em algumas noivas, e você me fala do que gosta. Podemos seguir a partir daí.

Elas se sentaram diante de uma pilha de álbuns, repletos de fotos de noivas e diferentes tipos de casamentos. Se havia uma coisa em que Meg acreditava, era na lei do retorno. O fato de Shannon ser uma fotógrafa incrível e uma ótima pessoa era um bônus. Ajudá-la com seu negócio era algo que não exigia que ela pensasse duas vezes.

— Você vai se casar na ilha? Já sabe o que as madrinhas vão usar?

Gabi se empertigou e ficou em silêncio, e seus olhos começaram a se encher de lágrimas.

— O que foi, querida? — Meg notou o olhar da amiga.

— Não tenho nenhuma madrinha. Como posso me casar assim? Sem madrinha, sem dama de honra?

Shannon ficou de pé e pegou uma caixa de lenços enquanto Meg acariciava as costas de Gabi, e as lágrimas caíam de seus olhos.

— Muitas pessoas se casam sem uma grande festa.

Gabi enxugou o nariz.

— Eu tenho uma prima, mas não nos vemos com muita frequência. Quando eu contei que ia me casar, ela disse que não sabia se poderia ir. — Gabi se levantou e começou a andar de um lado para o outro. — Isso é horrível.

— Não é horrível. É comum, até — Shannon apontou.

— Eu passo tanto tempo na ilha que acabei esquecendo de cultivar as amizades. O que o Alonzo vai dizer disso? Vou ser uma péssima esposa.

— Você não está na ilha agora — Meg a lembrou. — E eu estou bem aqui. Você não esqueceu de fazer nada. Agora, a menos que você esteja escondendo algum problema, vamos encontrar o vestido perfeito. — Meg pegou um álbum e apontou para o primeiro tomara que caia de corte justo que viu. — Acho que você ficaria maravilhosa num modelo assim.

Gabi ainda não estava convencida. Ela olhou para o outro lado da sala e fez beicinho.

Meg olhou para o álbum.

— Sua mãe não te falou que o seu rosto vai ficar assim para sempre se você continuar fazendo isso?

Quando a risada de Gabi soou nos ouvidos de Meg, ela soube que havia abrandado os medos da amiga.

Mas a questão era que Meg ainda estava apreensiva. Apesar de Gabi ter lhe dito que Alonzo compensara seu comportamento idiota na última noite na ilha, o cara ainda não havia passado em seu teste. Agora que ela estava em casa, a pesquisa avançaria mais rápido. Se a verificação de antecedentes que ela e Sam fariam demonstrasse que ele não prestava, Meg iria com força total contra Alonzo.

Gabi adorou o primeiro estilista que visitaram. Seu nome era Marco e ele trabalhava com alta-costura. Como Val lhe prometera o casamento dos sonhos, ela não estava pensando no preço das criações de Marco. O que Gabi não sabia era que, a cada vestido que ela experimentava, Meg tirava uma foto e conversava com Val por mensagem.

> Eeeeeiii, quanto você está pretendendo gastar no vestido de noiva da sua irmã?

> É um vestido. Quanto pode custar?

O coitado não fazia ideia.

Marco usava algo que James Bond aprovaria, com exceção da gravata púrpura com textura.

— Marco, meu bem, qual a faixa desse vestido?

Gabi estava provando um tomara que caia acinturado, com a saia fofa e bordado de pérolas tão espetacular no corpete que até Meg, que não sabia diferenciar uma pérola de uma conta de vidro, ficou impressionada.

— Vamos falar de preço, Margaret?

O cara gostava de nomes completos. Dizer para ele chamá-la de Meg era o mesmo que pedir que ele chamasse o papa de papai.

— Sim.

— Ele é econômico... muito econômico.

Sei.

— Econômico para a Kate Middleton ou para uma ex-BBB?

Marco estava ajeitando os peitos de Gabi dentro do vestido e jogou a cabeça para trás de tanto rir.

— Ah, céus. O que há de errado com um país que deixa essa... *coisa* na televisão? — Ele colocou as mãos na cintura de Gabi e a virou para o espelho de três colunas. — Um amor. — Então desceu as mãos até seus quadris, como se tivesse o direito de fazer isso, e afofou a cauda. — Acho que devíamos ver vestidos mais sequinhos, menos espalhafatosos, apesar desse estilo combinar muito bem com o seu tom de pele.

— Todos os vestidos são brancos — Meg observou.

Marco lançou um olhar pretensioso a ela, ao mesmo tempo em que lhe oferecia um sorriso educado.

— Morda a língua. Eu não tenho nada branco. Cada tom é único.

— Achei lindo. — Gabi se virou para admirar a parte de trás.

— Marco... de quanto estamos falando? Seis dígitos? Cinco? Quatro?

— Quatro? Pelo amor de Deus, não estamos numa loja de departamentos.

Era exatamente o que Meg havia pensado.

— Então seis?

— Não. Eu disse que era econômico.

— Mesmo acrescido de impostos?

Marco não parecia nem um pouco constrangido enquanto se movia ao redor de Gabi, acertando detalhes no vestido.

— Vamos precisar ajustar aqui.

— Marco?

Ele acenou, dispensando-a.

Meg sentou em um luxuoso sofá de couro branco e observou o estilista abrir os botões, um a um. Todos eles.

Então mandou para Val uma foto de Gabi com o vestido.

> Chuta o preço desse aí.

> É a Gabi?

> Ela está deslumbrante. Adivinhe o preço, cara da grana.

Demorou um pouco para os três pontinhos mostrarem a resposta.

> Não importa. A minha irmã merece o que ela quiser.

> Então posso falar que ela pode gastar cem mil dólares em um vestido que vai usar uma vez, durante só uma parte do dia?

Meg encontrou certa satisfação em ver os três pontinhos piscarem na tela por vários segundos. Sim, Val era uma pessoa atenciosa e mão-aberta, mas ela não achou que ele iria tão longe.

Os três pontinhos continuaram por um tempo, então Meg seguiu adiante:

> Véu, sapatos e joias são a próxima etapa, cara da grana. Pense bem no que vai dizer.

Três pontinhos...

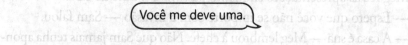
Experimentem outro.

Sábias palavras.

— Gabi, que tal ver algo com menos bordado? Não consigo te imaginar usando isso no calor de Keys.

Marco pegou dois vestidos da coleção enquanto Gabi ia para o provador.

— Marco? — Meg acenou para ele. — Eu trabalho com muitas noivas, mas vamos deixar minha amiga deslumbrante sem gastar uma fortuna, sim?

Ele ergueu a sobrancelha perfeitamente arrumada, que Meg podia jurar que era pintada.

— A Shannon me disse isso.

— A maioria das minhas noivas pode pagar por esse vestido e todos os complementos. — Ela apontou para os quase seis dígitos do vestido. — A Gabi vai entrar na igreja com o irmão, não com o pai. — Sem mencionar que ela se casaria com alguém em quem Meg não botava muita fé. Mas achou melhor não comentar esse detalhe.

Marco guardou um dos dois vestidos que segurava e trouxe outro.

— Gabriella, vamos provar esse. Acho que vai ficar perfeito.

Meg digitou no telefone enquanto Gabi saía com a segunda prova.

Você me deve uma.

Três pontinhos...
Meg riu e soltou o telefone.

— Gostei desse.

~~~

Samantha Harrison era o que Meg descreveria como uma ruiva baixinha e invocada, que exalava autoconfiança e dinheiro como se tivesse nascido para isso. O que era bem verdade, mas seu papel de esposa, mãe e duquesa melhorou o que veio de berço e fez dela um exemplo de força e persistência.

A Alliance era sua menina dos olhos. Ela não precisava mais do dinheiro que o negócio faturava, mas manteve a empresa funcionando por diversas razões. No mínimo porque encontrara o próprio marido através do serviço, e também pelos inúmeros casamentos bem-sucedidos que ela e suas funcionárias haviam arranjado desde que ela abrira o negócio. Meg podia apostar que Sam gostava de empoderar as mulheres, tanto por meio dos casamentos temporários e milionários que oferecia a elas como trabalhando para que subissem na vida. Meg sabia que sua vida tinha dado uma guinada de cento e oitenta graus quando ela fora trabalhar para Sam.

Compensando a pouca altura com saltos de dez centímetros, Sam ainda tinha que ficar na ponta dos pés para alcançar o pote de café numa prateleira alta na cozinha de Meg, onde esta encontrou a chefe quando ela e Gabi voltaram do ateliê de Marco.

— Meu Deus, mulher, deixa que eu pego isso para você.

— Não sei por que você guarda o café tão no alto.

Meg puxou o pote de um dos melhores cafés colombianos da prateleira superior e colocou os grãos no moedor.

— Se ficar num lugar fácil de pegar, vou fazer, tomar, fazer mais, e não vou pregar o olho a noite toda. No alto, esqueço que ele está aí.

Sam balançou a cabeça, se recostou no balcão e se concentrou em Gabi.

— Você deve ser a srta. Masini.

Gabi avançou e apertou a mão de Sam.

— Gabi, por favor.

Meg fez as apresentações enquanto passava um bule de café.

— Espero que você não se importe com a invasão — Sam falou.

— A casa é sua — Meg lembrou à chefe. Não que Sam jamais tenha apontado o fato de que ela morava lá por quase nada.

Sam foi da cozinha para o escritório, ao lado da sala de estar.

— Eu estava procurando um programa que sei que usei uma vez.

Sam se sentou diante do computador que continha o banco de dados e os contatos dos seus muitos clientes ao longo dos anos. O software de segurança incluía reconhecimento de voz e mapeamento de retina.

Meg achava que isso era excessivo, até descobrir a magnitude das informações nos arquivos de Sam.

Em pé atrás da chefe e consciente de que Gabi estava perto, ela perguntou:

— Que programa você está tentando encontrar? Talvez eu possa ajudar.

Sam limpou a garganta e continuou clicando.

— Um programa de finanças. Ele me ajudava a entender os números de empresas que conheço muito pouco.

— Eu sou boa com números — Gabi disse da porta.

Sam continuou a clicar.

— Estou falando de receita bruta sobre lucro reportado, custos de fabricação e dispêndios de capital. Coisas complicadas que prefiro não falar para o contador do meu marido.

— Sim, números. Meu irmão me chamava de sabichona da matemática quando eu era mais nova. Levei algum tempo para perceber que ele estava debochando de mim. Até que ele notou que isso não era nada mau quando abriu o próprio negócio.

Sam virou a cadeira devagar e Meg percebeu que ela estava olhando para Gabi. A ruiva cruzou as pernas e se recostou.

— Certo. Digamos que eu tenha um empréstimo de oito milhões e seiscentos e cinquenta mil dólares em uma casa, com taxa de juros de 4,5%. Quanto vou pagar por mês?

Gabi tocou os dedos no ar como se estivesse segurando uma calculadora.

— Prazo de quinze ou trinta anos?

— Quinze — Meg falou.

— Trinta — Sam disse ao mesmo tempo.

Gabi revirou os olhos.

— Sessenta e seis mil, cento e setenta e dois, arredondando para cima, no prazo de quinze anos e... — fez uma pausa — quarenta e três mil, oitocentos e vinte e oito por mês, no prazo de trinta anos. — Ela se afastou da parede. — Mas a taxa média nacional agora é o que, 2,75%...? Um pouco mais, na verdade. Digamos 2,79%. Daria cerca de trinta e cinco mil e quinhentos por mês. Arredondando para cima.

Meg não parou de olhar fixamente.

— Ela está certa?

Em vez de responder, Sam se virou na cadeira e começou a digitar números na calculadora sobre a mesa.

— Puta merda.

Um assobio na cozinha desviou a atenção de Gabi.

— Como você gosta do café, Samantha?

— Com creme.

161

A moça se virou e saiu.

— Ela estava certa, não estava?

— Uau.

— Acho que ela pode te ajudar com os números — Meg falou.

— Do homem *dela*?

Meg não tinha considerado isso.

— Não diga de quem é. Acho que é melhor ela descobrir sobre esse cara por conta própria.

Sam girou em direção ao computador.

— Não gosto do que tenho encontrado. Eu teria reprovado a entrada dele muito antes disso, se ele estivesse pensando em nos contratar.

— Alguma coisa concreta?

— É nisso que estou trabalhando.

Meg deu um tapinha nas costas de Sam.

— Obrigada. Ela precisa que a gente cuide dos interesses dela.

Gabi entrou na sala com duas xícaras de café e as colocou sobre a mesa.

— Aqui está.

Em seguida pegou uma delas e tomou um gole.

— O quê? — Meg protestou. — Nada para mim?

Gabi riu.

— Você não disse que evitava tomar café para não prejudicar o sono?

Ela balançou a cabeça.

— Eu disse que *tentava* evitar.

Todas riram, e, quando Meg retornou, a conversa já tinha mudado. Sam pegou um bloco de notas e rabiscou alguns números nas margens.

— Então, se o potencial de lucro de um armazém é de vinte mil a cada, digamos, cem metros quadrados de espaço de operação, e o custo de produção é de quatro mil, incluindo mão de obra, suprimentos, o básico, o lucro é substancial.

— Dependendo do espaço, sim. Você está considerando hipotecas, seguros e impostos?

Sam balançou a cabeça.

— É para isso que eu precisava do programa. Me parece que esse cliente potencial está gastando muito mais do que pode, e não consigo encontrar uma fonte adicional de renda.

— Dinheiro de família?

— Não consegui encontrar. Mas talvez eu tenha errado alguma coisa. À primeira vista, a renda é de vários milhões por ano, mas sinto que não estou percebendo alguma coisa.

Enquanto Sam e Gabi se debruçavam sobre as contas, Meg fez algo que raramente fazia. Saiu do escritório e ligou para um cara.

18

UMA ONDA DE EXCITAÇÃO ALIMENTOU a energia de Val quando viu o número de Meg aparecer no celular.

— Oi — ele atendeu com um enorme sorriso no rosto, sentindo-se como um adolescente, mesmo com todo o estresse do dia.

— Oi, cara da grana.

— Oi, Margaret.

Ela riu.

— Um dia desses, vou ter que te dar permissão para me chamar de Meg.

Val se afastou dos monitores de vídeo que estava observando e se inclinou contra uma das janelas que iam do chão ao teto.

— Talvez você dê, *cara*, mas não garanto que vou usar. — Sua risada era contagiante. — Como está se sentindo?

— Estou tossindo à noite, mas, fora isso, tudo ótimo.

— Já se consultou com um especialista?

— Não conheço nenhum.

O sorriso de Val se desfez.

— O médico disse para você ir.

— Vou procurar...

— Quando? — Ele não deixaria isso passar. A imagem dela lutando por ar o perseguiria por um bom tempo.

— Desde quando você se tornou a mamãe galinha?

Ele suspirou. Pôde sentir a nuca arrepiar e apertou os olhos com força.

— Por favor, Margaret. Da próxima vez você pode não ter tanta sorte.

— Eu fiz algumas ligações, Val. Preciso passar por certos procedimentos para o plano de saúde pagar a conta.

A ideia de que ela estava esperando para ser tratada por causa do plano de saúde o irritou.

— Faça uma consulta particular.

— Nem todo mundo tem uma ilha, cara da grana.

— Eu pago.

— Não seja ridículo. Eu posso pagar minhas despesas médicas.

Correção: ela podia pagar as consultas que o plano oferecia. Ele sabia como funcionava. Sabia como era a espera por especialistas, o que muitas vezes resultava em uma longa espera por consultas, o que acabava deixando as pessoas mais doentes do que já estavam. Então começou a procurar uma maneira de cuidar dela sem irritá-la.

Andando na corda bamba.

— Você vai ficar feliz em saber que a sua irmã desistiu do vestido de seis dígitos — Margareth mudou de assunto com habilidade.

— Era mesmo tão caro?

— Absurdo, né?

— A Gabi é uma pessoa prática. Duvido que ela teria concordado em comprar.

— Apesar de você conhecer bem a sua irmã, as mulheres tendem a ficar meio descontroladas com o vestido de noiva.

— Se eu soubesse que você iria apresentar a Gabi a estilistas que oferecem vestidos de cem mil dólares...

Ela fez uma pausa.

— Sim? O que você teria feito?

Ele tinha de admitir, Margaret desafiando seu blefe o fez sorrir.

— Teria falado para ela curtir a viagem e ter bom senso.

— Então eu deveria ter aprovado a primeira escolha dela?

Aquilo era um teste. O tipo de teste que uma mulher fazia com um homem para confrontar suas nobres palavras com suas ações. De alguma forma, fazer com que ambas trabalhassem em uníssono com Margaret era algo que ele precisava fazer. Embora ele não quisesse que a irmã gastasse todo esse dinheiro em um vestido, também não lhe negaria o desejo.

— A minha irmã merece o melhor. Ela só vai casar uma vez.

— Bem... — Margaret soltou um suspiro, como se estivesse de acordo. — Sorte a sua que ela gostou do vestido mais barato. Você se deu bem nessa. Vou ajudá-la a escolher acessórios caros para compensar o vestido.

— Tenho certeza que sim.

Ele ouviu Margaret tossir longe do telefone algumas vezes, trazendo a questão da sua saúde antes de mudarem de assunto novamente.

— Algo novo sobre o fotógrafo misterioso?

Sem novos rumos ou outras fotografias, a frustração estava consumindo os nervos de Val.

— O que você sabe sobre spam?

— É irritante.

— É mesmo. Mas você faz ideia de como os spammers encontram o endereço da pessoa e enviam um e-mail com o nome e informações pessoais?

— Meu instrumento é o piano, não o teclado.

Val balançou a cabeça.

— Também não entendo nada de computadores. O Rick e os amigos dele rastrearam os e-mails até a Holanda. Bem, um deles veio de lá, o outro veio do Japão.

— Então não sabemos nada.

— Nada. Nenhuma pista nova. — Ele esfregou a ponte do nariz, na esperança de aliviar a tensão.

— Bem, não era isso que eu queria ouvir.

— Eu entendo, *cara*. Nesse silêncio, como vamos saber que o nosso fotógrafo não vai agir? Que informação ele tem? Como e quando vai usar?

— Chantagem.

Exatamente o que ele pensou.

— Espero que a gente esteja errado.

— Eu conheço o Rick e os parceiros dele. Mesmo que as pistas tenham esfriado, ainda há pistas. Pode levar um tempo, mas ele vai encontrar a pessoa que está por trás disso.

Depois de dois dias com Rick Evans, Val sabia que o homem era um cão de caça. Rick não tinha nada a ganhar salvando a pele de Val, mas se dedicava profundamente à família da esposa.

— Sim, uma hora alguma coisa vai aparecer.

— Odeio que a pessoa que tirou as fotos tenha o controle.

Exatamente.

— Se a pessoa estivesse interessada em dinheiro, já teríamos ouvido alguma coisa. Se o fotógrafo realmente tiver algo — disse Meg.

— O que mais um chantagista pode querer além de dinheiro? Nenhum de nós tem antecedentes criminais para manter em segredo para alguém nos extorquir.

— Mesmo que um de nós tivesse, o resultado seria o mesmo.

— Chantagem.

— Sim.

— O que nos coloca de volta ao ponto de partida, com um fotógrafo que tem o controle da situação. — A conversa era frustrante, mesmo para seus ouvidos. — O que você está vestindo? — A arte da distração funcionava muito bem com Margaret. E ele não queria mais discutir o que nenhum deles podia controlar.

— O-o quê? Vestindo?

— Sim, *bella*, que roupa você está usando. — Ele não podia imaginá-la comprando vestidos de noiva com suas roupas de pinup e seu batom vermelho. Ele sabia muito bem que aquilo era só para aparecer.

— Jeans e camiseta — ela respondeu com uma risada. — E você?

Ele abriu a boca, mas ela o cortou.

— Espera, deixe eu adivinhar. Terno... Talvez esteja sem o paletó, dependendo de onde você está na ilha.

— Você já me conhece bem.

— Você tem algum jeans?

Ele hesitou.

— Sério, Masini? Nenhuma calça jeans? Todo mundo tem pelo menos uma.

Margaret debochou dele sobre as escolhas de seu guarda-roupa, fez um gracejo ou dois a respeito de suas gravatas e simplesmente afastou os problemas da cabeça por uns quinze minutos.

— Como é que eu já sinto saudades de você? — ele perguntou quando a conversa começou a chegar ao fim.

— Sou meio que inesquecível.

— E humilde também.

— Morda a língua, Masini. De todas as pessoas, você sabe que não vale a pena se esconder ou fingir ser algo que não é.

Ele revirou os olhos para a sala vazia.

— Tipo a namorada de um astro do cinema?

— Ai, essa doeu. Ponto para você. Para ser sincera, isso realmente não valeu a pena. Não nesse caso.

— Verdade. Mas, se não fosse por isso, talvez eu nunca tivesse te conhecido.

Ela suspirou ao telefone.

— Vindo de qualquer outra pessoa, isso soaria como uma frase pronta.

Ele afrouxou a gravata.

— Mas vindo de mim?

— Você é muito controlado para mentir.

— E você chamaria a minha atenção se eu fizesse isso.

— Você sabe que sim.

Ele gostava de suas provocações fáceis e sem fingimento.

— Te ligo amanhã — ele disse. — Mais cedo, se for preciso.

— Bom plano.

— Boa noite, *cara*. — Ele não queria desligar e se sentiu como um adolescente apaixonado.

— Boa noite, Val.

Ele afastou o telefone da orelha.

— Val?

Ele correu para aproximá-lo de volta.

— Sim?

— Também estou com saudades. — Em seguida, ela desligou.

Ele não conseguiu parar de sorrir.

༺❀༻

— Já se passaram três dias... Quanto tempo leva para encontrar um vestido?

— Alonzo — Gabi disse, com um suspiro.

— Estou com saudade.

— Às vezes ficamos semanas sem nos ver. — Ela se aconchegou na cama do quarto de hóspedes, com o celular no ouvido.

— Nós brigamos. Eu odeio quando brigamos.

Como ela precisava ouvir essas palavras.

— Passamos muito tempo longe um do outro.

— Concordo. Preciso mudar isso.

Algumas dúvidas provocadas pela briga se dissiparam na cabeça dela.

— Sei que não é desculpa, mas aconteceram alguns problemas com o novo vinhedo e eu acabei descontando em você. Quero que tudo esteja perfeito para nós dois.

— Não estou procurando perfeição, Alonzo.

— Eu disse ao seu irmão que te levaria para viajar quando você voltasse — ele falou, mudando de assunto.

Ela mordeu o lábio inferior e sorriu.

— Aonde você vai me levar?

— Segredo. Mas eu posso te contar uma coisa. Vamos ser só nós dois.

Ela fechou os olhos e tentou imaginar apenas os dois. Parecia que eles nunca haviam estado juntos sem outras pessoas em volta. Eles passavam alguns momentos íntimos longe da ilha ou da turbulenta vida de Alonzo, mas eram raros.

— Eu adoraria.

— Então venha para casa, para eu poder te levar comigo.

— Alonzo... — Dividida entre as novas amigas e sua vida futura, ela olhou para a aliança na mão direita e se lembrou de sua promessa ao noivo. — Vou reservar um voo. Você me encontra em Key West?

— Sim — ele suspirou. — Me avise quando e eu estarei lá.

Mais confiante a cada minuto, ela se aconchegou na cama.

— Me conte sobre o seu dia.

— Tenho organizado a nossa viagem. Quero ter certeza de que nada vai nos atrapalhar.

— Você está me provocando. Vamos no iate?

— Por um tempo.

— E depois?

A voz de Alonzo se afastou do tom suave que ele estava usando.

— Vai deixar de ser surpresa se eu te contar agora, não é?

O coração dela acelerou.

— Acho que sim.

— Amanhã, Gabi. Te vejo amanhã. — Seu tom voltara a ser delicado. Delicado com um traço de açúcar. — Quero provar a sua boca de manhã.

~~~

Michael dirigiu pela costa, a Ferrari aderindo às curvas como se as possuísse. Depois de Santa Barbara, ele seguiu para leste, encontrou a 101 e continuou para o norte. Os vinhedos pontilhavam a paisagem dos vales de Napa e Sonoma, as folhas verdes e as uvas grandes, quase maduras, para a colheita perfeita. Ele amava o campo, o zumbido dos insetos, a forma preguiçosa como o sol repousava sobre a terra. O forte contraste com a vida diária não passou despercebido.

As paredes da mansão em Beverly Hills se fechavam ao redor dele desde que retornara da ilha. Ele havia conseguido conversar duas vezes com Ryder. Duas doces e tensas conversas.

Estava preocupado. Todos estavam. Rick ainda não havia encontrado nada e nenhuma foto nova aparecera.

Como um viciado em crack procurando a próxima pedra, Michael não conseguia dormir nem parar quieto. Dirigir pela costa parecia certo. Pelo menos ele estava fazendo alguma coisa.

Podia não ser a coisa certa a fazer, mas já era algo.

Ele dirigiu pela entrada ornamentada de carvalhos que se abria para a propriedade dos Windon. Natalie e Chuck Windon eram algumas das melhores pessoas que Michael conhecia no ramo de vinhos, sem falar que a qualidade de seus produtos superava a da maioria de outros vinhos que ele consumia. Em vez de manobrar no estacionamento para as inúmeras excursões de degustação, Michael seguiu para a área privativa dos proprietários.

Pegou a sacola de papel marrom do banco do passageiro e subiu os degraus. Natalie saiu do interior da casa, saudando-o com seu sorriso.

— Michael. Nós marcamos alguma coisa?

Ele deixou a sacola no degrau e a beijou no rosto.

— Não. Foi uma decisão de última hora. Espero que não tenha problema.

Natalie tinha um metro e sessenta de altura, e o fato de ser uma cozinheira de mão-cheia era nítido pela forma ligeiramente roliça. Ela abriu a porta da casa e lhe deu boas-vindas.

— Você é sempre bem-vindo.

Ele entrou no hall com ar-condicionado e a seguiu até os fundos da casa.

— O Chuck está na plantação com o administrador. Deve chegar em breve.

A cozinha dos Windon fora construída para alguém que gostava de cozinhar. Natalie era chef de cozinha antes de conhecer o marido. Juntos, decidiram comprar a vinícola havia quase vinte anos. Agora, com os filhos crescidos, um seguindo no negócio de vinhos com o pai e o outro na universidade na costa Leste, a casa estava quieta.

— Você chegou a tempo de almoçar. — Natalie foi até o fogão, mexeu uma panela enorme e mergulhou uma colher lá dentro para Michael provar. Um creme com uma pitada de especiarias, linguiças e batatas.

— Humm, muito bom. O que é isso?

— Caldo verde, uma sopa de linguiça portuguesa. Uma delícia, não é?

— Perfeita.

Michael puxou uma cadeira do balcão da cozinha e se acomodou como se estivesse em casa.

— Posso ajudar com alguma coisa?

Natalie olhou por cima do ombro e revirou os olhos.

— Vinho ou chá?

— Chá.

Ela se moveu pela cozinha, pegando tigelas, pão e manteiga fresca.

— Como está indo a colheita?

— Tivemos um período de seca, então não vai ser lá essas coisas.

— Mas vocês estão bem?

— Vamos ficar, Michael.

Ele tomou o chá gelado enquanto conversavam sobre clima, uvas e vinho.

Quando Chuck entrou, ele e Michael trocaram um aperto de mãos e tapinhas nas costas. Eles se sentaram à mesa e durante o almoço conversaram sobre a faculdade dos garotos e os futuros filmes de Mike.

Natalie os deixou na varanda de trás, que dava vista para uma fila de videiras, e Chuck esticou as pernas sobre uma cadeira estofada.

— Não acho que você veio até aqui só para almoçar e nos fazer uma visita.

— O almoço estava divino — Michael disse.

— Não posso discordar.

Michael pegou a sacola que estava a seu lado e entregou uma garrafa de vinho a Chuck.

— O que é isso? — O amigo se inclinou para a frente e olhou a garrafa.

— Já ouviu falar dessa marca?

Chuck virou a garrafa para ler o rótulo de trás.

— Não. Por quê?

Michael tomou a liberdade de pegar duas taças e um abridor. Se havia um parceiro no que dizia respeito a vinhos, era Chuck. O homem era um mestre no assunto. Com facilidade praticada, Chuck pegou a amostra oferecida, girou, cheirou, levou à boca e finalmente bebeu. Um sorriso satisfeito deslizou sobre seu rosto. Ele pegou a garrafa de novo e o sorriso se desfez, tornando-se um olhar intrigado.

— Você me ensinou a classificar os vinhos por região. De onde é este? — Michael perguntou.

— Da Úmbria. Sem dúvida. — Chuck voltou a virar a garrafa. — Mas eu estive por toda essa região e não conheço esse nome. A vinícola foi adquirida recentemente?

Michael se inclinou contra a bancada e serviu mais uma taça do vinho de Alonzo.

— Não sei ao certo a idade do vinhedo, mas o dono de lá me disse que é da Campânia.

— Não, não... A menos que as uvas tenham sido cultivadas na Úmbria e processadas na Campânia.

Michael abriu uma segunda garrafa e manteve o rótulo escondido dentro de um saco de papel comum. Serviu uma dose em outra taça e a entregou a Chuck.

Girar, cheirar, sorver, cuspir.

— É idêntico.

Michael acenou com a cabeça enquanto tirava a segunda garrafa do saco e mostrava a Chuck.

— Como pode? — o homem perguntou.

— Dois vinhos podem ter o mesmo sabor.

— Quando são da mesma região, talvez. Mas e esse cheiro de carvalho? — Chuck enfiou o nariz no fundo da taça e fechou os olhos. — Úmbria. Aposto a minha reputação nisso.

Era bom ter suas dúvidas justificadas. Agora a questão era por quê. Por que Alonzo Picano afirmara que o vinhedo onde suas uvas eram cultivadas ficava na Campânia? E como seus vinhos tinham um sabor idêntico ao de uma vinícola muito maior e mais famosa?

19

VAL ACOMPANHOU RICK DE VOLTA à Califórnia. A sra. Masini decidira fazer uma longa viagem para visitar a irmã em Nova York enquanto o clima ainda estava quente. A ilha estava funcionando normalmente, sem que novas fotos aparecessem. A segurança havia sido redobrada e tudo estava dolorosamente silencioso.

Val não disse a Margaret que estava indo com Rick. Se precisasse de uma desculpa, usaria o desejo de acompanhar a irmã de volta a Keys.

Judy pegou os dois no aeroporto e cutucou o marido.

— Você não me falou que ele vinha junto.

— Você não perguntou. — Rick beijou a esposa e sussurrou algo em seu ouvido. O olhar dela recaiu sobre Val e não se afastou.

— Então você voou até aqui para ver a Meg? — ela perguntou enquanto eles atravessavam a multidão em busca das bagagens.

— Eu quis fazer uma surpresa.

Judy começou a rir. Rick estreitou os olhos.

— O que é tão engraçado?

Eles se aproximaram da esteira rolante.

— Bem — Judy olhou para o relógio. — Você está uma hora atrasado.

— Uma hora atrasado para quê?

— A Meg e o Mike pegaram um voo há uma hora.

Val parou de procurar a mala e olhou para ela.

— Para onde eles foram?

— Para a Itália.

Rick balançou a cabeça.

— Itália? Por quê?

— O Mike disse que tinha uma pista que queria seguir. Os dois começaram a conversar, e no minuto seguinte a Meg já estava me pedindo para regar as plantas dela... de novo.

Ah, droga.

— A Gabi foi com eles?

— A Gabi saiu cedo hoje. Disse que estava voltando para casa e que depois ia encontrar o noivo. Ela não te contou?

Val pegou o celular do bolso e desativou o modo avião exigido em voos comerciais. Como as coisas mudaram tanto em seis horas? Como esperado, havia uma mensagem de Meg.

> Vou fazer uma viagem rápida ao exterior. Ligo quando aterrissarmos, se não for muito tarde.

E um recado da irmã na caixa postal: "Não se preocupe. Vou encontrar o Alonzo em Key West para um fim de semana romântico. Te amo".

Val viu quando sua mala passou na esteira rolante.

— Para que lugar da Itália?

— O voo ia aterrissar em Roma. Não tenho certeza de onde eles vão ficar. Pode ser que a Sam saiba.

Val verificou sua pasta, certificando-se de que o passaporte estava ali dentro. Eles deixaram o terminal de desembarque do Aeroporto de Los Angeles e ele virou em direção ao saguão de embarque e emissão de bilhetes.

— O que você está fazendo? — Rick perguntou.

— Vou pegar um voo para Roma. — Val balançou o celular. — Me ligue quando descobrir onde a Margaret vai ficar.

— Mas você acabou de sair de um avião — Judy argumentou.

— Se o Michael e a Margaret vão seguir uma pista na Itália, ajudaria se um deles falasse italiano.

— Ele tem razão — Rick respondeu.

— Alguma ideia do tipo de pista que eles têm? — Val perguntou.

Judy deu de ombros.

— Algo sobre o sabor dos vinhos do Alonzo ser igual ao de outra vinícola. É tudo o que eu ouvi.

— O vinho dele?

O que você descobriu, Margaret?
Val seguiu para a escada rolante.
— Me ligue — ele disse, apontando para Rick.
— Espero que você saiba o que está fazendo — o marido de Judy falou.
— Estou indo atrás de uma garota na Itália.
Rick jogou a cabeça para trás e gargalhou.
— A Meg vai adorar isso.
Val se aproximou de alguns turistas empolgados, localizou a companhia aérea internacional que costumava usar e entrou na fila. Algo lhe disse que a noite ia ser longa.

~ ∞ ~

O relógio biológico de Meg dizia que eram quatro da manhã. Os de Roma marcavam uma da tarde.
Ela e Michael conseguiram uma suíte de dois quartos com uma sala grande no meio e vista para as luzes de Roma. Concordaram em tirar uma soneca, comer algo, traçar um plano e sair logo pela manhã.
Estavam se esforçando para permanecer acordados às nove da noite e superar o jet lag o mais rápido possível.
Meg jogou a bolsa na mesa de centro quando entraram novamente na suíte.
— Estou morto — Michael disse.
— Se você me acordar antes das nove, não me responsabilizo pelas minhas ações — Meg o alertou.
Doze horas de sono pareciam o paraíso. Michael assentiu rapidamente e se dirigiu para o quarto dele.
Meg foi tateando até o banheiro. Lavou o rosto e escovou os dentes antes de seguir para a cama. Enquanto desabotoava a blusa, um grunhido, ou talvez fosse um resmungo, soou do outro lado do cômodo.
O quarto estava iluminado pelas luzes da cidade que entravam pela janela. O contorno de alguém deitado na cama a forçou a abrir os olhos.
Ela acendeu a luminária mais próxima e sentiu o batimento cardíaco acelerar.
— Val — sussurrou.
O que é isso? Ela lhe enviara uma mensagem quando chegara a Roma e, como não teve notícias, pensou que ele já estava na cama. Na Flórida.

175

Sim, ele estava na cama... mas não na Flórida.

Deitado sobre os lençóis, ele ainda usava a camisa do terno, sem a gravata. A calça escondia as longas pernas. A barba por fazer se destacava no queixo, e a boca estava aberta enquanto a respiração lhe dizia que ele estava profundamente adormecido. Igualmente doce e sexy, ela contemplou sua presença.

Por que ele estava lá, e na cama dela?

Com um sorriso bobo nos lábios, ela apagou a luz, tirou a camisola da mala que ainda não havia desfeito e voltou em silêncio para o banheiro para se trocar.

Em seguida empurrou as cobertas e se deitou debaixo delas.

— Val? — ela sussurrou seu nome novamente para acordá-lo, para que ele soubesse que ela estava lá. — Val?

Ele murmurou algo em italiano.

— Val? — Sua voz soou mais alta dessa vez, e ela pousou a mão no ombro dele.

— *Cara?* — Ele se virou em direção a ela.

— O que você está fazendo aqui, Masini?

Ele não abriu os olhos. Verdade seja dita, ela não tinha certeza se ele estava ciente do que estava falando.

— Aeroporto... Itália... Os quartos estavam lotados. Muito cansado.

Ela entendeu a última parte. A exaustão ameaçava sua sanidade. Ela se aproximou o suficiente para alcançar a camisa dele e começou a desabotoá-la.

— Tire isso, Val. Você não vai dormir bem de roupa.

Suas mãos seguiram as dela, embora seus olhos estivessem fechados. Meio morta, ela admirou a vista quando ele se sentava e tirava a camisa.

Ele começou a se deitar, mas ela o manteve sentado mais um pouco.

— A calça. Um cinto na cama pode ser excitante em algum outro momento, mas não hoje.

Um sorriso malicioso atravessou os lábios de Val e ele abriu um olho. Suas próximas palavras foram novamente em italiano.

Ele usava uma boxer — foi o último pensamento dela antes de ele deslizar para debaixo das cobertas ao lado dela.

Ela já estava se deitando quando ele a puxou para seus braços, beijando-lhe o topo da cabeça.

— Durma, *bella*. Obrigado por não me colocar para fora.

176

— Estou cansada demais para colocar qualquer coisa para fora.

Ele a puxou para perto e ela inspirou seu cheiro. Talvez de manhã ela pudesse lhe dizer que não fazia festa do pijama com homens.

Gabi acordou com o oceano ao seu redor.

Ela adormecera nos braços de Alonzo depois de um jantar romântico no convés, preparado pelo chef.

Ela adorava estar no mar. Aquela vasta imensidão a fazia se sentir segura, enquanto as ondas suaves a deixavam com uma sensação de serenidade, impossível de experimentar em terra firme.

Alonzo a encontrara no aeroporto de Key West e a levara para o iate. Quando ela perguntou para onde estavam indo, ele não disse — simplesmente lhe entregou uma taça de champanhe, dizendo que não se preocupasse. Entre o sol, o espumante e a refeição maravilhosa, ela quase adormeceu sob as estrelas. Eles estavam cansados quando foram para a cama, mas Alonzo tinha feito amor com ela com os olhos pregados de sono. O ato quase tinha acabado antes de começar, mas Gabi estava cansada demais para se importar.

Ela acordou grogue e encontrou uma garrafa de água e dois comprimidos ao lado da cama. "Para sua dor de cabeça", estava escrito em um bilhete ao lado da garrafa.

Como Alonzo sabia que ela acordaria com a cabeça explodindo? Será que era o espumante? Ou talvez o mar provocasse isso.

Ela pegou os comprimidos e se afastou da cama vazia. Olhou para estibordo e para a lateral do iate. Podia afirmar que estavam em alto-mar.

O chuveiro a bordo era tão luxuoso quanto um iate poderia oferecer. A água aliviou a dor de cabeça, mas não a acordou completamente. Quando ela saiu do banheiro, alguém estivera na suíte, e um vestido branco de verão estava sobre a cama com outro bilhete: "Para a minha noiva".

Com um sorriso, Gabi deslizou o vestido de linho sobre a cabeça e virou para o espelho de corpo inteiro. Ele servia perfeitamente e caía até os dedos dos pés. Mesmo no calor do mar do Caribe, o tecido era fresco em contato com a pele.

Ela prendeu os cabelos em um coque no alto da cabeça e tentou afastar o sono quando saiu do quarto em busca do noivo.

— Srta. Masini — o garçom a cumprimentou, puxando uma cadeira na mesa de jantar. — O sr. Picano pediu que a senhorita comesse antes do grande dia. Em breve ele estará aqui.

— Café. Eu adoraria um café.

— Sim, senhorita.

O jovem correu e voltou com café, uma tigela de frutas frescas e uma variedade de muffins. Ela estava no meio da xícara de café e mordiscava um muffin quando Alonzo entrou.

— Aqui está você — ele disse, beijando-lhe o topo da cabeça enquanto se sentava ao lado dela. — Dormiu bem?

— Como uma pedra. Embora pedras não durmam, certo?

Alonzo cutucou o nariz dela com os nós dos dedos e acenou para o garçom. Sem que ele precisasse pedir, o rapaz trouxe uma garrafa de champanhe e duas taças.

— É um pouco cedo para isso, não é? — ela questionou.

Em vez de responder, ele piscou e enxotou o homem para que os deixasse a sós.

Ergueu a taça e esperou que ela pegasse a dela.

— A nós — ele disse.

Como ela poderia dizer "não" ao sorriso que se espalhava no rosto de Alonzo?

— A nós. — A bebida doce e gelada fez cócegas em seu nariz e deslizou pela garganta.

Antes que ela tivesse tempo de colocar a taça na mesa, Alonzo já estava completando-a.

— Vai me contar para onde estamos indo? — ela perguntou pela décima vez desde que ele a pegara no aeroporto.

Ele a puxou para perto.

— Que tal uma lua de mel?

A pergunta soava estranha em seus lábios.

— E onde vai ser?

Ele tomou sua bebida e a incentivou a se juntar a ele.

— Em algum lugar longe de todo mundo. Um lugar onde vamos poder fazer amor durante horas e sair só para comer... ou pedir que alguém nos leve a comida.

Isso não tinha nada a ver com ele. O homem não parava quieto por tempo suficiente para realizar as fantasias preguiçosas que estava descrevendo.

— E o que vamos fazer no dia seguinte?

Ele riu e beijou seu rosto.

— Você me conhece tão bem. — Então se recostou na cadeira e tocou a cabeça na dela. — Tenho estado muito ocupado. Preciso de você para me fazer voltar à realidade.

Apreciando a sensação de estar envolvida em seus braços, Gabi se acomodou ao lado do noivo e tomou um gole de champanhe. Pensar que ela era a pessoa de que ele precisava para se sentir completo despertava um calor em seu peito. Ninguém precisava realmente dela. Sua mãe precisava de Val, especialmente após a morte do pai, mas Gabi sempre se sentira mais um fardo que um trunfo.

— É bom sentir que eu sou importante para alguém — ela confessou.

Ele acariciou seu pescoço.

— Eu preciso de você, Gabriella. Mais do que você imagina.

Seus lábios procuraram os dela para um beijo breve. Quando ele se afastou, ergueu a taça.

— A precisarmos um do outro.

Ela bebeu mais champanhe e se sentiu alterada. O calor atingiu suas faces quando ela colocou a taça sobre a mesa.

— Case comigo — Alonzo disse a seu lado.

Ela riu.

— Eu já disse sim. — E acenou com a mão direita no ar.

Alonzo colocou a taça ao lado da dela e se ajoelhou no chão, envolvendo suas mãos nas dele quando a olhou.

— Case comigo agora. Hoje.

Ela piscou, afastando o entorpecimento do cérebro.

— Hoje?

— Sim. Hoje. Eu não quero esperar. Quero que você receba o meu sobrenome hoje.

— Mas a cerimônia...

— Podemos fazer tudo de novo depois: vestido, flores, família. Vamos fazer isso agora, só nós dois. Ninguém precisa saber. Pense — ele falou com um sorriso bobo no rosto — na aventura que vamos ter para contar aos nossos filhos... Que num dia de verão nós fugimos para nos casar em alto-mar, só eu e você e o oceano à nossa frente.

Você está falando sério?

A expressão no rosto dele demonstrava que sim.

Ela considerou a possibilidade, mas sentiu algo dentro de si hesitar.

— Pense no alívio que vai ser casar nessa tranquilidade, sem nenhum estresse. — Ele beijou a ponta de seus dedos. — Por favor.

Ela queria aceitar, estava prestes a pronunciar as palavras, quando sentiu a cabeça pesar.

— Como vai ser possível? Não tem nenhum padre por aqui.

— Meu capitão tem autoridade, querida. No convés, agora mesmo. Prometo minha vida a você.

— Ah, Alonzo.

Ele se inclinou e a beijou com intensidade. Vários segundos se passaram antes de ele se afastar o suficiente para sussurrar:

— Eu te amo, Gabriella. Me faça o homem mais feliz do mundo e aceite o meu sobrenome.

Ela podia fazer isso? E por que eles deveriam esperar? Eles poderiam fazer tudo de novo em alguns meses...

Ela sentiu o balanço do barco, ou talvez fosse ela. O turbilhão de Alonzo a empurrava para um vórtice que ela sentia que não podia evitar. Com o coração atordoado e a cabeça zonza, assentiu.

— Sim? — ele perguntou.

— Sim.

Depois de outro beijo, ele lhe devolveu a taça e ficou de pé.

— Vou avisar o capitão e arranjar tudo.

As mãos de Gabi tremiam quando ela inclinou a taça até os lábios. Olhou para baixo e viu o copo quase vazio. Olhou para a garrafa e percebeu que também estava quase vazia.

Ela realmente havia concordado em casar ali, escondidos?

Então sorriu, apesar do aperto no estômago. Tomar uma decisão por conta própria, sem a orientação da família, parecia certo. Além disso, adiar a cerimônia em alguns meses não significava nada.

Não realmente.

EM ALGUM MOMENTO, MEG PERCEBEU que estava em uma cama de hotel, mas a cama estava se mexendo. E, desde que se formara na faculdade, camas de hotel que giravam já não faziam parte de sua rotina. Felizmente.

Ainda assim, a cabeça dela se movia para cima e para baixo, em um movimento constante.

Roma. Isso mesmo, estou na Itália.

Seus olhos se abriram. *Val.*

Com certeza não era um sonho. Sua cabeça estava apoiada no peito de Val, e, daquele ângulo, o peito dele era algo muito bom de ver. Ondulado, firme, com uma pequena faixa de pelos. Sua tez italiana, associada à vida em uma ilha tropical, lhe conferia um tom dourado que muitos se esforçavam para ter, mas poucos conseguiam.

Fazendo o melhor para ficar quieta e não acordá-lo, ela parou um momento para analisar onde seus membros estavam. Ela havia se deitado sobre o lado esquerdo do corpo, com o braço esquerdo entre os dois. O braço direito estava descaradamente apoiado no peito dele, a perna direita entrelaçada à dele. Mesmo durante o sono, Val estava agarrado a ela. A mão direita descansava no quadril de Meg, completamente exposto a seu toque. Pelo visto sua camisola minúscula havia subido no meio da noite. A outra mão dele segurava o braço dela, pousado em seu peito.

Eu não durmo com homem nenhum.

No entanto, ela estava presa a ele como lábios sugando uma fatia de limão depois de um shot de tequila, e ele estava aproveitando.

Dormir junto significava compromisso. E não havia nada que indicasse que Val estivesse comprometido com ela. Eles nem sequer tinham ido para a cama... Bem, tinham sim, mas para dormir, não para... Ela fechou os olhos e se aconchegou um pouco mais. *Como ele pode estar tão cheiroso depois de viajar o dia inteiro e dormir a noite toda?*

Meg aproveitou a sensação que o cheiro dele lhe causava antes de se forçar a abrir os olhos de uma vez. Tentou puxar a mão direita, mas os dedos dele a envolveram novamente e a trouxeram para perto.

— Não vá — ele murmurou.

— Você está acordado?

— Desde que você abriu os olhos.

Ela levantou o queixo e o encontrou olhando para ela. Meu Deus, devia existir uma lei que proibisse um homem de ser tão sexy logo de manhã.

Ela sorriu, sem se preocupar com a própria aparência.

— O que você está fazendo na minha cama, Masini?

Ele se virou o suficiente para sua perna deslizar entre as dela.

— Dormindo de conchinha com uma linda mulher.

— Espertinho você, hein? Como conseguiu entrar aqui ontem à noite?

— Conhecer o idioma tem suas vantagens, *cara*. A Itália, Roma em especial, é uma cidade de amor e romance. Algumas palavras abrem portas.

— E molhar a mão das pessoas?

Ele levantou as sobrancelhas.

— Isso também ajuda.

— Então você subornou alguém para chegar até a minha cama. Estou impressionada.

Ele soltou a mão dela e acariciou seu rosto.

Ela estendeu os dedos e apreciou a sensação de seu peito firme. O polegar tocou a ponta de um músculo particularmente dominante.

Val se aproximou, gemendo baixinho com o toque. Suspirou, os olhos escuros encarando os dela.

— E agora, o que é preciso para chegar dentro de você?

A imagem dos dois se agarrando surgiu na cabeça dela tão de repente que ela estremeceu.

Meg afundou os dedos em sua carne.

— É fácil.

O sorriso no rosto dele era impagável.

— Ah, é?

A ponta do polegar dela acariciou o mamilo dele, e a respiração de Val se acelerou.

— Você só precisa pedir.

Ele umedeceu os lábios com um sorriso no rosto. Tentou parar de sorrir, tentou ficar sério.

— *Cara...* — Ele passou a mão na lateral do rosto dela e tocou seu pescoço suavemente. — *Bella*, me deixe te amar. — O sotaque engrossou enquanto o tom de sua voz diminuía com o pedido.

Alguém já tinha feito amor com ela com palavras?

Somente Val.

Ela respondeu colando os lábios aos dele. Quando o gosto de hortelã salpicou sua língua, ela se afastou.

— Isso é jogo sujo. Enxaguante bucal?

Ele a puxou de volta e a beijou, afastando qualquer pensamento sobre hálito matinal. Ela suspirou e o deixou liderar. Val a manteve refém com a língua, demorando-se a explorar sua boca. Quando se cansou de seus lábios, ou talvez simplesmente precisasse respirar, ele a afastou e começou uma dança lenta no pescoço, a mão livre brincando com a perna e o quadril, acordando cada nervo com seu toque.

Talvez ela devesse repensar as festas do pijama.

— Acordar com você tem suas vantagens — ela disse enquanto ele abaixava sua camisola e mordiscava a parte de cima dos seios. Seus mamilos se eriçaram e se ofereceram a ele.

Val envolveu um seio com a mão e roçou o mamilo.

— Assim como ir para a cama comigo. — Ele a mordiscou através do tecido. — Tomar banho comigo.

Como ele podia excitá-la tanto, mesmo vestida? Tudo nela formigou, e ela empurrou os quadris na direção dele, buscando mais contato. O joelho dele ofereceu um pouco de alívio para a espiral de necessidade que queimava em seu ventre.

— Banheira de hidromassagem — ela disse. — Eu gosto de banheiras de hidromassagem.

Uma risada baixa escapou dos lábios dele enquanto ele se afastava para tirar a camisola que ela vestia.

— *Sei bellissima* — ele disse antes de mergulhar para prová-la com vontade.

A barba por fazer aumentou o tormento que a língua dele provocava em seus seios. Meg sentiu a pulsação aumentar e a respiração se tornar mais pesada. Até aquele momento, o aperto em seu peito ainda não havia surgido, mesmo que ela estivesse inteiramente enroscada nele, como um brinquedo de criança pronto para saltar.

A ereção de Val pressionou sua barriga, provocando uma onda de tesão no meio de suas coxas. Meg arrastou as unhas pelas costas dele e encontrou o elástico da cueca enquanto apertava as pernas.

Val murmurou algo em italiano antes de erguer os lábios novamente. Seu beijo foi demorado, e ele não teve pressa. No passado, Meg aceleraria, tentaria empurrar seu amante para a linha de chegada. Mas com Val era diferente. Os dois ali, se agarrando como dois adolescentes dentro do carro, lhe provocava um tipo de desejo que ela havia esquecido que existia.

Eles se beijaram, se provaram, se tocaram, descobrindo os pontos que provocavam mais resposta no outro. Ele encontrou as dobras suaves do sexo dela e sussurrou palavras quentes em italiano.

— Você está me matando — ela disse quando ele não apressou o toque.

— Então vamos morrer juntos, *cara*.

Com o pé, ela ajudou a boxer a cair no chão e provocou Val enquanto ele a provocava.

O membro dele estava quente, pronto, e ela o arranhou embaixo, ao redor, mas não o tocou completamente até que Val lhe oferecesse algum alívio. O primeiro toque dos dedos dele em suas partes mais sensíveis a fez arquear o corpo na cama, o coração trovejando no peito.

— Calma. Devagar, *bella*.

Fazer amor devagar era bom. Seu pulmão falhou, e ela forçou uma respiração profunda. Ele girou o dedo, acariciou, a levou quase até o auge e recuou. Em vez de bater no peito dele em sinal de frustração, ela devolveu a provocação, segurando e acariciando seu pau.

Ele se empurrou contra a mão dela, perdendo o controle quando ela o ouviu respirar fundo.

Em um minuto ela estava ao lado dele, no outro, embaixo. Ela ouviu o barulho de um invólucro se abrir, sentiu que ele se afastava para colocar o preservativo e soube que estava segura. Val segurou as mãos dela e as levantou sobre a cabeça.

Completamente nua e à sua mercê, ele a penetrou.

— *Sei un dono* — ele sussurrou enquanto se movia para dentro dela.

Meg se esticou, gemendo e tomando seu membro.

— Ah, Val... — Ela fechou os olhos com o prazer.

— Perfeita. Você é perfeita.

Então ele começou a se mover. Assim como no beijo, criou ondas lentas de prazer, até a sensibilidade dar lugar a uma necessidade gananciosa. Ela agarrou seus quadris, envolveu as pernas ao redor de sua cintura e encontrou um lugar de prazer dentro do próprio corpo que nem sabia que possuía.

Ela sentiu quando Val perdeu o controle que mantinha tão firme quando a penetrou com estocadas rápidas, exigindo que seu corpo respondesse.

E ela respondeu.

Sua respiração acelerou e a cabeça ficou tonta quando ela chegou ao orgasmo. Val continuou se movendo em um ritmo rápido até que ambos estivessem ofegantes e exaustos.

Com Val meio fora do ar em cima dela, Meg esticou a mão para a mesa de cabeceira e procurou seu inalador.

Ele levantou a cabeça, a preocupação no olhar.

— Estou bem — ela insistiu. — Só um pouquinho cansada.

A pressão do corpo dele desapareceu instantaneamente, e ela sentiu falta. Mas achou mais fácil respirar sem seu peso.

O remédio abriu seus pulmões.

— Sinto muito.

O coitado pensou que a havia matado. Ela colocou o inalador sobre a mesinha e o puxou de volta para si.

— Eu, não.

— Mas seus pulmões...

— Estão bem. — Ela suspirou.

Ele deitou de costas e a puxou sobre si quando o sol começou a subir sobre Roma.

Margaret estava cantando no chuveiro.

Claro que ela canta durante o banho. Ele esperava algo diferente?

Val passou um pente no cabelo depois de vestir calça e camisa esporte. Ele se perguntou se o hotel tinha uma loja que vendesse jeans.

Então sorriu para o espelho e balançou a cabeça.

— Vou ter tempo para isso depois — disse a si mesmo antes de deixar o quarto de Margaret.

Com seu canto — bem, um murmúrio, na verdade — e a água que caía do chuveiro, ele entrou na sala comum da suíte e encontrou o olhar ligeiramente surpreso de Michael, que já desfrutava de uma xícara de café, além de frutas, queijos e biscoitos.

— Por que não estou surpreso de te ver sair do quarto da Meg? — Michael acenou com a mão para a cadeira ao lado dele, levantando o bule de café.

Ele assentiu e Michael lhe serviu uma xícara.

— Eu fui para Los Angeles e me disseram que vocês estavam a caminho daqui. Eu estava cinco horas atrás de vocês.

Michael empurrou o café diante de Val, quando este se sentou.

— Isso vai te acordar — ele disse, depois do primeiro gole. — Café europeu... Não tem nada melhor.

O segundo gole agradou mais ao paladar de Val.

— Tem sim, café colombiano.

Michael inclinou a cabeça.

— Verdade. Mas quem passa muito tempo por lá?

— Tem razão.

Eles conversaram sobre café, viagens e tomaram um rápido desjejum.

— Então, por que estamos em Roma? — Val finalmente perguntou.

Michael levantou a mão no ar, apontou dois dedos na direção de Val e abriu a boca para falar.

— Não sei se você vai querer ouvir isso.

Val sentiu o sorriso deixar o rosto.

— Por que eu não ia querer ouvir?

Ele ouviu a voz de Margaret às suas costas:

— Porque estamos seguindo uma pista que leva ao seu futuro cunhado.

Val não tinha certeza do que era pior: o fato de Michael e Margaret estarem na Itália para investigar Alonzo, ou o fato de que ele não sentiu os pelos da nuca se arrepiarem.

— Por quê?

Margaret e Michael trocaram olhares.

— Por causa do vinho — Michael falou. — Tem alguma coisa no vinho dele que não está certa.

Margaret ficou apreensiva com a reação de Val, se ele a estivesse lendo direito. A mulher com quem ele acabara de fazer amor estava nervosa.

Ele acenou para ela e deu um tapinha na perna com um sorriso.

Ela foi até ele e sentou em seu colo. Sua pele estava macia, e o cabelo cheirava a rosas. Não havia um pingo de maquiagem no rosto, e ela estava linda. Nervosa, mas linda.

Ela pegou a xícara de café dele e se serviu enquanto Michael falava.

O vinho de Alonzo tinha um sabor familiar, de acordo com Michael. Muito familiar, como se talvez não fosse produzido na região da Itália que Alonzo afirmava que era. Quando Michael contou a Val sobre a longa conversa que tivera com um homem que conhecia mais sobre vinhos do que Val sobre resorts de férias e *mammas* italianas, ele se perguntou por que Michael e Margaret tinham voado até a Itália atrás de uma pista.

— É tudo o que temos — Margaret disse enquanto lhe oferecia um biscoito amanteigado.

— O vinho do Alonzo tem o mesmo sabor de uma marca conhecida, então vocês voaram até aqui para investigar?

Michael e Margaret se entreolharam.

— Eu não gosto dele — ela deixou escapar. — Não acho que ele seja o homem certo para a sua irmã. E acho que ele está escondendo algo.

— Ele está escondendo algo porque você não gosta dele?

Margaret saiu do colo de Val e caminhou até as cortinas que bloqueavam a vista de Roma. Em seguida as abriu e a luz inundou a sala.

— Eu não gosto dele, por isso o investiguei.

Val fez uma pausa.

— Investigou?

Ela estava de costas para ele... vestida com uma calça social e blusa de seda, os pés ainda descalços... sexy.

— Ele gasta muito mais do que ganha.

Val percebeu que estava tamborilando o dedo na mesa. Ele sabia que Alonzo vivia de modo extravagante. Levara em conta o estilo de vida do homem quando aceitou que ele se casasse com a irmã. Gabi merecia um homem que pudesse provê-la.

E ela também merecia privacidade, por isso Val não fez uma verificação de antecedentes muito detalhada de Alonzo. Seu olho começou a se contrair.

— Como você sabe?

— Porque eu investiguei. — Margaret se virou e lançou um olhar tranquilo em direção a Val. — O cara está escondendo algo, Masini... e estamos aqui para descobrir o que é.

Ele segurou a xícara com força antes de colocá-la no lugar.

— Mesmo que ele esteja, o que isso tem a ver com as fotos... com vocês?

Ela deu de ombros.

— Pode não ter nada a ver com a gente. Ou o cara sabe que estamos atrás dele e quer arrumar um jeito de nos manter calados. Por isso as fotos.

— O Alonzo não estava na ilha quando as fotos foram tiradas. — No entanto, conforme as palavras deixavam sua boca, Val lembrou que um dos funcionários dele tinha estado. O futuro cunhado e sua equipe escaparam do rigoroso interrogatório pelo qual todos os empregados e hóspedes de Val tinham passado.

— Se estivermos errados, deixamos a Itália com a barriga cheia e uma garrafa ou duas de vinho. Mas se estivermos certos... — Michael olhou para Margaret.

— Vamos impedir que uma amiga cometa um grande erro.

— Você quer dizer a Gabi. — Val encontrou seu sorriso mais uma vez. O fato de Margaret trabalhar duro para se certificar de que sua irmã não estava se juntando ao homem errado o deixou agradavelmente quente.

— A Gabi é muito ingênua. Ou o Alonzo é incrível na cama, ou ela é...

— Não quero saber sobre a vida sexual da minha irmã — Val interrompeu.

Margaret se aproximou dele, sentou em seu colo e o beijou.

— Vamos checar se a sua irmã não está cometendo o maior erro da vida dela.

Val apertou as mãos ao redor da cintura de Margaret, adorando a sensação e o perfume que exalava dela.

— E se o Alonzo estiver sendo sincero e descobrir que estamos aqui, procurando suas falhas?

— Como eles vão saber? Eles não estão fora, brincando de...

Os dentes dele rangeram.

— De novo a vida amorosa da minha irmã.

Margaret teve piedade.

— Ela não vai saber de nada, a menos que a gente encontre algo. E, mesmo que ela descubra, eu posso ficar com a culpa. Você me seguiu e não teve escolha a não ser me acompanhar. Ou você pode voltar para casa e fingir que não sabe de nada.

— E deixar vocês dois na Itália sem falar o idioma? O que vocês esperam descobrir, se não têm nem como saber se alguém está falando a verdade ou chamando vocês de turistas idiotas?

Michael acenou na direção deles.

— Ele tem razão. Você pode fingir que não sabe italiano e nós podemos bancar os turistas.

— E, quando for o momento, você pode fazer as perguntas certas para os moradores locais. Vale a pena tentar. Na pior das hipóteses...

— Vamos embora com a barriga cheia e algumas garrafas de vinho — Val finalizou.

O CARA ERA SEXY, AUTOCONFIANTE e estava completamente à vontade enquanto negociava com a empresa de aluguel de carros antes de saírem do hotel. Parecia que Michael e Val tinham algo em comum quando se tratava de carros. Claro que isso significava que Meg estava presa no minúsculo banco traseiro de um carro esportivo quando Val acelerou na estrada. Apesar de os sinais de trânsito não serem completamente estranhos, ela levou um ou dois minutos para processá-los. Val, por outro lado, mudou de marcha, virou à esquerda e à direita como se estivesse em casa.

Não demorou muito para a cidade ficar para trás e o campo se abrir num espaço enorme, repleto de vinhedos.

Michael não parou de sorrir desde que saíram do hotel.

— Parece a parte central da Califórnia, só que melhor — Meg falou do banco de trás.

Michael assentiu.

— Excelente produção de uva. Mais de oitenta por cento da produção americana vem da Califórnia. Mas aqui é o berço do vinho... Bem, aqui e na França.

— Mas ninguém gosta dos franceses. — A piada de Val fez todos rirem.

Meg não conhecia nenhum francês e não tinha uma opinião formada quanto a isso.

— É a história, os anos de produção que tornam cada região única. Novos enólogos estudam tudo isso rigorosamente para conhecer as diferenças sutis.

Val gostava de dirigir rápido. Fazia as curvas da estrada em alta velocidade, como se estivesse guiando o cupê esportivo para atender a seus caprichos.

— Você é ator. O que sabe sobre diferenças sutis? — Val questionou.

— Hollywood.

Ele olhou para Michael e voltou os olhos para a estrada.

— Antes de ter idade suficiente para beber, Hollywood já me oferecia tudo. Eu tinha vinte anos quando gravei meu primeiro filme. Quando terminamos a filmagem, havia carreiras de cocaína e shots de tequila no bar.

Meg nunca tinha ouvido essa história. Sabia que sua melhor amiga, Judy, também não. Ela se inclinou para ouvir tudo.

— Cocaína não era uma opção. Nem olhei para as carreiras, mas a tequila... foi outra história.

Meg riu.

— Acabou com você, não é?

Michael balançou a cabeça como se lembrasse da dor.

— Não sei o que as pessoas veem nessa porcaria. Fiquei mal por uma semana. Depois disso, as festas de lançamento continuaram, e eu conheci o vinho, o champanhe, tudo regado a drogas e coisas mais pesadas. Eu queria me sentir adulto, mas não queria ficar mal uma semana inteira depois da festa. E Hollywood podia pagar bons vinhos, então logo descobri do que eu gostava ou não.

Meg sorriu, gostando do fato de Michael compartilhar uma história pessoal com eles.

— E por que você esconde o seu amor pelos vinhos? Sua adega está lotada, mas em público você só bebe cerveja.

— A minha imagem bebe cerveja.

Meg bufou.

— Talvez esteja na hora de mudar a sua imagem. Cerveja é bebida de homens baratos. Vinho e até mesmo tequila são para pessoas com grana.

Michael pareceu considerar a ideia.

— A menos que você goste de cerveja — Val falou.

— Não suporto.

— A vida é muito curta para beber algo que você não gosta.

Meg concordou. Ali estava ela, no país dos vinhos, e não gostava da bebida. Um uísque forte era ótimo, muito obrigada, mas vinho? *Blergh*.

Eles atravessaram os campos até chegar à região da Úmbria e à vinícola que produzia o vinho que Michael insistia que era igual ao de Alonzo. Pela postura deles quando entraram na sala de degustação, não havia dúvidas de que estavam em uma missão.

Felizmente, o rosto de Michael era conhecido em todos os lugares. Os funcionários se apressaram em ajudá-los, pediram autógrafos e lhes ofereceram mais atenção do que para qualquer outra pessoa na sala.

Não demorou muito para os proprietários da vinícola se aproximarem de Michael. Seu charme e carisma naturais abriam portas como Meg jamais vira na vida.

— Meus amigos — Michael abriu a conversa para os dois —, a srta. Rosenthal e o sr. Masini.

Val apertou a mão do proprietário e o cumprimentou em italiano. Ele disfarçara a compreensão do idioma até chegarem à região. Ali, Val tinha liberdade para falar o que precisava a fim de encontrar as respostas que buscavam.

— Então vocês querem saber mais sobre o nosso vinho? — o anfitrião perguntou.

— Receio que o nosso amigo famoso nos tenha em desvantagem. Ele disse que vocês eram os melhores. Estamos aqui para descobrir o porquê.

Luciano, que era chamado de Luc, levou os três até os fundos da sala de degustação para uma turnê privada. Meg se perguntou se alguém, em algum momento, negava alguma coisa para Michael.

As paredes de pedra se abriam para uma sala maior, que abrigava algumas mesas e centenas de garrafas de vinho. O amplo espaço contrastava com a sala acima deles, onde os turistas comuns provavam a bebida.

Luc explicou há quanto tempo o vinhedo existia, falou de seus antepassados que administravam a vinícola antes dele. De vez em quando dizia algo em italiano para Val e continuava, como se todos entendessem.

— O ano de 2004 foi fabuloso. — Luc alcançou uma prateleira superior na adega fresca e limpou a garrafa, que já estava livre de poeira. — Esse é o ano que você me disse que gostou, certo?

Michael estudou o rótulo antes de devolvê-lo ao homem.

— Tenho várias garrafas na minha coleção.

Luc inclinou a cabeça como se apreciasse o apoio de Michael.

— Me diga o que quer saber, *signor*. Você já é um apreciador do meu vinho. — Ele colocou a mão no peito. — Parece que está aqui para encontrar um novo favorito, sim?

— Eu adoraria provar outros, é claro, mas também quero apresentar suas varietais aos meus amigos e descobrir o que separa a sua produção de outros vinhos aqui na Itália.

Luc estendeu a mão para encorajá-los a se sentar enquanto interfonava, solicitando ajuda de alguns funcionários. Antes que Meg se acomodasse na cadeira, três deles entraram e começaram a preparar inúmeras taças. Luc pegou as garrafas de sua coleção enquanto outras eram trazidas da sala acima. Uma bandeja com bolachas, queijos e azeitonas foi colocada na mesa.

— O clima em 2004 foi perfeito. Esperávamos que o próximo ano fosse igual, mas choveu na temporada seguinte e a colheita foi pequena. — Enquanto Luc explicava as condições meteorológicas, serviu uma pequena quantidade de vinho em três taças.

Em vez de pegar a sua e imitar Michael e Val, Meg voltou a atenção para Luc.

— Eu adoraria fingir que estou entendendo tudo, Luc, mas seria uma vergonha fazer isso. Por favor, me diga o que devo observar e cheirar.

— Com prazer, *signorina*. — Luc falou sobre a cor e o corpo do vinho. Ela esperava que o homem mergulhasse o nariz no fundo da taça, mas, em vez disso, ele simplesmente aproximou a taça do nariz, sentiu o cheiro e falou o que era importante notar em relação ao aroma da bebida. — Está conseguindo sentir o cheiro de carvalho? — Meg não tinha certeza se era carvalho ou não. — Esse vinho foi envelhecido nos nossos barris mais antigos.

— Vocês reutilizam os barris? — Meg perguntou.

— Sim, muitas vezes. Barris novos têm um cheiro completamente diferente.

No momento em que estavam prontos para beber, Meg estava realmente ansiosa para provar o vinho com cheiro de carvalho, não muito encorpado, vermelho e não roxo.

Ela e Michael engoliram o vinho de sabor agradável, enquanto Val usou a escarradeira. Eles provaram algumas variedades diferentes, alternando a degustação das bebidas com alguns petiscos. Finalmente perguntaram o que os estava atormentando.

— O que torna este vinho exclusivo desta região, Luc? — Michael perguntou.

— Eu adoraria levar todo o crédito, mas a verdade é muito conhecida para eu mentir. O sabor único vem da varietal sagrantino. Esse tipo de uva cresce quase que exclusivamente nesta região.

— Todos os seus vinhos são feitos com essa uva? — Val perguntou.

— Nem todos, mas nesse ano de produção usamos mais esse tipo.

Era hora de Meg fazer as perguntas óbvias.

— Então não vamos encontrar um vinho com esse sabor, digamos... na região da Campânia?

Luc ofereceu um sorriso apaziguador.

— Impossível, *signorina*. Alguns vinhos podem ter um paladar semelhante, mas não serão idênticos. Não para um verdadeiro conhecedor. Para alguém como você, que ainda não conhece as pequenas diferenças entre eles, pode ser quase impossível perceber de que região vem uma uva.

— Aposto que o Michael é capaz de notar a diferença — ela disse.

Luc virou os olhos para ele.

— Vamos testar seu paladar?

— Estou preparado para o desafio.

Luc inclinou a cabeça e falou em voz baixa com um de seus funcionários, que desapareceu para retornar logo em seguida com várias garrafas escondidas em capas. Val e Meg se sentaram e observaram quando as taças foram removidas e novas tomaram seu lugar.

Michael girou a taça, levou-a à boca, tomou um gole e cuspiu sem falar nada. Escreveu a qual região pertencia o vinho e colocou a resposta na frente da garrafa anônima antes de passar para a próxima.

— Parece que ele sabe o que está fazendo — Val murmurou no ouvido de Meg.

Ela deu de ombros. Se ela podia dizer a diferença de alguns uísques, então era lógico que Michael pudesse fazer a mesma distinção com vinhos.

Ele hesitou na última garrafa e provou duas vezes, deixando a bebida descer pela garganta em vez de cuspir.

— Boa tentativa — ele disse a Luc.

— Vamos ver como você se saiu. — O homem descobriu a primeira garrafa e a inclinou em direção a Michael. — Região do Vêneto. — Virou a resposta de Michael e sorriu. — Um ponto.

A segunda garrafa era da Toscana, a terceira era da vinícola de Luc, a quarta da Campânia e a quinta da Sicília.

— E a última? — Luc perguntou com um estranho olhar de orgulho.

— De Napa. — Michael riu.

— Acho que podemos dizer que o Michael conhece tudo sobre vinho — Meg disse a Val.

Com a confirmação do paladar de Michael, era realmente o momento de duvidar do vinho de Alonzo.

Luc os levou para fora da sala de degustação e os convidou a ficar para o jantar. Considerando o tempo que permaneceram ali, teria sido um insulto recusar.

Eles jantaram, tomaram mais vinho e, antes de se despedir, Michael e Val encomendaram diversas caixas da produção de Luc para que fossem enviadas aos Estados Unidos.

— E agora? — Meg perguntou quando eles voltaram para o hotel.

— Vamos para o sul amanhã.

— Para a vinícola do Alonzo? — Meg não tinha certeza se era uma boa ideia.

— Para as propriedades ali perto. Vamos tentar descobrir o que pudermos com os vizinhos — Val sugeriu, a preocupação refletida nos olhos.

Meg pousou a mão em sua perna enquanto ele dirigia. Ele beijou seus dedos antes de soltá-la.

Por que Alonzo fingiria que o vinho produzido por outra pessoa era seu?

Os pensamentos de Meg estavam em Gabi. Algo lhe dizia que sua amiga não usaria um vestido de noiva tão cedo. Pelo olhar no rosto de Val, se metade dos pensamentos deles fossem verdadeiros, ele trancaria Gabi numa torre de marfim antes de deixar um mentiroso se casar com sua irmã.

˜˜˜

A cerimônia foi breve. Gabi queria pensar que havia sido rápida porque muitas vezes as coisas boas da vida passavam depressa. Entre o sol, o mar e a enormidade do compromisso que estava assumindo, sua cabeça girou. Quando o capitão disse a Alonzo que beijasse a noiva, ele a envolveu nos braços e a tomou.

Um funcionário do iate tirou algumas fotos durante a breve cerimônia e, quando eles brindaram em comemoração aos votos, Gabi se lembrou de ter assinado um documento, perguntando-se como Alonzo havia conseguido uma certidão de casamento no meio do oceano. Em seguida, ele a levou para a cabine.

Horas depois, ela acordou com dor de cabeça e uma queimação no estômago. Como antes, Alonzo não estava a seu lado. O sol estava se pondo com uma brisa fresca que a ajudou a colocar a cabeça no lugar quando saiu da cama.

Alonzo estava recostado no convés enquanto o sol mergulhava no horizonte.

— Aí está você — ela disse, deslizando as mãos ao redor de sua cintura. Ele cobriu sua mão com a dele e beijou o topo de sua cabeça.

— Você estava dormindo tão tranquila, sra. Picano, que achei melhor ser um bom marido e não te acordar.

— E perder esse pôr do sol?

Ele a puxou para perto. Quando estava em seus braços, ela falou:

— Estamos mesmo casados.

— Sim.

— Acho que foi a coisa mais espontânea que eu já fiz — Gabi disse com um suspiro.

Alonzo se afastou e seu sorriso se desfez.

— Você ainda está com dor de cabeça, não é?

Ela estreitou os olhos.

— Um pouco.

Ele a fez sentar e pediu que o esperasse. Quando voltou, trouxe outra aspirina e um copo de água.

— Você está cuidando tão bem de mim — ela falou.

— Eu prometi que faria isso, não é?

Gabi não conseguiu lembrar se isso fizera parte dos votos de casamento. Ela se censurou por esquecer as palavras com tanta rapidez. Talvez quando a dor de cabeça diminuísse, ela se lembrasse de tudo com mais clareza.

Alonzo se sentou ao lado dela e a deixou encostar a cabeça em seu ombro. A tranquilidade do mar e a medicação agiram rápido na dor. Ela estava começando a se perguntar se o remédio italiano de Alonzo era milagroso. Ela nunca havia tido uma melhora tão rápida. Na verdade, sua cabeça flutuava um pouco enquanto a dor diminuía.

— Melhorou? — Alonzo perguntou enquanto o sol se punha.

— Deve ser você — ela disse.

Ele ficou de pé e estendeu a mão para ela.

— Então vem comigo. Tenho um jantar digno de uma noiva para você.

Gabi sentiu a dor sumir enquanto jantavam, bebiam e até dançavam. A noite estava sendo mágica. Tudo o que ela imaginara que seria no grande dia de seu casamento.

Na manhã seguinte, um frasco de comprimidos estava ao lado de um copo de água.

Alonzo estava mais uma vez em algum lugar que não a seu lado.

22

— É A TERCEIRA VINÍCOLA e ninguém fala nada. — Margaret balançou a cabeça entre os bancos do carro. Tudo o que Val sentia era o perfume de seus cabelos. O hotel oferecia produtos de uma marca que usava óleo de semente de uva, e o cheiro era inebriante. Ou talvez fosse a mulher que o usava.

— É quase como se não falassem nada de propósito — Michael disse o que já se passava pela cabeça de Val.

Eles haviam entrado na vinícola à direita da de Alonzo, com Margaret e Michael fingindo ser um casal. Val entrara pouco depois e permanecera ao lado deles enquanto bebiam vinho e faziam perguntas. Assim que falaram da vinícola de Picano, as persianas se fecharam e os sorrisos se desfizeram.

Na segunda vinícola acontecera a mesma coisa. A próxima agiu de forma mais cordial, mas, ainda assim, ninguém quis comentar nada sobre o vizinho. Só que a propriedade havia mudado de mãos havia alguns anos, mas nada além disso. No entanto, Val teve a impressão de que não havia escutado algo direito. Nem mesmo em italiano.

— Acho que devemos fazer diferente — Margaret sugeriu. — Na próxima parada, você fica no carro — ela disse a Michael. — Eu e o Val entramos. Eu finjo que estou meio bêbada, e o meu gostosão italiano está se esforçando para me arrastar para a vinícola do Alonzo.

Picano não tinha sala de degustação, o que, por si só, não era algo totalmente estranho, mas, com tantas vinícolas na região, não era a melhor prática comercial.

Margaret abriu os botões de cima da blusa até o decote ficar à mostra.

— O que você está fazendo?

— Trapaceando — ela disse, antes de aplicar uma nova camada de brilho labial. Ajeitou os cabelos e soprou um beijo para Val.

Ela era linda. Mesmo tentando parecer uma diversão sem compromisso. Val conhecia a mulher que se escondia por detrás da máscara. Ela estava mais frustrada do que ele com os obstáculos que haviam encontrado. Gabi era importante para Meg. "Não podemos deixá-la cometer um grande erro se o Alonzo a estiver enganando." Suas palavras ressoaram nos ouvidos de Val. Ele estava tão envolvido com a própria vida e com seu trabalho que não havia conseguido proteger a irmã. Devia ter investigado Alonzo mais a fundo. No esforço de garantir a privacidade da irmã, ele havia aceitado tudo o que o cunhado dissera.

Val tinha verificado que Alonzo realmente tinha seu nome associado à vinha. Mas só havia investigado isso.

Agora, meses depois, ele atravessava os campos italianos para encontrar falhas em seu futuro cunhado. O homem que estava transando com sua irmã.

Ele se encolheu. Naquele momento, ela estava sozinha com um possível impostor.

"Uma viagem curta", Alonzo dissera. "Uma forma de me reconectar com a minha futura esposa." Por que um noivo precisaria se reconectar com a futura esposa?

Michael parou no estacionamento, e Val ajudou Margaret a sair do carro. Enquanto iam em direção à vinícola, Meg começou a rir e tropeçou nele.

— Você está bem?

Ela lhe lançou um olhar sóbrio.

— Me ajude a fingir, Val. — Ele abriu um sorriso e a levou para a sala de degustação.

Bancar a americana barulhenta era uma forma de arte, e Margaret se prestou ao papel.

— Ah, esta aqui é linda — ela disse enquanto entravam na sala de degustação refrigerada.

— A última também era incrível.

Havia alguns clientes ali, tomando vinho. A maioria bebia, mas alguns só degustavam os diversos tipos de vinho oferecidos.

Margaret concentrou a atenção em um rapaz que estava atendendo atrás do balcão. Val não se considerava um homem ciumento e sabia que Margaret estava atuando, mas, ainda assim, ele não gostou da atenção que ela estava dando ao moço.

— Por qual vinho este lugar é conhecido? — Era assim que ela começaria a conversa?

O funcionário olhou para Val.

— Já passamos por toda essa região hoje — Val disse ao rapaz, em inglês.

— Nossos brancos são premiados — o jovem respondeu, igualmente em inglês. — Não que vocês notem a diferença, levando em conta tudo o que já beberam — completou em italiano.

Val não se deu o trabalho de fingir que não havia entendido. Os dois riram e sorriram docemente para Margaret.

— O que ele disse? — ela perguntou enquanto deslizava para o colo de Val como se fosse o cachorro da família.

— Que você é linda, *cara*.

Foi a vez do rapaz rir.

— Traga uma amostra dos seus vinhos premiados para a gente — Val pediu, dessa vez em italiano.

O atendente pegou as taças e começou a servir. Margaret girou o vinho branco e sorriu.

— Estou fazendo certo?

Val quis morder o lábio, mas se segurou.

— Isso é só com o tinto, *bella*. Apenas sinta o aroma.

— Ah, tudo bem.

Margaret cheirou e engoliu.

— Tem gosto de rosas.

Val se virou para o atendente, que balançou a cabeça com um movimento sutil.

Ele tomou sua dose, mas cuspiu. Não havia nenhum traço floral na mistura. Não para o seu paladar, de qualquer forma.

Na terceira prova, Margaret exclamou:

— Carvalho... Sinto cheiro de carvalho.

Mais uma vez, o rapaz balançou a cabeça.

— Não armazenamos o vinho branco em barris de carvalho.

Margaret fez beicinho e agiu como uma perfeita cabeça de vento.

— Que droga. Achei que fosse. Aposto que a próxima vinícola tem barril de carvalho. Qual o nome dela mesmo?

— Picano. Nós vamos lá, *cara*. Não se preocupe.

O rapaz balançou a cabeça.

— Lá não tem degustação — disse.

Margaret fez um beicinho ainda maior.

— Por que não? Estamos na Itália, não é? O país do vinho e do amor? — Ela acariciou o pescoço de Val por tempo suficiente para fazer o homem atrás do bar se remexer.

— Não sei por que eles não fazem degustação. — O atendente tirou um tinto de trás do balcão e o apresentou a Val. — Para a senhorita?

Val assentiu rapidamente e falou:

— Eu experimentei um vinho deles nos Estados Unidos. Sabe onde eu poderia comprar?

Se falar sobre um rótulo de outra vinícola incomodava o rapaz atrás do balcão, Val não soube dizer.

— Lá eles não vendem. Acredito que só exportam.

Margaret sorveu o vinho e ouviu.

— Isso é normal? — Val perguntou.

O rapaz baixou a voz para um sussurro:

— Acho que eles se sentem intimidados por todas as vinícolas vizinhas. Os novos proprietários raramente aparecem, e ouvi falar que a qualidade do vinho produzido lá é meio duvidosa.

Margaret deslizou a taça para Val.

— Esse aqui é bom.

Ele provou e concordou. Depois de comprar algumas garrafas do tinto que Margaret disse que gostava, eles voltaram para o carro. Contaram a Michael o que descobriram enquanto dirigiam para a vinha que circundava a propriedade de Picano.

— Quem faz vinho italiano e não vende para os italianos? — Margaret questionou.

— Nunca ouvi falar de tal prática. — Michael virou na estrada em direção à próxima vinícola. — Qual é o plano aqui?

— Acho que você devia entrar na sala de degustação e juntar uma multidão. Eu e o Val podemos dar uma volta pela plantação. Talvez a gente consiga ver o vinhedo do Alonzo.

— Invasão de propriedade?

— Atravessar, por acaso, de uma plantação para a outra. Parecem todas iguais — Margaret disse a Val e deu uma piscadinha.

— Eu sabia que a minha verificação de antecedentes não tinha detectado tudo a seu respeito — Val falou.

— A vida é muito curta para ser certinha o tempo todo.

Michael riu.

— Você pode dizer isso de novo?

Como alguns carros estavam estacionados ali na frente, eles se afastaram e encontraram a sombra de uma árvore ao fundo. Michael colocou os óculos antes de abrir a porta.

— Me deem cinco minutos.

— Arrasa, sr. Hollywood. — Margaret deu um tapinha em suas costas quando Michael saiu do carro.

Os dois o observaram entrar na sala de degustação e desaparecer de vista.

— Eu gosto dos seus amigos — Val falou.

— O Michael é gente boa. A família toda dele é legal, genuína... É difícil explicar.

— A família dele sabe sobre... ele? — Eles não tinham comentado nada a respeito da sexualidade de Michael, e Val não faria isso agora.

— Você quer dizer sobre o Ryder? — Até Margaret contornou o óbvio.

— Sim.

— A maior parte sabe. Os pais e a irmã mais nova ainda não. Mas é só uma questão de tempo.

— Por que você acha isso?

Ela deu de ombros.

— É difícil dizer. Ele mudou muito nos últimos anos, depois que o irmão e duas irmãs descobriram. Nós conversamos. Ele sabe que os segredos que ele guarda são um fardo para a família esconder um do outro. Nenhum deles quer ser o responsável por se enrolar e estragar tudo, entende?

— Deve ser difícil mentir.

Margaret o olhou fixamente.

— Odeio viver numa sociedade em que ele sente que precisa agir como alguém que não é.

— As coisas estão mudando.

— Bem devagar.

Ali estava novamente: o impulso e a paixão pelo certo e o errado que Margaret exibia quando se tratava das pessoas que amava. Val estendeu a mão e tocou seu rosto.

— Seus amigos têm sorte de ter você — murmurou.

Ela corou com o elogio.

— Nenhum dos meus amigos me tem... embora eu tenha certeza de que eles queriam.

Ela o fez rir quando ele menos esperava.

— Tão humilde, *bella*.

— Nunca perca a chance de ostentar, Masini.

Ele se inclinou para a frente e a beijou como se tivesse todo o direito. Quando se afastou, ela tinha uma sombra sonhadora nos olhos.

— Vou deixar você se exibir e lembrar a quem quiser tentar que eles não podem te ter.

— Ah, é?

Ele inclinou a cabeça, se aproximou de Margaret e abriu a porta.

— Eu não gosto de dividir.

※

Eu não gosto de dividir... Eu não gosto de dividir...

Meg teve de se concentrar para colocar um pé na frente do outro e agir como se estivesse bebendo mais do que degustando a maior parte do dia. A verdade era que ela já estava um pouco alta, e Val não ajudou com toda aquela conversa de "eu não gosto de dividir".

As cinco palavras enviaram uma onda inesperada de prazer pelo seu corpo. E desde quando isso acontecia? Não dividir é se importar, certo?

Monogamia é compromisso.

E por que compromisso era uma palavra tão difícil de engolir?

Algo no "não gosto de dividir" a deixou balançada e empolgada ao mesmo tempo.

Eles caminharam alguns metros, e Val a deteve.

— Fique ali — disse.

Perdida em pensamentos, ela estreitou os olhos.

— O que foi?

Ele fez um gesto para a direita, e ela notou que alguns funcionários prestavam atenção neles.

Val tirou o celular e apontou para ela como se estivesse tirando uma foto.

— Sorria, *bella*.

Ele tinha razão: eles estavam em uma missão. Compromissos, ternos, artistas e todos os outros pensamentos teriam que esperar. Agora eles precisavam ter certeza de que Gabi não estava se envolvendo com um criminoso, que era exatamente o que Meg estava começando a acreditar.

Ela fez uma pose, e os homens que os observavam se viraram.

— Ainda estão olhando? — Val perguntou.

— Não mais.

Ele segurou a mão dela e eles começaram a subir a colina em direção aos campos verdes de videiras. Não demorou muito para cruzarem a colina e desaparecerem da vista dos agricultores.

— Essa é a estrada para a propriedade do Alonzo?

Uma estrada pavimentada ficava ao lado da vinícola vizinha, como eles tinham visto no mapa.

— Acho que sim — Val falou.

Eles seguiram a estrada, ziguezagueando para dentro e para fora das fileiras de videiras para se esconder.

— O que exatamente você acha que vamos encontrar? — Val perguntou.

— Provavelmente nada. Parece que o lugar está meio deserto.

— Fico me perguntando como é possível. Todas as vinícolas que visitamos estavam cheias de funcionários. Na época da colheita, contratam até mais pessoal.

Depois de subirem devagar, a estrada começou a ficar sinuosa ao longe. O limite entre as propriedades não passava de uma fileira de oliveiras e roseiras.

— Vamos assumir que o Michael esteja certo sobre o vinho que o Alonzo está vendendo — Meg sugeriu.

Val a conduziu ao redor das videiras.

— Parece muito trabalho. E o que ele faz com todas essas uvas, se não faz vinho?

A propriedade de Alonzo era igual a todas as outras na região, repleta de videiras.

— Talvez não seja o suficiente. Talvez o vinho dele seja uma merda.

Val parecia considerar suas palavras à medida que a colina ficava mais íngreme.

Meg desacelerou e ficou para trás.

— Hora de passar para o outro terreno — Val falou.

— Primeiro você.

Eles atravessaram para as terras de Alonzo e se afastaram da estrada, mas a mantiveram à vista.

— Há quanto tempo ele é dono dessas terras?

— Pelo menos cinco anos, talvez mais — Val disse. — A maioria dessas propriedades, pelo menos as lucrativas, raramente muda de mãos.

— Será que ele fez um investimento que não deu certo e precisa fingir que está bem falsificando vinho?

— Correndo risco de ir preso? Acho que não.

Talvez isso não passasse pela cabeça de Val, mas pela de Meg passava. O cara parecia ser muito frio num minuto e todo fofo no outro. Sua experiência com pessoas assim nunca terminava bem.

Eles ouviram o barulho de um caminhão ao longo da estrada, pararam e se abaixaram em meio às videiras.

— Parece que tem alguém aqui.

— Se tiver trabalhadores, vamos voltar — Val falou enquanto ficavam de pé e continuavam caminhando depois que o caminhão passou.

— Não se pudermos descobrir algo.

Val parou. Meg se aproximou dele.

— Vamos voltar. Não vou arriscar nenhum problema com você aqui.

— Fui eu que tive essa ideia maluca.

— Não sei se em algum momento achei que fosse uma boa ideia.

Meg se moveu ao redor dele e começou a subir a colina.

— É a única que temos.

Val pegou sua mão e eles caminharam devagar.

Havia um celeiro enorme e uma pequena casa ali. Muito menor que as outras que visitaram durante todo o dia. Quanto mais perto chegavam, mais quietos ficavam.

O caminhão de entrega que eles viram na estrada agora estava estacionado na frente da construção maior, que provavelmente era o local aonde as uvas eram levadas para ser processadas.

Seu ponto de observação não era excelente, mas eles podiam ver a atividade com bastante clareza. Ouvir a conversa, no entanto, era impossível.

Os funcionários trouxeram um equipamento pesado para o caminhão, de onde um de muitos barris foi erguido em um tipo de elevador. Os três homens que faziam a transferência eram bastante cuidadosos. Era evidente que os barris estavam cheios.

— Desde quando uma vinícola recebe barris de vinho? — Meg perguntou.

Val não disse nada, analisando o cenário à sua frente.

O processo se repetiu inúmeras vezes e, em seguida, caixas de vinho começaram a aparecer. Foram empilhadas no carregador e transferidas para o celeiro.

— Viu o suficiente? — ela perguntou.

A mandíbula de Val se tensionou visivelmente antes que um rápido aceno de cabeça servisse de resposta. Eles caminharam até não conseguirem mais avistar o celeiro e se moveram rapidamente pela colina, ao redor das oliveiras e de volta para o carro.

Val estava se recuperando, ou tentando se recuperar. Meg segurou sua mão, em um esforço de demonstrar que compreendia como devia ser difícil para ele aceitar que seu futuro cunhado o enganara, fazendo-o acreditar que era algo que claramente não era.

Val aceitou o gesto e apertou a mão de Meg.

— **PRECISO SABER ONDE ELES** estão, Lou. — De volta ao hotel, Val tentava consertar as coisas.

— O sr. Picano disse que era uma viagem curta.

— Para onde? Alguma ideia de aonde eles foram? — Val já sabia a resposta, mas não podia deixar de perguntar.

— É um iate privado. Não tem como dizer onde eles estão. Podem estar a poucos quilômetros da nossa costa... ou em Cuba.

A cabeça de Val começou a latejar.

— A prioridade número um agora é a Gabi. Precisamos encontrá-la.

— Quer que a reportemos como desaparecida, raptada?

Sim... Não!

— Ainda não. Vamos ver o que podemos descobrir sem a intervenção das autoridades.

— Pode deixar, chefe. Mais alguma coisa que eu possa fazer?

— Não. Me ligue se tiver alguma notícia.

O funcionário de Val desligou, e tudo o que restou foi preocupação. Margaret, que havia acabado de sair do banho, se moveu atrás dele e passou as mãos pelos seus ombros.

— Vamos encontrá-la.

Uma batida na porta indicou o serviço de quarto com a refeição.

Val deu um aperto na mão de Margaret e foi tomar uma ducha enquanto ela atendia a porta. Eles voltaram dos vinhedos parecendo agricultores.

Em outras circunstâncias, Val teria apreciado a aventura. O fato de não pensar no dia a dia da ilha desde que viajara era um estranho alívio. Quando Margaret o informou sobre a verdadeira natureza da Alliance, ele entendeu como a situação era delicada.

Só que agora ele estava realmente preocupado com sua irmã.

Com uma calça de pijama de seda e um roupão do hotel, Val se juntou a Michael e Margaret para jantar na suíte.

Durante a refeição, acompanhada de uma das muitas garrafas de vinho que haviam comprado durante o dia, Margareth perguntou a Val:

— Se sentindo melhor?

— Mais limpo.

Ela lhe ofereceu um meio sorriso, em sinal de compreensão. Michael entregou uma taça de vinho para Val.

— Precisamos descobrir o motivo.

Val hesitou quando ergueu o copo.

— Como é que um ator, um empresário do ramo hoteleiro e a gerente de uma agência de casamentos podem descobrir o motivo?

— Porque conhecemos as pessoas envolvidas — Margaret disse.

— E, descobrindo o motivo, temos a chance de pegar o bandido da história. — Michael balançou o garfo no ar. — Já participei de muitos filmes com esse tema.

— Filmes. — Não era a vida real, Val pensou.

— Não vamos esquecer da Judy — Margaret disse, e a expressão de Michael ficou sombria.

— O que tem a Judy? — Val perguntou.

Margaret remexeu a salada no prato, depois a colocou de lado e atacou o prato principal.

— Alguns anos atrás, a Judy foi vítima de um assediador.

Não era a resposta que Val esperava.

— E ela acabou sendo sequestrada.

O garfo dele hesitou sobre a comida.

Michael e Margaret trocaram olhares. Todas as sugestões de sorriso sumiram em um instante.

— Eu conheci a Judy. Ela é a mulher do Rick, certo?

Margaret assentiu.

— Ela sobreviveu, mas... Bem, o que estou querendo dizer é que devemos pensar nisso de forma lógica. O que o Picano tem a ganhar se casando com a sua irmã? O que ele tem a ganhar vendendo o vinho de outra vinícola e fingindo ser o dele? O cara tem dinheiro, mas não o suficiente para explicar tudo que gasta. Por que isso? — Margaret continuou questionando. — Ele é americano? Italiano? Será que precisa da Gabi por causa da cidadania? Ou está atrás de dinheiro? Será que era ele quem estava tirando as fotos? Para poder chantagear você, talvez?

Val viu a dor nos olhos de Margaret e percebeu que ela já havia passado por isso.

Em vez de fazê-la reviver o passado, ele tentou responder ao que podia.

— O Alonzo é italiano. Se casar com a minha irmã poderia abrir caminho para a cidadania americana, mas ele nunca disse nada sobre isso. Na verdade, ele parece gostar do fato de ela ser americana e ele italiano.

— Se ele não fica na vinícola, onde fica quando está aqui na Itália? — Michael perguntou.

Margaret suspirou e pegou o garfo novamente enquanto ouvia.

— Não sei — Val disse, entre uma garfada e outra.

— Vou ligar para o Rick e a Judy amanhã cedo, contando as novidades — Margaret falou. — Talvez eles possam descobrir.

— Quanto ao dinheiro... Eu construí o resort com a herança que recebi do meu pai. Na realidade, a Gabi possui um terço da propriedade e de todos os lucros. Não costumamos conversar sobre isso, mas ela sabe que não precisa se preocupar com dinheiro.

— O Alonzo sabe disso? — Michael perguntou.

— Nunca falei desse assunto com ele. Mas não posso responder pela Gabi. — O que seria outra coisa contra ele, se a irmã tivesse contado.

— Então o dinheiro pode ser um motivo.

Eles conseguiram comer um pouco e tomaram uma garrafa de vinho. Menos de meia hora depois, Margaret descansava a cabeça no braço de Val. A única claridade que cintilava no quarto eram as luzes de Roma.

— Me lembre de voltar aqui — ela disse enquanto ele brincava com o braço dela. — A cidade é linda.

— Você nunca tinha vindo?

Margaret deu risada.

— Eu cresci no chuvoso estado de Washington. As viagens que fiz foram só a trabalho... Bem, e por causa da Judy também. Eu visitei a cidadezinha onde ela nasceu, que faz com que a minha pareça Nova York.

— Pequena?

— Eu já tinha lido sobre cidades do interior, mas nada se compara a Hilton, Utah. Me fez entender por que três dos cinco filhos dos Gardner foram embora.

— Gardner?

— É o sobrenome do Michael. Wolfe é o nome artístico.

Val já tinha ouvido falar de um segundo nome para o ator, mas não o guardara na memória.

— Roma é linda. Tão rica em história, arquitetura... A Judy daria um braço para passear por essas ruas.

Val riu.

— Um braço, sério?

— Ela é uma nerd total quando se trata de arquitetura. Nem sei dizer a quantos museus ela me arrastou durante a faculdade. — Margaret continuou contando sobre a experiência com a irmã de Michael. — Eu a levava a um monte de bares com bandas incríveis, e o que ela fazia? Corria para a mesa de bilhar e ficava lá até não aguentar mais. Pirralha — ela resmungou, sem nenhum traço de irritação.

— Parece a melhor das amigas.

— E é. Eu tenho sorte. E ela me influenciou. Morro de vontade de visitar o Vaticano e ver o trabalho do Michelangelo. E nem gosto dessas coisas.

Val beijou o topo de sua cabeça.

— Então vamos voltar. Ver a cidade e todas essas coisas que você nem gosta, mas morre de vontade de conhecer.

Margaret suspirou, como se quisesse dizer algo, mas ficou quieta. Depois continuou:

— Eu tenho sorte de ter a Judy como amiga. Isso ficou muito claro para mim quando a Gabi me disse que não tinha uma amiga de verdade. Se eu conhecesse a sua irmã antes do Alonzo, teria dito de cara a ela para arrumar alguém.

Val fechou os olhos com suas palavras.

— Eu devia ter...

— Não. Val, isso é uma coisa de mulheres. Os homens não veem as coisas como nós. Você aprovou um currículo. As mulheres aprovam a pessoa e depois se perguntam se o homem tem uma boa condição financeira. — Margaret gemeu. — Nossa, isso soou superficial.

— Não precisa se desculpar. Um homem deve ter condições de atender às necessidades financeiras da esposa, da família.

Ela balançou a cabeça.

— Você é um cara tradicional. Eu não acho isso importante. O que importa é que o casal trabalhe junto para fazer a vida andar como deve. Não seria bom para a Gabi se ligar a um cara que fica o dia inteiro sentado no sofá, falando que um dia vai arrumar um emprego.

— Ou a um homem que ganha dinheiro de forma ilegal. — As palavras pesavam entre eles.

— Vamos encontrá-los — Margaret lhe assegurou. — Vamos encontrá-los e pôr o Alonzo contra a parede até que não sobre nada da vida dele para contar. Temos mais dúvidas do que a Gabi jamais teve. Talvez só as nossas perguntas já a façam parar e se perguntar se ele é realmente o cara certo para ela.

Ele esperava que sim... Após tantos questionamentos, Val não queria Alonzo perto da irmã. Como ele pôde ter sido tão cego? Gabi estava com o cara agora, sozinha... em algum lugar...

— Ei, para com isso!

Margaret se sentou e olhou para ele.

— O quê?

— Você está se punindo. Para com isso.

— Autoritária, hein?

— Falou o cara que se enfiou na minha cama ontem à noite sem ser convidado.

Tinha sido ontem? Parecia mais, com os eventos do dia.

— A melhor ideia de todas.

Margaret pareceu pensar bem no que ia dizer antes de se inclinar sobre ele, pairando bem perto de seus lábios.

— Não foi nada mau.

Ela o beijou com vontade, afastando da mente de Val todos os pensamentos sobre vinhedos clandestinos, espionagem e a irmã.

Como eu sou superficial..., ele pensou. No mesmo instante seu pau endureceu, latejando de desejo. Ele deveria estar cansado, adentrando a terra dos sonhos, em vez de se aventurar na magia de Margaret. E desde quando ele se referia a fazer amor como se aventurar na magia de alguém? A mulher que o beijava estava se infiltrando em sua vida devagar, e ele gostava disso.

Ela o seduzia. Enquanto ele deveria estar na igreja, rezando para quem estivesse ouvindo para que cuidasse de sua irmã, foi seduzido em um nanossegundo. Tudo porque Margaret entrou na vida dele e se apossou dela.

Ela passou a ponta dos dedos sobre seu peito, tocou os mamilos antes de se mover para baixo. Explorou a boca de Val e a lambeu inteira, sem nenhum pudor ou timidez.

A cada segundo, ele prestava atenção na respiração dela. Ela estava indo muito rápido? Ele teria que interromper a sedução dela?

Esses pensamentos desapareceram quando ela moveu a boca talentosa sobre sua mandíbula.

— Adoro a barba por fazer, é tão sexy... — ela murmurou.

— Vou jogar fora o aparelho de barbear. — A perna de Meg deslizou por entre as dele, pressionando sua ereção. — *Cazzo!*

Ela riu e enfiou os dedos ágeis dentro da cueca boxer.

— Não tenho certeza se você está xingando ou elogiando. — Ele estava xingando, mas pela própria falta de autocontrole.

Margaret chutou as cobertas e tirou a cueca dele devagar. Ela estava em uma missão, e ele percebeu sua dedicação muito antes de ela se ajoelhar sobre ele.

— Impressionante, Masini.

Ele apertou os lençóis quando ela o provocou com os dedos. Meg encontrou uma veia grossa e a traçou até que uma série de resmungos saíram dos lábios dele.

Quando a boca substituiu a mão, os quadris dele se ergueram.

Ela o chupou lentamente, provocando seu membro com a língua, arranhando-o suavemente com os dentes. Quando ela começou a gemer, o prazer o atravessou tão completamente que Val sentiu que estava perto da libertação.

Ele pediu para ela ir devagar, para parar, enquanto acompanhava o ritmo com os quadris. Conforme a excitação aumentava, ele percebeu, tarde demais, que estava falando em italiano.

Os olhos de Margaret encontraram os dele e ali permaneceram conforme ele gozava.

O quarto girou até ele não conseguir mais manter as pálpebras abertas.

— Desculpe, *bella*... Eu devia ter me segurado.

Quando ele abriu os olhos de novo, ela estava sorrindo e passando o dedo indicador nos lábios úmidos.

— Se desculpar por perder o controle não é permitido. Eu gosto assim. Sem aviso, ele passou o braço pela cintura dela e se deitou por cima.

— Minha vez.

— Oh-oh...

Quando ele tirou a camisola de Meg, notou que ela estava sem calcinha e agradeceu ao deus que a enviara para ele.

— Se prepara — ele a provocou, roçando os lábios em sua orelha.

Ela se contorceu com o toque, especialmente quando ele arrastou a barba ao longo de seu pescoço.

Ele não teve pressa, adorando-a com os lábios e a língua até estar exatamente onde queria. Ela estava quente e linda, e Val falou isso com palavras e demonstrou com ações.

Margaret resmungou e se abriu para ele saborear e explorar seu sexo. E ele o fez, provando-a, até que ela não pudesse mais falar. Quando ela chegou ao clímax, chamou o nome dele, e ele a trouxe de volta lentamente, só para fazê-la gozar de novo.

Ele se aninhou entre as pernas dela, adorando a sensação dos tornozelos em suas costas.

— Quero você gemendo o meu nome de novo, *cara*.

— Mandão.

Ele a beijou, provou a si mesmo nos lábios dela, sabendo que sua língua também tinha a essência dela. Não havia nada suave na forma como ele se movia. Ele segurou seus quadris e a levou à beira do orgasmo.

As unhas dela se arrastaram sobre as costas dele, apertaram sua bunda, levando-o aonde ela mais precisava dele. Ela se contraiu e o apertou profundamente dentro de si, forçando-o a segui-la.

— Eu... Caramba — ela murmurou.

Ele alcançou a mesa lateral e encontrou o inalador. Ela riu em seu ombro.

— Estou bem. — Então deixou cair os braços para o lado, em sinal de rendição. — Muito bem.

Eles voltaram para a terra lentamente. Ele se virou o suficiente para abraçá-la.

— Estamos fazendo disso um hábito — ela falou.

— Felizmente.

— Somos muito bons nessa parte.

A exaustão começou a dominá-los enquanto conversavam.

— Também somos bons em outras coisas. Só não exploramos muitas delas ainda.

— Hmmm... — A respiração dela estava mais lenta agora. — Eu não durmo junto.

Ele fechou os olhos.

— Que pena.

— Ah, é? — Ela estava quase adormecida.

— Um de nós vai ficar profundamente desapontado.

— Hmmm...

E não vou ser eu, foi o último pensamento coerente dele.

～∞～

Telefone tocando no meio da noite nunca era um bom sinal. Michael se virou na cama e atendeu o celular.

— Alô?

— Caralho, Michael, onde você está?

Tony! Seu empresário, assistente e o que Michael inventasse para ele fazer gritava ao telefone.

— Em um lugar onde é madrugada. O que **você** quer?

— Você está realmente na Itália? O e-mail dizia Itália.

Michael sentou na cama, acendeu a luz da cabeceira e fechou os olhos.

— Que e-mail? — Ele não tinha enviado nada a Tony. A decisão de entrar no avião fora repentina.

— Merda... Me fala que você está aí com uma mulher.

— Do que você está falando, Tony? Fique calmo e comece de novo.

— Alguém me enviou um e-mail. Me mandou te convencer a ir embora da Itália se eu quiser que a sua carreira continue. E falou que tem fotos, Michael. Que você e a sua amiga teriam que dar adeus ao emprego de vocês se não fossem embora e parassem de meter a porra do nariz onde não foram chamados. Dizia *a porra do nariz*.

Michael ficou alerta no mesmo instante.

— Jesus. Você está com uma mulher, certo? — Tony perguntou.

— Mais ou menos. A Meg está aqui.

Tony soltou um suspiro.

— Com o namorado dela.

— Filho da puta...

Michael sempre se perguntou se Tony suspeitava de algo. Nenhum deles falava sobre isso, nunca tentaram encontro duplo, nada assim. O empresário já havia insinuado que, se Michael precisasse que ele controlasse a imprensa, ele trabalharia para retirar dos tabloides o que quer que fosse.

— Você viu alguma foto?

— Não! Pode ter alguma? — Tony quis saber.

Michael odiava ter de responder a essa pergunta.

— Nunca se sabe. A ilha estava uma loucura.

— Tudo bem. Vamos lidar com isso. Eu vou resolver tudo.

Michael se levantou, foi até o armário e pegou a mala.

— Eu preciso saber o que você descobrir. Não importa o que seja.

— Pode deixar. Você vai voltar para casa?

— Em breve. Preciso parar em Utah primeiro. — Meu Deus... Ryder não tinha nada a ver com essa confusão. E, se as fotos fossem divulgadas, o pai de Michael veria. — Tenho que ir — ele disse a Tony.

— Vá, volte logo. Tem alguém para quem eu precise ligar, alguém que possa trabalhar com a gente para resolver isso?

Isso não está acontecendo!

— Sim, ligue para a Karen e o Zach. Conte a eles o que você me disse. Mande o e-mail para o Rick, veja se ele pode rastrear. Não fale com ninguém além da minha família... e só os que estão na Califórnia.

— Tudo bem. Pode deixar.

O pobre Tony teria um ataque cardíaco ou um derrame. Ou talvez ele mesmo.

Michael desligou e largou o celular na cama antes de jogar as roupas na mala. Lavou o rosto e escovou os dentes, depois saiu do quarto.

Val estava na sala de estar da suíte, envolto em um roupão de banho.

— Pensei ter ouvido sua voz.

Michael parou, deixou cair a mala e passou a mão nos cabelos.

— Meu empresário ligou. — Ele explicou a conversa e observou enquanto os olhos de Val ficavam gélidos. — Não sei quem enviou o e-mail, mas alguém sabe que estamos aqui, que estamos procurando.

Val franziu o cenho.

— A culpa é minha.

Michael balançou a cabeça.

— A culpa é do cara que tirou as fotos.

— O Alonzo.

— Não temos certeza se é ele.

— Não importa. A sua imagem está em risco porque eu não cumpri a minha promessa.

Seria tão fácil culpar alguém... Mas Michael não fora educado dessa maneira e não podia deixar Val tomar a responsabilidade toda para si.

— Eu sou gay. Escondi isso de todos os meus fãs, dos meus pais, dos meus amigos... Ganhei muito dinheiro. Eu posso sobreviver a isso. Vou sobreviver.

— Conforme as palavras saíam, Michael soube que eram verdadeiras. — Isso vai deixar o Ryder arrasado e acabar com a confiança que os meus pais têm em mim. Preciso de vinte e quatro horas para conversar com as pessoas que eu amo. Talvez a gente possa reverter isso a nosso favor.

Val não parecia convencido.

— Volte para a cama — Michael disse a seu novo amigo. — De manhã, encontre a sua irmã e a arraste para longe desse cara. Se é ele quem está por trás disso, está disposto a enfrentar Hollywood, a Flórida e alguns lugares no Reino Unido para conseguir o que quer.

— Me derrubar não vale os seus milhões.

— E eu não sou nada comparado à Alliance.

— Alliance?

— A chefe da Meg... O cara está brincando com um duque. O Blake ama a mulher e, quando alguém mexe com ela... que Deus o ajude.

— Parece alguém que eu deveria conhecer.

Michael sorriu pela primeira vez naquela madrugada.

— Faça a Meg feliz e você vai conhecer. — Ele estendeu a mão e apertou a de Val. — Me ligue se tiver alguma novidade.

— Você também.

Michael ofereceu um rápido aceno, pegou a mala e deixou a Itália sem olhar para trás.

GABI QUERIA SAIR DO IATE.

Ela estava tomando a aspirina que Alonzo lhe dava havia quatro dias só para conseguir abrir os olhos. Se ele percebeu como ela se sentia mal, não comentou. Ele a alimentou, a colocou na cama e se ofereceu para ajudá-la a se recuperar das constantes dores de cabeça que a acometiam desde o casamento.

Será que ela era alérgica a casamento?

Ela queria acreditar que todo o desconforto que sentia era em razão da viagem e não do marido.

Ficou de pé no convés, os óculos escuros escondendo os olhos do sol, um chapéu maleável na cabeça. A ilha que Alonzo havia escolhido para ser o local da lua de mel se aproximava lentamente. Ele queria proporcionar um tempo à esposa em terra firme para ver se as dores de cabeça diminuíam. Quando se aproximaram, Gabi soube que se tratava de uma ilha deserta. Alonzo havia comentado que conhecera o lugar em uma de suas muitas viagens e achou que seria o local perfeito para descansar durante a noite e ver se o mal-estar de Gabi finalmente desaparecia.

— O movimento do mar nem sempre provoca o estômago — ele havia dito.

A essa altura, ela estava disposta a tentar qualquer coisa.

O capitão conseguiu manobrar o iate até uma pequena enseada, como se já tivesse feito isso muitas vezes.

— Onde estamos, exatamente? — Gabi perguntou enquanto Alonzo a ajudava a entrar no pequeno bote que os levaria para a costa.

Ele hesitou e disse:

— Sul de Cuba.

Ela se sentou e mergulhou a mão na água morna.

— Achei que estávamos indo para as Bahamas.

Alonzo balançou a cabeça, oferecendo um sorriso apaziguador.

— Esse era o nosso destino o tempo todo. Eu queria compartilhar essa descoberta com você.

Gabi tinha quase certeza de que não levava quatro dias inteiros para chegar a Cuba, mas não questionou.

O bote os levou até a costa, com dois membros da tripulação. Em poucos minutos, Alonzo a ajudou a descer na praia, onde a areia quente e a água salgada tocaram seus pés. Ficou tonta ao levantar. Se não fosse o ombro de seu marido, ela teria caído.

— Parece que ainda estou no iate.

— É normal. Vai passar, não se preocupe. Vou te levar para a sombra enquanto meus homens montam o acampamento para nós.

A pequena praia não era preparada como a ilha do irmão, e ela teve que escolher o caminho com cuidado para evitar cortar os pés nas conchas.

Eles encontraram uma área de folhagem, e Alonzo a forrou com um cobertor. Uma vez instalados, ele voltou para pegar um pequeno baú e o deixou ao lado dela.

— Tome isso. — Ele abriu o que parecia uma bebida isotônica e lhe entregou.

Ela bebeu e estremeceu.

— É salgada.

— Você deve estar desidratada. Isso vai ajudar.

— Você é tão atencioso. Normalmente não fico assim.

Ele dissipou sua preocupação com uma piscadela e se afastou. Após conversar rapidamente com a equipe, eles foram deixados sozinhos na praia.

— Qual o tamanho desta ilha? — Gabi perguntou quando Alonzo voltou.

— Acho que tem pouco mais de três quilômetros de extensão.

— Como você a encontrou?

Alonzo se reclinou, se apoiou sobre os cotovelos e olhou para os homens que partiam.

— Alguns anos atrás, estávamos fugindo de uma tempestade. Foi antes de eu te conhecer.

— E você voltou aqui depois disso?

Ele a observou atentamente.

— Uma ou duas vezes.

— O capitão parecia saber exatamente onde ancorar. Achei que seria difícil manobrar por causa do recife.

Gabi não conseguiu ver os olhos de Alonzo, mas o sorriso dele diminuiu.

— Meu capitão é muito bom no que faz. — As palavras carregavam uma certa tensão. Como se ela duvidasse dele.

— Tenho certeza que é.

Ele se levantou e estendeu a mão para ela.

— Vamos dar um passeio.

Ela terminou a bebida e calçou as sandálias.

A vegetação da ilha os engoliu em poucos metros. Como era pequena, Gabi não se preocupou em se perder, deixando Alonzo abrir caminho. Sua cabeça latejava, e ela desejou tomar mais uma dose do remédio que ele sempre lhe oferecia. Mas, em vez de pedir, ela o deixou guiá-los para longe da praia.

※

— Acho que encontrei algo — Rick disse.

Meg havia ligado para ele assim que soube do telefonema que Michael recebera e de sua decisão de partir.

— Espero que sim — ela respondeu.

— Já ouviu falar em Steve Leger?

— Acho que não. Quem é?

— E Stephan Léger? — Rick acrescentou um sotaque ao sobrenome, mas ela ainda não o reconheceu.

— Não me lembro de ninguém, Rick. Quem é essa pessoa?

Val ouviu esse trecho da conversa e franziu a testa.

— Stephan? O que tem o Stephan?

Meg levantou a mão.

— Espera, Rick. Parece que esse nome significa algo para o Val. Vou te colocar no viva-voz. — Assim que acabou de falar, ela colocou o celular no meio da mesa e apertou o botão.

— Me fale o que você sabe — Val disse mais alto que o normal.

— Você conhece Stephan Léger, que também é conhecido como Steve Leger?

Val segurou a lateral da mesa.

— Por que o capitão do meu barco usaria outro nome?

— Boa pergunta. Uma melhor ainda seria: qual é o nome verdadeiro dele? Steve Leger morreu de causas naturais em uma clínica em Milwaukee, uns vinte anos atrás. Tomei a liberdade de verificar o número da previdência social dos seus funcionários mais leais. O do Stephan pertence a um homem morto. — A voz de Rick se atrasou com um zumbido na linha. — Estou trabalhando para descobrir quem ele é de fato. E vou ter que pedir ajuda a algumas pessoas.

— Fale com a Eliza e o Carter — Meg sugeriu.

— O Blake já fez isso. Tenho mais alguns conhecidos que podem ser úteis. Vamos a fundo nisso. Nesse meio-tempo, não diga nada ao Stephan.

— Eu confiei nele.

— Algo me diz que ele se aproveitou disso. Sabe quanto ele ganha?

Val negou com a cabeça.

— A Carol tem essa informação.

— Diga a ela que eu vou ligar. Acho que as despesas dele são bem maiores que a renda, mas não posso ter certeza até ver os números.

Val tirou o celular do bolso.

— Ligue para a Carol. Vou contar para o Rick o que aconteceu com o Michael — Meg disse.

Ele ofereceu um rápido aceno de cabeça, levou o aparelho à orelha e se afastou. Meg tirou o telefone do viva-voz e explicou o que havia acontecido nas últimas vinte e quatro horas.

— Sei que o seu novo namorado não vai gostar disso, mas o meu instinto diz que esse tal Alonzo é tão mentiroso quanto o Stephan.

Meg sentiu o peito apertar.

— Eu sei. Queria que a Gabi não estivesse com esse cara agora. O pessoal do Val está procurando por ela, mas o oceano é enorme. O sinal fica indisponível a menos que se esteja perto de uma costa habitada.

— Sim. — Rick parou e então começou a rir.

— Não tem graça.

— Pensei em uma coisa aqui. Quem a gente conhece que entende de navegação? Se o Alonzo está transportando vinho que não é dele, para onde está indo? Quem está comprando e por quê?

Meg hesitou.

— O Blake. — Blake Harrison, o duque, detinha e operava uma das maiores companhias de transporte marítimo dos Estados Unidos e do Reino Unido.

— Vou ligar para ele.

— Antes disso, ligue para a Karen e o Zach. O Michael quer que o irmão saiba o que está acontecendo. Parece que ele vai sair do armário. Pelo menos para os pais. Ele vai precisar do apoio do Zach.

Rick soltou um suspiro.

— Pode deixar.

Eles conversaram mais alguns minutos sobre quanto tempo ainda ficariam na Itália e para onde estavam indo.

Meg desligou o telefone, pensativa. Pelo menos eles estavam descobrindo algo.

Não era uma coisa boa, mas já era algo.

~~~

Durante o caminho de volta ao pequeno acampamento que a equipe de Alonzo havia montado, Gabi se sentiu mal e vomitou.

— Não estou bem — ela declarou o óbvio enquanto caminhava ao lado de Alonzo.

— Talvez fosse melhor voltarmos para o iate...

— Não. Por favor. Só uma noite. — Só de pensar em voltar para o iate, ela piorou.

— Tudo bem, querida. Só uma noite. Talvez o capitão Alba possa ajudar. Ele tem treinamento em primeiros socorros.

O sol estava se pondo, mas Gabi estava quente demais.

— Talvez.

Alonzo a ajudou a se deitar.

— Não devíamos ter feito essa caminhada.

— Achei que estava melhor. Não é culpa sua.

Ele beijou sua testa antes de se afastar. Quando Gabi abriu os olhos de novo, o capitão estava inclinado sobre ela, esfregando seu braço.

— Só uma injeçãozinha, sra. Picano. — Ela sentiu a agulhada no braço e uma onda repentina de calor. A náusea instantânea provocada pelo que quer que ele havia injetado nela desapareceu rapidamente e boa parte da dor se dissipou. Em seguida, ela começou a flutuar.

Um lugar tão tranquilo, onde as ondas não provocavam dor de cabeça e o sol não ardia. Em algum nível, Gabi sabia que remédios não funcionavam daquele jeito. Mas não se importou, pois se sentiu bem melhor. O pulso diminuiu lentamente e a cabeça dançou, numa interminável aula de ioga.

Namastê.

O capitão Alba a observou de perto, então sua atenção se voltou para Alonzo.

— Ela vai se sentir melhor por algumas horas.

Uma voz rude soou atrás dela.

— É tudo o que eu preciso.

༺ঌ❦ঌ༻

Hilton era uma cidade pequena. Seria impossível Michael aparecer ali sem que todos ficassem sabendo, especialmente quando ele era o garoto de ouro da cidade. Havia até uma placa indicando como seus moradores eram orgulhosos de seu sucesso.

No entanto, ele se perguntou se a placa continuaria ali se todos soubessem a verdade sobre ele.

Depois de se forçar a dormir no avião, Michael acordou com energia suficiente para alugar um carro e dirigir do aeroporto para sua cidade natal. As ruas ficavam vazias antes das oito na maioria das noites. E às seis aos domingos, isso se as lojas abrissem.

Era tudo pitoresco agora, mas sufocante quando ele era criança.

Ryder morava um pouco afastado da cidade, mas não longe o suficiente para escapar das fofocas se Michael o visitasse, agora que era famoso.

Ele programou sua chegada para a noite. A maioria dos vizinhos não notaria o carro nem pensaria em sair para olhar, a menos que o motor fosse muito barulhento.

A casa de Ryder havia sido construída em alguns hectares de uma fazenda antiga que era repleta de ervas daninhas até ele comprar a propriedade. A TV piscou através da janela da frente e o som de um jogo de beisebol soou dos alto-falantes.

Michael hesitou, sem saber exatamente como contaria a Ryder que sua vida estava prestes a ser virada de cabeça para baixo porque ele escolhera o amante errado.

Remexeu os ombros e deu uma batida firme.

O volume do programa diminuiu, e Michael bateu de novo. Quando Ryder abriu a porta, um sorriso instantâneo surgiu em seus lábios. Um sorriso do tipo "Meu Deus, como estou feliz de te ver". Do tipo que faria um homem se acostumar a voltar para casa depois de um dia difícil no trabalho... até que a realidade o atingiu.

O sorriso de Ryder se desfez lenta e dolorosamente.

— Ah, não.

— Posso entrar?

Ele abriu mais a porta, e Michael entrou no que teria sido sua vida se tivesse ficado em Hilton.

— Sinto muito.

Ryder desligou a TV, foi até o minibar e serviu uma bebida. Tomou e se serviu de outra antes de pegar um copo para Michael.

— Quando vai se tornar público?

Michael pegou o copo e bebeu o líquido tão rapidamente quanto Ryder.

— Não sei. Mas podemos dizer que vai... mais cedo ou mais tarde. Jesus, Ryder, eu não queria...

— Pode parar. Está tudo bem. Eu sou adulto. Sabia do risco.

— Mas...

— Chega, Mike! — Ryder bateu o copo no balcão do bar e se afastou, fechando as persianas. Uma risadinha escapou de seus lábios e foi crescendo.

Michael ficou preocupado, achando que talvez Ryder estivesse perdendo o controle.

— Estou aliviado. — Ryder o encarou. — Não posso mais viver aqui... não desse jeito.

Não era a reação que Michael esperava.

— E o seu trabalho?

— É quase verão. Estou fora. Vou encontrar outro emprego.

As palavras eram fáceis de digerir, mas ele não acreditava nelas.

— Você ama Utah.

— Amor é uma palavra forte. Estou acostumado com Utah. Não parti quando tinha dezoito anos. A maioria de vocês foi embora, mesmo que por pouco tempo. — Ryder encheu os copos de novo e foi para o sofá. — Sabe em quantos estados o casamento gay é legalizado?

— Vinte. — A resposta era fácil. Se havia uma coisa fácil de apoiar e seguir, era qualquer assunto relacionado aos direitos dos homossexuais.

— Vinte. E pelo menos mais onze já apelaram aos tribunais para legalizar, incluindo Utah. — Ryder colocou o copo de lado e pegou a mão de Michael. — Vai demorar para cidadezinhas como esta se recuperarem do atraso, mesmo depois da legalização. Não quero esperar por isso. Eu quero viver, Mike.

Esse era o momento que Michael sabia que estava chegando.

A verdade.

— Não sei se posso me assumir completamente. — Apesar de querer muito dizer o contrário, Michael achava que sair de vez do armário não funcionaria para ele.

— Então não se assuma. Eu posso entrar no seu mundo. Arrumar um emprego. O que acontecer na nossa casa é da nossa conta e de mais ninguém.

O coração de Michael pulou.

— Nossa casa?

Ryder ofereceu um sorriso suave.

— Se o seu convite ainda estiver em pé...

Michael podia contar nos dedos as vezes em que sentiu vontade de chorar como um bebê. Uma delas foi no dia em que percebeu que as mulheres não despertavam nada nele. Outra foi quando ele e Karen decidiram se divorciar. Não importava que ela não fosse sua esposa de verdade — ele sabia que o relacionamento entre eles, a amizade do dia a dia que os unia, aos poucos acabaria.

Ainda assim, seus olhos se encheram de lágrimas.

— O convite está totalmente em pé.

Ryder abriu o sorriso que o encantou desde a primeira vez.

— Vamos fazer isso.

Michael assentiu.

— Sim. Vamos. — Ele se inclinou para a frente, capturou os lábios de Ryder e soube que, a partir daquele momento, estava na hora de seguir adiante.

— **VOCÊ ACHA QUE EU** me importo com o que você quer, porra? Você está tão metido nisso quanto eu. Agora entre lá e faça o que combinamos. — Alonzo acenou com a cabeça para a cama. Sua esposa — por mais breve que fosse ser o casamento, ela ainda era sua esposa — estava apagada, se contorcendo na cama.

Alba arrancou a camisa e a calça, mas ficou de cueca. *Covarde.*

Vê-la daquele jeito o deixava enjoado. Não por ter sentimentos por Gabriella, é claro — ele nunca a amou —, mas por ela ter ficado tão fraca em tão pouco tempo. Em dois dias de injeções na veia, ela já estava nas mãos dele. Fora muito fácil. Se pudesse ganhar a vida drogando mulheres inocentes, ele não precisaria mais se preocupar.

Se isso funcionasse, Gabi seria a primeira de muitas.

Alba deitou na cama, se enfiou entre os lençóis e enterrou a cabeça no ombro de Gabi.

Alonzo começou a tirar fotos.

Ela virou para ele e sorriu, com os olhos inexpressivos.

— Ei, o que você está fazendo aí?

— Sorria, querida.

Ela sorriu... e ele tirou uma foto que calaria a boca de Valentino para sempre.

Val desejava que o oceano interminável abaixo dele desaparecesse. Assim ele saberia que estava mais perto de Gabi. Mais perto de acabar com aquilo.

Margaret se aproximou e segurou sua mão pela enésima vez desde que a foto aparecera em seu e-mail.

— Ele precisa dela — Meg sussurrou.

— Não parecia ela.

Margaret desviou o olhar.

— Eu queria que não fosse a Gabi. Mas nós dois sabemos que é.

Eram duas fotos: uma com Gabi esticando o braço à espera de uma agulha e outra na cama com um homem que Val não conhecia. As imagens o deixaram doente, pronto para cometer assassinato. As fotos foram enviadas com uma simples frase: "Se você sabe o que é bom para vocês dois, vá embora da Itália".

— Como isso foi acontecer? — ele perguntou. Como ele voltaria a olhar nos olhos da irmã?

— Não é culpa sua, Val. Você não sabia.

O jato particular, arranjado pela chefe de Margaret, os levava para casa.

— Eu sou o responsável por ela. Ela é minha irmã.

— Se alguém tem culpa, sou eu. Eu e o Michael forçamos entrada na sua ilha. Foi aí que o problema começou.

— Isso é ridículo.

Margaret afastou a mão.

— Você está dando drogas para a sua irmã?

— Não!

— Você tirou fotos dela na cama com um estranho?

Ele sentiu o sangue ferver.

— Não!

— Então não é culpa sua. Agora pare de se culpar e vamos resolver isso. Estamos a três horas de Miami e não sabemos o que fazer quando chegarmos lá.

Val se levantou do assento de couro macio do avião de seis lugares e andou pela cabine.

O tempo passado no avião o deixava com muitas horas ociosas, só se perguntando como ele não havia percebido o que estava acontecendo. Mesmo com todas as fotos e a investigação feita por Margaret e seus amigos, ainda havia pouca ou nenhuma prova de que Alonzo estava envolvido naquela trama. Só que o homem estava com sua irmã. Val tinha deixado mensagens para Gabi no celular, pedindo que ligasse para ele. Deixou no de Alonzo, dizendo que não esperava que eles fossem ficar fora por tanto tempo e que, se não tivesse notícias deles em vinte e quatro horas, notificaria as autoridades sobre o possível naufrágio do iate.

Quem ele estava tentando enganar? Alonzo era a única conexão com tudo. A vinícola que comercializava vinhos que não eram produzidos em suas terras, o membro de sua tripulação que havia ficado no resort e que poderia ter tirado as fotos. Se o capitão Stephan fosse conhecido de Alonzo, então as peças do quebra-cabeça estavam completas.

— Tem uma ponta solta nessa história — ele falou para Margaret.

— Mais de uma. Vamos colocar o nosso suspeito na berlinda aqui. Stephan... o que sabemos sobre ele?

— Ele leva e traz passageiros para a minha ilha.

— Parece uma atividade inocente. Há quanto tempo ele trabalha para você?

— Alguns anos, eu acho.

— Desde antes do Alonzo aparecer?

— Sim — Val lhe disse. — De acordo com o Lou, nenhum dos meus funcionários faltou ao trabalho desde que as nossas fotos apareceram. O Stephan ainda está transportando passageiros.

— Será que ele conhecia o Alonzo? Pode estar trabalhando com ele?

— É possível. Por quê?

Enquanto eles conversavam, Margaret fez algumas anotações em um bloco de papel.

— Sabemos que Stephan é um nome falso. Isso já faz com que ele seja suspeito. Não exatamente em relação ao que está acontecendo com a Gabi, porque ele continua fazendo o trabalho dele na ilha. Mas pode ter sido ele quem tirou as fotos no começo.

— É mais provável do que uma camareira.

Margaret traçou uma linha no bloco de notas e começou a questionar novamente:

— Quando a Gabi conheceu o Alonzo?

— Faz um ano, talvez um pouco mais. Estávamos em uma festa beneficente em Miami. Conheci o Alonzo e os apresentei. — *Eu os apresentei.*

Val fechou os olhos, sentindo o estômago embrulhar.

— Foco, Masini. Como você o conheceu?

Ele afastou a culpa.

— No bar, no leilão... Não lembro. Começamos a conversar. Ele me disse que estava no ramo de vinhos e perguntou quem era a minha linda esposa. Eu o corrigi, e Alonzo fez a minha irmã corar. Achei bonitinho. Ele mandou flores, vinho... Então eles começaram a namorar. Não demorou muito para ele me pedir a mão dela em casamento.

— Antiquado.

— Não para mim. Eu esperava por isso. O Alonzo sabia que eu era o esteio da família fazia anos. Eu e a Gabi nos sentimos honrados pela atitude de me pedir permissão para se casar com ela.

— Mas a sua mãe, não — Margaret disse.

— A minha mãe nunca gostou dele. Dizia que era muito bajulador, muito sombrio. — Quando Val deixou de ouvir o que a mãe pensava e deixava de pensar?

— Então a Gabi gostou dele, você também, e depois?

Ele deu de ombros.

— As coisas foram acontecendo. Pedi que ele não apressasse o casamento em consideração à minha mãe. Ele não pareceu feliz com isso, mas concordou. Ele ancora na ilha com frequência. Entende a necessidade de acesso limitado da sua equipe e sempre respeitou isso. No que eu acreditava ser um esforço para agradar à minha irmã, ele começou a me dar caixas de vinho sem cobrar. Meus hóspedes gostaram, então incluí suas seleções ao menu do resort.

— Mas o vinho não é dele. Então ele está passando a bebida de outro vinhedo como se fosse dele só para agradar à sua irmã?

— Não vamos saber até descobrirmos se existem outros fornecedores que compram a marca dele. A ilha recebe muitas garrafas por semana, mas não acho que pegamos todo o estoque.

— Não existem regulamentos internacionais de transporte marítimo para fazer a compra diretamente da Itália?

Val se sentou diante de Margaret.

— Odeio admitir que não me envolvo, mas eu tenho pessoas que cuidam disso. No caso do Alonzo, ele me deu o vinho de presente. Nunca paguei um centavo por nenhuma de suas garrafas. O vinho troca de mãos na Itália, em seguida vai para o iate dele ou para o seu fornecedor, que às vezes aporta com caixas da bebida.

— Sabe o nome dos barcos que entram? Do capitão deles?

Val odiou não poder fazer nada a não ser estreitar os olhos para Margaret.

— Me deixe adivinhar — ela disse. — Você tem pessoas para cuidar disso.

— Todas as perguntas são ótimas, *cara*. Vou descobrir as respostas quando chegarmos em casa.

Ela pegou a caneta e rabiscou o papel.

— O vinho com rótulo falso viaja da Itália para onde? Depois ele chega até a sua ilha. Tudo para impressionar uma mulher? Não acredito. Deve ter mais alguma coisa por trás disso.

— Contrabando de vinho é um grande negócio.

— Não quando você não cobra por isso — Margaret o lembrou. — Não, o Alonzo precisava de você, da Gabi... da ilha. Estou começando a achar que o vinho é o de menos. Talvez esteja sendo usado para desviar a atenção de algo maior.

O pensamento de Val foi direto para a imagem que ficaria para sempre gravada em sua mente: a de Gabi estendendo o braço de bom grado para uma agulha.

— A ilha limita a supervisão, pela própria natureza dela. Como você mantém as autoridades felizes? Quem te regula?

— O departamento de saúde faz uma fiscalização anual. O mesmo acontece com a licença hoteleira e os órgãos reguladores. Nunca houve nenhuma ação contra o resort, então não tenho muitos problemas.

Margaret se reclinou na poltrona e tamborilou os dedos no apoio de braço.

— Então você poderia fazer qualquer coisa na ilha que ninguém saberia. Você cortou a internet, jurou sigilo aos seus hóspedes, proibiu fotos, que fazem parte do dia a dia das pessoas... Você poderia traficar órgãos, drogas, sexo... ninguém saberia.

Val parou de sentir a ponta dos dedos ao segurar com força os apoios de braço.

— Jesus.

— O Alonzo está traficando alguma coisa... algo melhor que algumas garrafas de vinho. Se ele se casar com a sua irmã, ela não vai denunciá-lo. Se ele te chantagear, você vai ter que ajudá-lo...

— De jeito nenhum!

Margaret ofereceu o primeiro sorriso da última hora.

— Pelo menos é o que ele acha. No fundo, ele pensa que está seguro por ser da família. Então, antes que ele se casasse com a sua irmã, eu e o Michael aparecemos e percebemos algo errado com o vinho.

— O Alonzo fica louco — Val sugeriu. — Vê o plano dele desmoronar.
— As ideias começaram a fazer sentido em sua cabeça.

— Ele monta um plano de tirar fotos para comprometer o resort.

Val fechou os olhos com força, resmungando em italiano.

— Um dos homens do Alonzo disse que estava passando mal na semana em que você estava na ilha. Disse que não podia velejar até estar melhor.
— Encontrou o olhar de Margaret. — Ele ficou lá enquanto o Alonzo não estava.

— O cara que me encurralou no corredor?
— Talvez.

Val passou a mão na barba por fazer.

— Em seguida, você foi embora com a Gabi.
— Depois que ela e o Alonzo brigaram.

Aquilo era novidade para ele.

— Eles brigaram?

— Ela estava se questionando sobre o casamento. Antes de sairmos da ilha, eles fizeram as pazes. Alguns dias depois, o Alonzo fez questão de levá-la para um fim de semana romântico... E já faz uma semana agora. Ao mesmo tempo, fomos atrás da pista do vinho. Alguém que ele conhece está nos seguindo, ou talvez uma busca no Google tenha mostrado que o Michael estava na Itália...

— Droga, Margaret. Estamos presumindo muitas coisas aqui.
— Estamos? Que parte não é verdade?
— Nem sabemos se o Alonzo está com a Gabi. Pode ter acontecido alguma coisa com os dois.

Margaret soltou uma gargalhada.

— Eu sei, com certeza, que o Alonzo gasta muito mais do que ganha. Sei que a vinícola não rende quase nada. Se ele ganha dinheiro de forma legítima, não está registrado. O que te parece, Val? E a Gabi viajou com ele, e agora fotos horríveis dela aparecem com uma ameaça para deixarmos a Itália imediatamente. Só tem uma pessoa que pode estar nos ameaçando. Ele é culpado até prova em contrário, nesse caso.

Val começou a tremer.

— Eu apresentei os dois, *cara*.

A voz de Margaret se suavizou. Ela se moveu para o assento ao lado dele e segurou suas mãos.

— Ele enganou vocês dois. Meu palpite é que o Alonzo já sabia quem vocês eram antes mesmo de dizer "oi". Tem muita gente ruim neste mundo. Se alguma coisa acontecesse com sua irmã... Caramba, se as fotos eram uma indicação, já tinha acontecido.

— Vou matar esse canalha.

— Calma, Val. Você não é um assassino.

— Espere para ver.

Margaret balançou a cabeça.

— Não tem quartos mistos na prisão. Eu seria cúmplice... As coisas poderiam ficar complicadas.

Ele tentou sorrir e falhou.

— Você não dorme junto.

— Menos ainda com alguém na parte de cima do beliche. Então, vamos parar com esse papo de assassinato. Vamos encontrá-los e usar todos os recursos que temos para resgatar a Gabi.

— Meus recursos são limitados. Eu posso pagar um resgate, pagar alguém para recuperá-la...

Margaret inclinou a cabeça para o lado.

— *Nossos* recursos, Val. O Rick está na cola do Alonzo. Por quê? Porque ele trabalha com o Blake. As fotos do Michael podem ameaçar os negócios da Samantha, e o Alonzo não sabe nada sobre isso. Ele se envolveu em algo mais complicado do que está preparado para entender. Não sei se ele está trabalhando com qualquer outra pessoa, mas duvido que consigam atingir minha chefe e os amigos dela. Eu tenho costas quentes e, a melhor parte, são pessoas decentes, que ficariam completamente indignadas ao saber que uma mulher inocente está correndo perigo por causa de um idiota.

Val queria acreditar que Gabi voltaria para casa ilesa, mas isso parecia cada vez menos provável.

Parecia que, sempre que Michael voltava, o local onde a família morava estava menor. O sobrado de quatro quartos parecia enorme quando ele era criança.

Na rua tranquila, moravam as mesmas pessoas desde que ele nascera. De vez em quando alguém envelhecia e um dos filhos assumia a casa, ou levava os pais idosos com ele para uma cidade vizinha.

As coisas não mudavam em Hilton, Utah.

Foi por isso que Michael escolheu partir assim que pôde. Ele fugiu de seus demônios e colocou a verdade em espera.

Agora era hora de revelar tudo para as duas pessoas que mereciam saber a verdade acima de todas as outras.

Ele saiu do carro alugado e abriu caminho até a porta da frente como se estivesse andando em areia movediça. Esperou o pai fechar a loja de ferragens ao entardecer, para ter certeza de que só falaria uma vez. Sobreviver a essa conversa duas vezes poderia ser impossível.

Alguém lá dentro acendeu a luz da varanda antes de ir para a porta. Ele hesitou, sem saber se devia bater ou entrar. Os pais estavam sozinhos agora. Hannah, a irmã mais nova, tinha ido para a faculdade. A irmã mais velha, Rena, morava do outro lado da cidade com o marido e os dois filhos.

A casa estava praticamente vazia.

Ele vacilou com esse pensamento quando a mãe abriu a porta da frente com um suspiro surpreso.

— Mike! — Ela saiu da casa e o abraçou. — Sawyer, olha quem está aqui.

— Oi, mãe.

Ela o puxou para dentro com um sorriso genuíno, cheio de surpresa.

— Não acredito que você está aqui. Por que não avisou que vinha? Eu podia ter colocado lençóis novos na sua cama.

Eles entraram na sala de estar, que não mudava desde os anos 80. O sofá de molas ruins continuava no meio da sala, e a poltrona favorita do pai ao lado. A televisão que Michael havia comprado, e que ele e Zach penduraram acima da lareira, era uma das únicas peças modernas da casa.

Seus pais gostavam assim. Uma casa confortável, familiar.

— Foi de última hora — ele explicou.

Passos pesados desceram as escadas. O pai de Michael sempre fora um homem robusto, um homem de verdade, que trabalhava com as mãos, gostava de consertar carros e desaprovaria, sem sombra de dúvida, a sexualidade do filho.

Eles haviam se entendido nos últimos anos. Seu pai não aprovava completamente sua profissão no começo, mas pareceu aceitar depois do falso casamento do filho com Karen.

Michael tinha voltado a Utah algumas vezes depois do divórcio. Feriados e casamentos eram sempre o motivo dessas visitas, e havia muita gente na família para abrandar qualquer conflito.

Mas agora não havia nada disso.

— Oi, pai.

A saudação, que costumava ser um aperto de mãos, agora era um abraço rápido.

— O que traz o meu filho para casa sem avisar?

— Não posso passar para visitar vocês?

Sawyer balançou a cabeça.

— Sem avisar? Astros do cinema fazem isso?

— Sou seu filho há mais tempo que ator. Espero que a minha vinda não atrapalhe. Odiaria interromper a noite de pôquer.

— É na quarta — os dois responderam ao mesmo tempo.

Eles riram, se sentaram e a mãe perguntou se ele queria algo para beber — e, não, ele não estava com fome. Os gracejos iniciais rapidamente cessaram, fazendo o som dos grilos lá fora preencher o silêncio lá dentro.

Janice perguntou primeiro:

— Está tudo bem, querido? Você parece preocupado.

— E estou... Não tenho certeza de como contar.

Sua mãe alcançou a mão do marido. Eles não eram um casal que costumava se tocar o tempo todo, e o gesto não passou despercebido para Michael.

— Você não está doente, está? O Zach? A Judy?

— Não, estou bem. Todos estamos. — Ao menos, pelo que ele sabia.

Sawyer estreitou os olhos. Seu rosto estava sério.

— Vocês se lembram de quando eu contei o motivo por trás do meu casamento com a Karen?

Eles assentiram na sala silenciosa.

— Eu contei metade do motivo... — Michael refletiu sobre o momento em que o pai havia perguntado se o dinheiro ganho em sua carreira era uma boa razão para ele vender sua alma. Tinha sido fácil colocar o pai no devido lugar. Karen não merecia sua desaprovação, e Michael estava mais que disposto a protegê-la.

Ele ficou de pé, incapaz de se sentar durante a conversa. Foi até a lareira e olhou para as fotos que estavam lá. Seria uma questão de tempo até que seus irmãos incluíssem mais fotos dos filhos. Ele seria o único que não faria isso. Não no sentido tradicional, de qualquer maneira.

— Eu nunca quis decepcionar vocês.

— Você nunca nos decepcionou — a mãe respondeu.

Ele não olhou para ela enquanto arrumava um quadro meio torto na parede. *Estou prestes a fazer isso.*

— Eu e a Karen concordamos com um casamento apenas no papel porque Hollywood gosta que seus galãs estejam acompanhados de belas mulheres. O casamento foi a forma perfeita de desviar a atenção da verdade.

A energia da sala ficou pesada com o som dos grilos lá fora. Realmente estava mais alto?

— Que verdade? — Sawyer perguntou.

Michael virou e encontrou seus olhos. Bem ou mal, ele precisava ver a reação do pai às suas palavras.

— Hollywood quer que seus galãs sejam heterossexuais. E eu não sou.

Foram necessários dois segundos para que as palavras fossem assimiladas. As narinas de Sawyer se alargaram quando ele respirou fundo.

— O que você está dizendo? — ele perguntou, com os dentes rangendo.

— Eu sou gay, pai. Soube disso muito antes de ir embora de Utah.

A mãe apertou a mão do pai e uma estranha calma a envolveu.

Ela sabia... o tempo todo.

— Jesus. — Sawyer se levantou e foi até o armário de bebidas na sala. Sem perguntar nada, serviu uísque em dois copos e entregou um para Michael, sem olhar para ele.

— Janice? — ele perguntou.

— Estou bem.

Certo... Eles não estão gritando... Ninguém está me mandando embora.

O uísque caiu bem, queimando a garganta.

Então, sua mãe falou:

— Depois do seu divórcio, nós... nos perguntamos.

— Vocês sabiam? — Michael quase engasgou com a bebida.

— Começamos a imaginar — Sawyer corrigiu.

— Mas seu pai não quis ir em frente com o assunto — Janice falou.

Sawyer tomou um grande gole da bebida, serviu mais em seu copo e voltou para o lado da esposa.

— Antes de me olhar desse jeito... eu não quis ir em frente com o assunto não porque pensei mal de você. Eu simplesmente não queria essa vida para você. Talvez, quando você era criança, eu teria tentado te dar um corretivo...

Seu pai nunca usara força física, então a ameaça não era real.

— Você não poderia...

— Eu sei. — Sawyer o encarou. — Sei disso.

Eles beberam em silêncio, deixando as palavras serem digeridas. Com um suspiro, Janice deu um tapinha no espaço a seu lado no sofá.

— Deve ter sido difícil para você vir aqui nos contar.

Michael respirou fundo e se sentou no sofá.

— Vocês nem imaginam. Mas vocês estão aceitando muito bem.

Sua mãe se inclinou em sua direção.

— Seu pai não tocava nessa garrafa desde o Natal.

Michael riu. Sawyer grunhiu.

— Por que você está nos contando isso agora?

Sem entrar muito em detalhes, Michael contou sobre a ilha de Val e as fotos que nunca deveriam vir a público, mas que possivelmente apareceriam em algum momento. Ele disse que era o noivo de Gabi quem estava por trás das fotografias. Meg tinha enviado uma mensagem a Michael dizendo que Gabi e seu noivo estavam desaparecidos e que ela e Val haviam retornado para a Flórida. Entretanto, Michael tinha que lidar com seu próprio drama. Depois ele voltaria para onde seus amigos precisavam dele.

— Me deixe ver se eu entendi. Alguém pode ter fotos suas com...?

Ryder. Mas aquela história não era dele para contar. Ainda não.

— Em breve vocês vão saber — Michael falou para a mãe.

Ela sorriu e acariciou sua mão.

— Tudo bem. Mas o homem que tem essas fotos está tentando te chantagear? Chantagear o seu amigo, o sr. Masini?

Michael pensou em Gabi. Ele não a conhecia bem, mas não conseguia imaginar o que Meg havia descrito em seu breve e-mail.

— Acho que ele só quer que eu pare de pesquisar a respeito dele. É a irmã do Masini quem está com problemas agora.

— Você acabou de conhecer esse Masini e a família dele. Por que está tão envolvido? — Sawyer perguntou.

Michael terminou seu uísque e colocou o copo de lado.

— Tudo começou com a ameaça do vazamento das fotos. Mas agora é muito mais que isso. O Val e a família dele são boas pessoas. Esse canalha brincando com eles é uma pessoa desprezível. É o vilão perfeito de um filme, só que isso não é um roteiro. E agora a Gabi está em perigo. — Michael poupou os pais dos detalhes.

— E você está aqui nos contando...

Michael se inclinou para a frente e apoiou os cotovelos nos joelhos.

— Não posso aceitar que um tabloide revele aos meus pais a verdade sobre a minha vida amorosa. Não seria certo.

As lágrimas se formaram nos olhos de sua mãe quando ela acariciou suas costas e o puxou para um abraço.

Amor de mãe envelhecia? Ele achava que não.

— Obrigada — ela disse. — Por fazer de nós a prioridade.

Havia orgulho nos olhos do pai quando Michael olhou para ele.

— Amanhã cedo — Sawyer começou —, você vai sair daqui e ajudar os seus amigos.

Michael sorriu.

Um peso enorme saiu de seu peito.

— Estamos bem?

Sawyer inclinou sua bebida na direção de Michael.

— Talvez eu precise de uma nova garrafa para o Dia de Ação de Graças. Se certifique de trazer uma boa.

— Pode deixar, pai.

VAL ESTAVA DESPEDAÇADO, E MEG não ficava muito atrás. Entre o desespero, o jet lag e o medo, eles saíram do avião pouco antes do amanhecer e caíram na cama. Dormiram três horas antes de abrir os olhos para enfrentar o dia.

Meg tomou um banho e caminhou descalça pela casa de Val.
Havia um bilhete escrito à mão na cafeteira.

Estou no escritório. O Rick vai chegar ao meio-dia.
Val

Meg serviu sua primeira xícara de café e abriu o bloco em que ela e Val fizeram anotações durante o longo voo para casa. Em seguida lhe enviou uma mensagem enquanto rabiscava círculos ao redor das anotações.

> Alguma novidade?

> Nada.

Não era o que Meg queria ouvir.

> Devo encontrar o Rick na pista de pouso?

> Ele está vindo de barco de Key West.

O prazo final que Val dera a Alonzo era às três daquela tarde. A menos que Rick e sua equipe não concordassem, eles ligariam para as autoridades portuárias e preencheriam um boletim de ocorrência de desaparecimento.

Meg não achou que isso aconteceria. Alonzo estava por trás de tudo, ela sentia isso muito forte dentro de si. Da mesma forma que estava muito preocupada com Gabi.

Em vez de se deixar levar pelos pensamentos sombrios do que poderia ou não acontecer com a irmã de Val, Meg digitou o número de Sam e ouviu o toque do telefone.

— Oi, chefe — ela disse quando Sam atendeu.

— Já tivemos alguma notícia? — Sam perguntou antes mesmo de dizer "oi".

— Nada. — Meg olhou para o relógio na parede da cozinha. — Faltam três horas para o prazo final. Descobriu alguma coisa?

— O Blake e a equipe dele estão seguindo uma pista estranha. Parece que o Picano está mandando a maior parte do vinho para o México.

— O que tem de estranho nisso?

— Não encontrei um comerciante que esteja comprando as garrafas para um restaurante ou loja.

— Por que o vinho é enviado para o México, se ninguém o está consumindo por lá?

Sam suspirou.

— Essa é a parte estranha. O Blake deve ter uma resposta do pessoal dele naquela região em breve. O Rick já chegou aí?

— Não. Alguém está vindo com ele?

— O Neil. Ele vai ficar em Key West e alugar um barco para seguir a pista do Alonzo se ele aparecer.

Parecia que algo estava prestes a acontecer, mas ainda assim, sem notícias de Gabi, nada importava.

— Soube do Michael?

— Por alto. A Karen me ligou para avisar que a conversa com os pais foi boa. Ele tem uma equipe de relações-públicas pronta para resolver o que quer que aconteça.

O pensamento de que a vida de Michael poderia desmoronar cortou seu coração.

— E quanto à Alliance?

— Para, Meg. Estou bem, vamos superar tudo isso. Se concentre na Gabi.

— Isso me deixa ainda mais louca. Não consigo chegar até ela, Sam. É como ver alguém se afogar sem poder fazer nada.

— É horrível, eu sei. Aguenta firme e não se preocupe com nada aqui. Se precisar de mim, pode ligar.

— Já te devo muito. — Aviões particulares ao redor do mundo, segurança vinte e quatro horas por dia, para não falar de todas as investigações que Sam e Blake estavam fazendo em nome dela.

— Que bobagem. Vou manter contato.

— Obrigada, Sam.

Fraqueza, Alonzo desprezava fraqueza.

No entanto, suas mãos tremiam quando ele atendeu o telefone. Apenas dois homens o faziam passar mal, e aquele que estava ligando tinha um forte sotaque latino, dinheiro e poder para exterminar do planeta todas as pessoas que Alonzo conhecia.

— *Señor* Diaz. Que bom que ligou.

— É mesmo?

A cabeça de Alonzo começou a esquentar, o suor se formando na testa.

— Eu ia entrar em contato hoje.

O riso profundo do homem do outro lado da linha o fez se contorcer.

— Por que será que eu não acredito em você? Meu carregamento, Picano. Onde está?

— Está em segurança. — Mas não era o que Diaz queria ouvir. — Estou organizando o transporte.

— Já ouvi isso antes. — Não havia humor na voz do homem. — Você tem doze horas. A partir daí, uma série de eventos macabros vai começar a acontecer e só vai parar quando eu tiver o que preciso. Entendeu, Picano?

Alonzo engoliu em seco.

— E-eu preciso de mais tempo.

— Onze horas e cinquenta e cinco minutos. — Sem dizer mais uma palavra, Diaz desligou.

Meg assumiu a posição de Val ao telefone enquanto ele se juntava a Rick nas docas. Como Stephan era o homem que estava conduzindo a embarcação e nenhum deles queria adverti-lo do que estava acontecendo, Val insistiu em receber os novos hóspedes.

Ele olhou para o barco com outros olhos. Era maior que a maioria dos que faziam transporte de passageiros. Por vezes, a embarcação era usada para pegar suprimentos urgentes, então havia uma rampa de carga ao lado da porta. Hoje a rampa estava suspensa, e os passageiros do lado de fora tinham os primeiros vislumbres da ilha.

O barco chegou como sempre. Três grupos saíram de dentro, e a equipe de Val estava ali para receber os recém-chegados à ilha. Val os saudou pelo nome, deixando Rick por último.

Fingindo não ser afetado pela presença dele, Val o deixou com um de seus funcionários e entrou na embarcação por um breve momento. Com as mãos nos bolsos para evitar torcer o pescoço de Stephan para obter alguma informação, Val forçou um sorriso enquanto caminhava em direção a ele.

— Capitão Léger — chamou a atenção do homem.

Um sorriso seguiu um breve olhar de confusão.

— Sr. Masini, a que devo o prazer da sua companhia?

Atuando como confidente e não como adversário, Val acenou com a cabeça para a outra equipe.

— Posso falar com você um instante, capitão?

Léger instruiu um de seus companheiros e se juntou a Val na proa.

— Como posso ajudar?

Val manteve a voz baixa.

— Parece que tivemos mais uma violação de segurança.

A preocupação passou pelo rosto do capitão.

— Que tipo de violação?

Val agitou a mão no ar.

— Acredito que nada da sua parte. Quero manter sigilo, mas gostaria que você estivesse ciente da minha preocupação com passageiros clandestinos.

— Não da minha parte, eu lhe asseguro.

Val se forçou a tirar a mão do bolso e deu um tapinha nas costas de Léger.

— Mantenha os olhos abertos e me informe diretamente se vir algo suspeito.

— Claro.

Val deixou a embarcação enquanto outros hóspedes da ilha entravam e encontrou Lou e Rick no armazém. Adam os levou para dar uma volta e apontou o espaço destinado a comidas e bebidas que precisavam de refrigeração.

— Quem entrega o vinho? — Rick estava perguntando quando Val caminhou até o grupo de homens.

Adam falou o nome da empresa encarregada.

— O próprio sr. Picano costuma trazer alguns engradados. Mas as caixas começaram a chegar entre as entregas pessoais dele. Temos um bom estoque.

Rick pegou o telefone e enviou uma mensagem.

— Por quanto tempo isso fica no armazém?

— O mínimo possível.

Eles seguiram Adam, que os levou para a adega. Um espaço inteiro de três metros por seis estava repleto de caixas com o rótulo de Picano. Val conhecia o sistema de entrega, mas não havia notado que o vinho de Alonzo começara a chegar numa quantidade tão grande.

Rick tirou o casaco, apesar de a adega manter a temperatura abaixo de dez graus.

— Vai levar um tempo.

Val estreitou os olhos.

— O que vai levar um tempo?

Rick apontou para os paletes.

— Vamos abrir todas essas caixas.

Lou pegou um estilete e começou a cortar o envoltório de plástico que as selava.

— O que você espera encontrar? — Val perguntou.

— Respostas.

Sem mais nada a fazer, Val tirou o paletó e a gravata.

— Adam, traga um palete para podermos colocar o que já verificamos. Não comente com ninguém o que estamos fazendo.

— Sim, senhor.

Uma hora e meia depois, verificavam o último palete. Todas as caixas foram abertas, todas as garrafas foram retiradas, depois colocadas de volta para retornar à pilha. Trabalharam em silêncio. A cada caixote uma decepção, pois não encontraram nada além do vinho com o rótulo falso.

A hora avançou, se aproximando do momento em que Val precisaria ir ao escritório ligar para as autoridades relatando o desaparecimento de sua irmã. A última mensagem de Meg afirmava que o telefone ainda não havia tocado.

Val abriu uma das últimas caixas e removeu todas as garrafas apressadamente. Uma se quebrou, mas ele continuou esvaziando a caixa, removendo a palha enquanto trabalhava. Quando tudo o que encontrou foi uma ripa de madeira, ele levantou a caixa vazia com as duas mãos e gritou:

— Nada. Não achamos nada! — Então atirou a caixa sobre aquelas que já haviam sido inspecionadas e observou quando ela rachou. — Porra! — Fechou os olhos com frustração, irritado.

A Gabi está em algum lugar, sofrendo, e eu não posso fazer nada.

— Puta merda! — Rick disse em um rugido baixo e nervoso.

— O que foi? — Val olhou para Rick e Lou, que observavam a caixa quebrada.

Ele se virou e olhou fixamente.

A caixa tinha quebrado na base. E um fundo falso foi revelado, entre as garrafas e a base real. No meio de um espaço de aproximadamente dois centímetros, havia algo.

Eles se aproximaram da caixa quebrada.

Rick a alcançou primeiro e pegou o martelo que eles haviam usado para erguer as tampas, quebrando mais a madeira. Dentro, havia uma substância compactada. Com um canivete de bolso, Rick cutucou o invólucro e removeu algo preto. Levou até o nariz e cheirou.

— Jesus.

— O que é isso?

— Eu preciso de um kit de testes para ter certeza...

— O que você acha que é? — Val perguntou.

Lou respondeu:

— Heroína... na fase inicial.

A imagem de Gabi com uma agulha no braço sufocou Val.

Lou e Rick entraram em ação. Seguiram para paletes diferentes, pegaram uma caixa aleatória de cada, abriram a tampa, despejaram o vinho dentro da lixeira e esmiuçaram as caixas para encontrar a mesma coisa.

— Parece que descobrimos por que o Picano está dando vinho de graça.

Os três olharam para os paletes.

— Alguém vai querer isso de volta — Lou falou. — Aqui tem o suficiente para alguém querer matar por isso.

— Quantidade digna de um chefão das drogas, se quer saber — Rick acrescentou.

— Gabi — Val sussurrou.

Rick apoiou a mão no ombro dele.

— Enquanto estivermos com isso, ele a manterá viva. Ela é o único poder de barganha que ele tem.

Val ouviu essas palavras e as guardou. Não podia perder a esperança... não agora, quando estavam perto de obter todas as respostas.

27

DEPOIS DE HORAS ENCARANDO O telefone de Val e desejando que ele tocasse, quando o de Meg vibrou, ela pulou. Sem olhar para a tela, atendeu com a intenção de despachar quem quer que fosse por causa do outro aparelho, que não estava tocando.

— Sim — ela falou, num tom curto e grosso. Houve uma pausa, um pouco de estática, depois uma risada. — Alô?

Quando sua saudação não teve resposta, ela afastou o telefone da orelha e olhou para a tela. Número desconhecido.

Meg ouviu um gemido... um gemido feminino.

— Gabi? — Os braços dela se arrepiaram, e o coração bateu forte no peito.

A voz fraca era quase imperceptível.

— M-Meg?

No telefone de Val, havia um dispositivo pronto para gravar, mas não no celular de Meg. Ela não tinha nenhum recurso para rastrear ou gravar a chamada. Tudo o que podia fazer era falar.

— Gabi, meu Deus. Você está bem?

— Está doendo, Meg. Ele não quer fazer parar. — A voz de Gabi falhou, e ela começou a chorar.

— Onde você está?

— Por favor... — Houve uma mudança no telefone e a voz de Gabi soou mais longe. — Por favor, Alonzo. Eu preciso.

— Gabi, onde você está? — Meg ouviu o tom frenético de sua própria voz.

— Sim... sim... — O tom de Gabi mudou de nervoso para aliviado.

— Não! — Meg gritou ao telefone. — Não, Gabi. É veneno. Pare! — Ela estava gritando agora. — Seu desgraçado. Pare com isso!

Gabi ainda estava lá, ao longe.

— Obrigada... — ela repetiu várias vezes.

— Seu cretino doente. Pegue o telefone, imbecil.

Carol entrou no escritório de Val, seguida de uma das equipes de segurança. Meg ergueu a mão, notando como tremia.

— O que você quer? Eu sei que ainda está aí.

Ela se afastou dos funcionários de Val. A voz de Alonzo estava gelada, suas palavras ameaçadoras.

— Saia na varanda, srta. Rosenthal.

Imediatamente, Meg correu para as portas francesas que davam para a área livre do escritório de Val. Ficou atrás das cortinas, caso alguém estivesse perto o suficiente para tentar praticar tiro ao alvo.

— Onde está a Gabi?

Ele fez uma pausa.

— Vermelho combina com você.

Meg olhou para a camisa de seda vermelha, depois deu mais um passo para fora. O oceano estava um pouco mais à frente, mas não havia nenhuma embarcação ali. Alguns veleiros estavam a uma boa distância da costa, e ela não podia descartar a hipótese de que Alonzo e Gabi estivessem a bordo de um deles.

Pessoas se reuniam atrás dela, falando e correndo. Meg ignorou todas e manteve o monstro na linha.

— E eu acho que um macacão laranja de presidiário vai combinar bem com você.

— Poxa, srta. Rosenthal. Não precisa ser hostil. Diga ao seu namorado que eu preciso das minhas remessas no barco dele dentro de uma hora.

— Remessas? Do que você está falando? — *O vinho? Ele estava falando sobre a porcaria do vinho?*

— Você não tem direito de fazer perguntas. Uma hora. E você vai acompanhar o capitão quando ele partir.

— Para você manter nós duas como reféns? Acho que não.

O telefone mudou de novo.

— O que foi, linda... Você quer mais? Qualquer coisa para a minha mulher.

— Pare! Você vai matar a Gabi.

Atrás de Meg, alguém ofegou.

— Por que eu mataria a minha esposa? Ela é muito mais valiosa viva do que morta.

Esposa? Mulher?

— Uma hora, srta. Rosenthal. Tenho olhos em toda parte nessa tentativa patética do Masini de ter uma ilha particular. Você, sozinha, com a minha remessa. Ou a pobre Gabriella sofrerá um acidente terrível. Não acho que ela consiga sobreviver no mar por muito tempo, no estado em que se encontra.

— Você é doente — Meg gritou.

Ela sentiu alguém segurando seu ombro, virou e viu que Val a observava.

— Uma hora.

Val tirou o telefone de sua mão e uma torrente de palavras em italiano saiu de sua boca, os olhos injetados de fúria quando repetiu o nome de Alonzo. Ele se segurou para não jogar o telefone contra a parede e puxou Meg para perto.

— Ela está viva — Meg falou com um gemido. *Por pouco.*

— Você falou com ela?

Meg assentiu e olhou além de Val, para os funcionários que haviam se reunido.

— Peça para eles saírem — ela sussurrou.

Rick entrou enquanto Val dispersava a multidão. Quando ficaram apenas os três, ela falou sobre Gabi e a ligação.

— O Alonzo disse que as remessas precisam estar no barco dentro de uma hora. Que remessas? Ele está falando sobre o vinho?

Val e Rick trocaram olhares.

— O que é?

— Heroína. Há heroína pura escondida nas caixas — Rick informou.

— Drogas? Sério? O Alonzo está metido com drogas? — Meg perguntou.

— Temo que sim.

— Bem, ele quer de volta. Se não começarmos a carregar esse vinho para o barco, pode ser tarde demais. A Gabi parecia prestes a ter uma overdose.

— Meg se levantou e foi para a porta.

— Espera, precisamos de um plano. Seguir as ordens do Alonzo é ficar nas mãos dele.

— Ele me fez sair na varanda e disse a cor da minha blusa. Ou ele pode nos ver, ou tem alguém por perto observando. Pense num plano enquanto embarcamos o vinho. Já se passaram dez minutos do prazo de uma hora.

Rick levantou a mão e a deteve.

— Se carregarmos o barco, vamos nos tornar traficantes de drogas.

— Que escolha temos? — Val perguntou. — Ele está com a minha irmã.

Meg observou enquanto Val e Rick discutiam. Ela não comentara que Alonzo havia mandado que ela também embarcasse.

— Quando vocês acabarem de discutir, me encontrem no armazém. — E, sem mais, saiu do escritório.

※

Val a alcançou dois minutos depois. Ele deixou Rick para trás, que entraria em contato com Neil para que juntos pensassem em um plano de ação.

No entanto, Margaret estava certa. Ficar sentados e agir como se não estivessem de acordo não garantiria o retorno seguro de Gabi.

Val se aproximou dela e a puxou para uma rota alternativa até o armazém. Um caminho que não estaria cheio de hóspedes.

— Por aqui.

Ela o seguiu, apertou sua mão e olhou para trás.

— Odeio pensar que alguém está nos observando.

— Vou demitir todo mundo. Recomeçar do zero.

— Isso é loucura. Ele é louco. Falou de um jeito calmo e ensaiado, mas eu podia ouvir o pânico na voz dele.

— Eu queria saber se ele é o traficante ou o intermediário. Se ele só estiver transportando, o traficante está procurando as drogas.

Margaret desacelerou e olhou em seus olhos.

— E como você conhece os detalhes do tráfico de drogas?

Val sorriu sem humor.

— Eu cresci em Nova York. Todo mundo conhecia alguém. Traficantezinhos de bairro se tornavam chefões do tráfico se não usavam a própria droga. Se o Alonzo é o cara da entrega, então alguém provavelmente o está ameaçando.

— Isso o deixaria desesperado — ela disse. — E homens desesperados são perigosos.

Eles viraram para o armazém e diminuíram o ritmo.

— O Alonzo também disse uma coisa que me deixou intrigada. Ele chamou a Gabi de mulher, de esposa. Não no sentido de que ela seria esposa dele no futuro, mas como se eles já estivessem casados.

Val parou de andar. Margaret se moveu ao lado dele.

— A Gabi não iria...

— A Gabi está completamente fora do ar. Não dá para dizer o que ela faria.

Val passou os dedos por entre os cabelos grossos.

— Por quê?

— Não sei. Talvez, se ela estiver presa a ele, e ele recuperar a droga, acha que vai poder nos manter de bico fechado. Quem sabe o que se passa na cabeça de um psicopata?

— Precisamos de mais tempo, *cara*. Tempo para descobrir o plano dele.

Margaret olhou para o relógio de pulso.

— Temos quarenta minutos. Precisamos pensar rápido.

Val a puxou, gritando ordens assim que se aproximou dos funcionários do armazém.

A embarcação fretada que vinha de fora da ilha parou no cais. O capitão Stephan ficou ao lado das rampas que permitiam aos passageiros entrar e sair do barco. Mas não havia hóspedes partindo ou chegando. Na verdade, a embarcação não costumava parar na marina àquela hora.

— Fique aqui — ele disse a Margaret enquanto soltava sua mão.

Ela olhou para o barco e empalideceu. Precisou de uma intervenção divina para não lançar Stephan nas águas turquesa de Keys. O homem observava a aproximação de Val com um sorriso presunçoso no rosto.

Sem pensar, assim que parou diante do capitão, Val levou a mão até a garganta dele e apertou.

— Não sei o que ele te prometeu, mas eu te prometo uma coisa: você me paga.

Algo duro tocou a lateral do corpo de Val. Em vez de olhar, ele relaxou a pressão no pescoço do capitão. É claro que Stephan tinha uma arma. Drogas e armas andam juntas, não?

— Muito bem, Valentino. — Stephan remexeu a cabeça quando Val o soltou. — Agora, você não tem coisas para embalar?

Val quase ergueu os punhos.

Mas não o fez. Manter o controle era primordial. Ele sabia disso.

Mudou o foco e voltou para o lado de Margaret, que estava pálida, olhando para o barco como se fosse algo sobrenatural.

Eles voltaram para o armazém e desceram até a adega. Rick estava lá, coordenando os esforços para embalar tudo novamente.

O ex-fuzileiro naval gritava ordens, e os homens de Val começaram a agir. Margaret se sentou num canto da adega, com o telefone na mão.

Sinalizando para Rick, Val disse num tom baixo:

— Se entregarmos tudo, ele não vai precisar manter a Gabi viva.

Rick se inclinou e sussurrou:

— Olhe mais de perto.

O pessoal empilhou os paletes, mas, quando o fizeram, puxaram para o centro caixotes de vinho que não pertenciam a Alonzo, cercados pelas caixas que continham as drogas. Um terço da droga ficaria faltando.

— Margem de manobra?

Rick assentiu.

— O Neil está trazendo ajuda. Ele está no mar.

Val apertou o punho.

— Parece uma armadilha. Não gosto nada disso.

— Tem uma ideia melhor?

— Chamar a polícia?

Rick abriu um sorriso e deu uma piscadela.

— O Neil fez algo melhor.

Val esperava que Rick e seus amigos fizessem mais que apenas falar.

Margaret chamou sua atenção de novo. Ela estremeceu. Relutante em deixá-la fora de vista, ele tirou o paletó de uma prateleira onde o havia jogado e o colocou sobre seus ombros.

— Obrigada — ela murmurou.

Val beijou sua testa. Ela era uma mulher forte, mas era óbvio que aquilo estava cobrando seu preço.

— Precisa do inalador?

Ela balançou a cabeça.

— Os medicamentos que estou tomando agora me fizeram melhorar bastante. Não se preocupe comigo.

Isso seria impossível. Val se ajoelhou diante dela e pegou suas mãos frias.

— Sinto muito, Val.

— Nada disso é culpa sua.

Ela não parecia convencida.

As últimas caixas foram empilhadas e embaladas, antes que uma pequena empilhadeira as removesse.

Val se inclinou para a frente e encontrou os lábios frios de Margaret para um beijo breve.

— Você fica aqui.

Seus olhos se arregalaram.

— Não. Não posso.

Ele entendia sua necessidade de ver com os próprios olhos o que aconteceria, mas não queria Margaret perto de Stephan. Nem perto das caixas de vinho, cheias de drogas ilícitas. Se alguém na equipe que os ajudara a arrumar as caixas estivesse trabalhando para Alonzo, eles seriam desmascarados antes que Stephan deixasse a marina.

Acompanhada por Rick e Val, Margaret caminhou entre eles até a embarcação. A temperatura estava em torno de trinta graus, mas Margaret ainda tremia. Quando Val se afastou dos dois para falar com Stephan, ela tropeçou, e Rick a segurou.

— Estou bem. Desculpe.

Meg parecia estar passando mal, e não havia nada que Val pudesse fazer. Ele interrompeu o motorista da empilhadeira antes de colocar o último palete na embarcação.

— Vamos, Masini. Deixe ele colocar isso lá. — Stephan manteve a mão no bolso, a mesma que Val sabia que segurava uma arma.

— Só quando eu souber que a Gabi está segura.

— Quem dá as ordens aqui sou eu.

— Pegue o telefone e ligue para o seu chefe. Ou você sai com parte do carregamento e, quando a Gabi estiver segura, pega o resto.

Pela expressão que atravessou o rosto de Stephan, ele não estava preparado para o conflito.

— Pelo que sei, a Gabi já foi solta.

Um telefone começou a tocar. Todos se viraram e olharam para Margaret. Ela atendeu...

— Gabi?

— Leve as caixas para o barco, Masini — Stephan gritou.

Val tentou ouvir a conversa de Margaret e olhou para Rick em busca de uma pista do que deveria fazer.

— Onde você está? — Margaret gritou ao telefone.

— O tempo está passando... — Stephan disse com uma risada.

— Consegue ver a ilha? Pode ver as pessoas? — Margaret se afastou de Rick, olhando para o oceano.

Stephan se moveu de onde estava, continuou de costas para o barco e tirou a arma do bolso, acenando para o motorista da empilhadeira.

— Anda logo!

Os homens se afastaram da arma. Margaret se aproximou da beirada da marina.

— Ela disse que está num bote e pode ver muitas pessoas na praia — falou. — Não! Não faça isso. Vamos te encontrar. Você não pode nadar tanto.

O coração de Val se afundou. Ele salvaria a irmã apenas para ela pular na água, chapada sabe-se lá com que substância, e se afogar.

A empilhadeira começou a se mover.

O telefone de Val tocou no bolso de trás.

Rick se aproximou de Margaret, que não parecia notar nada que estava acontecendo ao redor.

— É melhor atender essa ligação, Masini — Stephan sugeriu.

A última coisa que Val precisava era de uma interrupção. Sem tirar os olhos de Stephan e da arma entre eles, ele atendeu o telefone sem olhar.

— Sim?

— Seu prazo se esgotou há dez minutos. Achei que você fosse atender as minhas exigências com mais seriedade.

O homem a quem ele abrira as portas de sua casa e permitira o privilégio de cortejar sua irmã agora parecia mortal.

— Onde a Gabi está?

— Boiando. Perto o suficiente para você vê-la explodir se não agir mais rápido.

Quando o último palete foi carregado, o motorista puxou a empilhadeira para fora, e os homens que faziam o carregamento correram.

— Meg? — Rick a chamou.

Antes que Val pudesse dizer a Alonzo que as caixas estavam embarcadas, Stephan pulou entre Margaret e Rick, que pegou sua arma e a apontou para a cabeça do capitão.

— Para trás.

Stephan balançou a cabeça devagar e com firmeza.

— Isso não faz parte do acordo. Ela vai comigo.

Todo o sangue sumiu do cérebro de Val.

— Não!

O telefone que Margaret segurava pendia nos dedos. A brisa do mar bagunçou seus cabelos curtos, os olhos âmbar enevoados, expressando mais que qualquer palavra.

— Largue a arma — Rick ordenou.

— Atire em mim e a Gabi morre.

Val não tinha percebido que Alonzo gritava ao telefone. Ele o levou de volta à orelha.

— Você está me fazendo perder tempo, Masini — falou. — Preste muita atenção. O próximo vai explodir em cinco minutos se a minha carga não for liberada. Com a sua mulher.

— *Andare all'inferno!*

— Eu vou para o inferno de qualquer jeito, Val. — As palavras deixaram os lábios de Alonzo quando uma explosão atraiu toda a atenção para o mar.

— Gabi? — Margaret gritou. — Gabi?

Rick inclinou a arma e deu um passo à frente.

Val quase desfaleceu, sentindo a vida se esvair.

Margaret ofegou e seus joelhos se curvaram.

— Não, querida. Aguenta firme. Estamos chegando. — Ela estava com lágrimas nos olhos, os lábios trêmulos.

— Entendeu a minha mensagem, Val? — Alonzo perguntou.

— Quatro minutos e trinta segundos... — Stephan o lembrou. — Vamos lá, loirinha. — Ele assentiu em direção ao barco.

— Meu Deus.

Margaret se aproximou da embarcação.

— Margaret, não!

— Ele vai matar a Gabi se eu não fizer isso. — Ela olhou para Rick por um breve momento. — Pergunte para a Judy em que esporte eu me destaquei na faculdade.

Quando ela estava a um passo de entrar, Val soube que não a veria viva novamente. A escolha era impossível: sua irmã... ou a mulher que lhe roubara o coração?

Rick baixou a arma.

— Se alguém nos seguir — Stephan disse ao entrar no barco atrás de Margaret —, ela morre.

Sem escolha, Val ficou ao lado de Rick enquanto Stephan soltava a corda que segurava a embarcação ao cais e pulava para dentro. O capitão segurou o braço de Margaret, pegou o telefone da mão dela e o jogou no deque.

— Não queremos que você rastreie o telefone.

Ele a empurrou e manobrou o barco. Não demorou muito para deixar o cais e ganhar velocidade.

Rick escapuliu, e tudo o que Val pôde fazer foi olhar.

Alonzo ainda estava ao telefone.

Mais uma vez, Val gritou, frustrado e irado:

— Faça mal a ela e você é um homem morto.

— Assassinato faz uma sujeira danada, Masini. Não que eu me importe. Agora vá buscar a minha esposa e a mantenha segura. Eu entro em contato.

28

ESTAVA TÃO QUENTE... ERA IMPOSSÍVEL escapar do sol. E como ela acabou em um bote?

Sua cabeça doía, mas não era ruim. Não como ela achou que fosse.

Gabi a segurou com as duas mãos e começou a se balançar. Se ao menos pudesse dormir. Seria melhor que esperar que a dor piorasse.

Ela ficou de pé e sentiu o balanço do bote sob os pés descalços. O vestido branco que usara no casamento caía sobre os ombros. Quando foi a última vez que havia trocado de roupa?

E um banho... Ela queria um banho.

O bote se inclinou de novo. Ela deslizou para o chão, enrolada feito uma bola, e fechou os olhos.

— Temos algum rastro? — Rick perguntou ao telefone.

Val se apressou ao lado do homem enquanto ele pulava no carrinho de golfe e soltava o freio de mão.

Eles estavam seguindo em direção ao aeroporto da ilha.

Lou ficou para trás com ordens de barrar a saída de todos os funcionários. Era evidente que havia mais de um cúmplice na ilha. Quem eram e o que podiam dizer talvez fosse a diferença entre a vida e a morte de Margaret.

Rick falou tão rápido que Val mal pôde acompanhar. Quando desligou, ele lhe comunicou seu plano.

— Eu coloquei um dispositivo de rastreamento no barco quando entrei. E outro no interior de uma das caixas. Se o barco e as drogas se separarem, vamos rastreá-los.

Um pouco da tensão na cabeça de Val começou a relaxar.

— Como vamos saber onde a Margaret está?

Rick, que sempre parecia ter um sorriso no rosto, não ostentava nenhum agora.

— Ela é a melhor amiga da minha mulher. Não vamos perdê-la.

Val esperava que ele tivesse razão.

— Ela é o meu futuro.

Rick assentiu.

— Você atira bem, Masini?

— O suficiente. Mas não daria um tiro com alguém que eu gosto por perto.

Eles pararam na pista de aterrissagem e pularam do carrinho. Rick esticou a mão até as costas e parou de forma abrupta. Passou a mão na linha do cinto e tirou a jaqueta para revelar o coldre que colocara nos ombros.

— Filha da mãe. — Rick estava sorrindo agora.

— O que foi?

Ele ergueu o dedo e pegou o celular.

— Oi, baby. Não dá tempo de explicar. Me fala uma coisa: em que esporte a Meg se destacou na faculdade?

Val se remexeu enquanto observava Rick ouvir a esposa. Rick começou a rir, o som em completo contraste com as emoções de Val.

O som de um helicóptero que se aproximava atrapalhou a chamada.

— Também te amo — Rick murmurou, sorrindo. — Eu aprendo algo novo todos os dias.

— O quê?

O vento se agitou quando o helicóptero girou para pousar. Val se afastou e virou para evitar ser atingido pela areia.

— A Meg fazia parte da equipe de tiro ao alvo no segundo e no terceiro ano — ele gritou. — Eu não fazia ideia.

— De que adianta sem uma arma?

Rick continuou sorrindo, colocou a mão nas costas e tirou um coldre vazio.

— Ela também tem boas habilidades como batedora de carteira.

Pela primeira vez em horas, Val sentiu o coração se aliviar.

O piloto acenou para eles entrarem. Só quando colocaram o cinto de segurança e estavam no ar, Val percebeu que estavam em um helicóptero militar.

Neil estava sentado ao lado do piloto e lhes entregou fones de ouvido. Quando os fones abafaram o som do helicóptero e as vozes dos homens a bordo podiam ser ouvidas sem que precisassem gritar, Val falou:

— Achei que vocês eram fuzileiros navais *aposentados*.

Foi o piloto quem respondeu:

— Uma vez fuzileiro, sempre fuzileiro.

— Vamos encontrar a sua irmã — Neil falou.

Val olhou na direção para onde o barco que levava Margaret seguira.

— E quanto à Margaret?

Rick tocou em um dispositivo no centro do helicóptero, que Val identificou como um medidor de submarino, ou talvez algo usado no controle de tráfego aéreo, para acompanhar o que estava no ar. Havia pontos e luzes piscando.

— O vermelho é a Meg.

— E os outros?

— Esses dois são do Blake, posicionados para evitar detecção, e esses três... — Rick piscou — são amigos.

— Parece um pequeno exército.

— Quase isso — Neil falou.

Rick empurrou um par de binóculos para as mãos de Val, e todos examinaram o mar.

O tempo passava lentamente.

Val analisou o oceano, prestando atenção em cada barco. O único alívio foi não encontrar nenhum deles vazio. Mesmo frustrado, ele continuava observando. Gabi tinha que estar ali, em algum lugar.

Uma hora depois, Neil gritou e apontou.

— Ali.

O piloto circundou o local indicado. Tudo o que Val viu foi um bote e um pano branco no fundo. Quando se aproximaram, ficou mais esperançoso.

Usando um vestido branco encardido, com os membros queimados de sol, Gabi estava deitada com o braço sobre a cabeça. Estava imóvel.

— A que altura podemos nos aproximar?

O piloto se afastou da pequena embarcação, mas mesmo assim as ondas abalaram o bote o suficiente para Val se preocupar se ele viraria. Sem pensar, retirou os fones de ouvido e despiu a camisa.

Rick o compreendeu com um olhar.

Val tirou os sapatos e o cinto de segurança.

Rick lhe entregou um rádio robusto. Val presumiu que fosse à prova d'água e o segurou.

Sentiu o golpe do vento quando Rick abriu a porta de correr.

— Vamos nos aproximar — ele gritou.

Val calculou a altura, conhecendo seus limites. Se havia uma coisa que a vida na ilha lhe ensinara, era mergulhar do penhasco. Com os pés retos, pulou e caiu na água logo. Depois de voltar à superfície, ergueu o polegar, segurou o rádio com os dentes e nadou em direção à irmã.

Ficou nervoso quando a viu.

— Gabi? *Tesoro?*

Ela gemeu.

Ele subiu a bordo, quase a derrubando ao mar antes de conseguir escalar. A água pingou sobre ela quando Val se aproximou para ver melhor.

Seu rosto estava franzido, vermelho, com manchas escuras embaixo dos olhos. Ela havia envelhecido dez anos na semana em que ficara longe. Seus lábios estavam rachados e sangrando, e os cabelos, emaranhados.

— O que ele fez com você?

Val levantou o braço, sentiu seu pulso e notou todas as contusões. Algumas estavam irritadas e inchadas. Outras, amareladas, quase sumindo.

Ela gemeu novamente, mas não abriu os olhos.

— O que temos aí embaixo? — Val ouviu Rick através do rádio.

Ele levantou o dispositivo e apertou o botão.

— Ela está viva, mas precisa ir para o hospital com urgência.

— Está vendo algum explosivo?

Merda, ele havia se esquecido disso. Olhou embaixo do único assento e notou um dispositivo preso na parte inferior. Ele não sabia nada sobre bombas, mas assumiu que era uma.

— Sim. Uns sete centímetros de diâmetro, alguns fios... uma luz.

Val acariciou a testa de Gabi enquanto falava.

— Vou descer.

Depois do que pareceu uma eternidade, Rick foi baixado em um arnês. O bote mal tinha espaço para os três, mas Val ficou de pé no lado oposto de Rick para manter o equilíbrio.

— Você só pode estar brincando comigo. — Rick riu quando viu o explosivo.

Ele o pegou, mas Val o deteve.

— Cuidado.

Rick afastou a mão dele.

— Eu construía merdas melhores que essa no meu quintal quando era adolescente. — Puxou dois fios e a luz se apagou. — Coisa de amador. O Alonzo pode entender de drogas, mas não sabe nada sobre bombas.

Val não tinha percebido como estava respirando rápido até aquele momento.

— Vamos tirá-la daqui.

Ele seguiu as instruções de Rick e ajudou a prender a irmã, inconsciente, ao corpo do ex-fuzileiro naval.

Quando estavam prontos para ir, Val falou:

— Não voltem para me buscar. Levem a minha irmã para o hospital.

— Estou um passo à frente de você, Masini. Tem um barco a caminho para te pegar. — Rick colocou a mão no bolso e entregou o celular de Val. — Caso o Alonzo te ligue.

— Certo. — Val beijou o topo da cabeça da irmã. — Cuide dela.

Rick piscou, ergueu o polegar e desapareceu.

~~~

Dizer que ela estava morrendo de medo seria um eufemismo.

Meg observou a ilha de Val se afastar sem nenhum vestígio de que alguém os seguia. Considerou suas opções. Poderia saltar e nadar, mas desviar de uma bala era impossível. E nadar mais de algumas centenas de metros não seria inteligente, não com seus pulmões. Além disso, havia o fato de que ela não tinha ideia se Gabi estava a salvo.

Meg confiava em Rick e Neil, sabia de suas habilidades para rastreá-la e encontrá-la. Teve de confiar no fato de que Alonzo e os idiotas dos homens dele não sabiam nada sobre seus amigos.

Como Alonzo lidaria com o fato de receber apenas dois terços de sua remessa? Atiraria nela ou negociaria a troca? Rick havia comentado sobre o custo da droga que havia em cada palete. Cerca de um milhão de dólares em estado bruto, triplicando depois que a heroína fosse refinada.

— Para onde você está me levando? — ela finalmente perguntou depois que a ilha desapareceu completamente. Saltar ao mar agora seria suicídio.

E se atirasse no capitão e assumisse o controle do barco?

Talvez se ele a ameaçasse com mais do que um olhar. Afinal, ela não era uma assassina fria.

— Você vai descobrir em breve.

Babaca.

— Como se sente sabendo que seus amigos abusam de mulheres?

Stephan não respondeu e continuou pilotando o barco. O silêncio a estava matando, então ela continuou falando:

— O Alonzo sempre me pareceu um completo idiota. Muito burro para lidar com tudo isso.

O capitão se remexeu.

— Aposto que tem outra pessoa esperando para receber a entrega. Talvez até te tire da jogada.

Os olhos de Stephan se voltaram para ela e, em seguida, para o horizonte.

— Até que ponto você conhece o Alonzo? Aposto que ele nem é italiano.

— Você fala demais.

E você está nervoso.

— Sou nova nessa coisa de ser levada contra a minha vontade. Eu devo sentar aqui e ficar assustada? Foi isso que a Gabi fez?

— A Gabi não é esperta o suficiente para ficar assustada.

Aquilo doeu. A doce e inocente Gabi nunca mais seria a mesma.

— E você consertou isso, não foi? Ela nunca mais vai confiar em ninguém. Você deve estar orgulhoso — Meg resmungou as últimas palavras.

— Eu nunca toquei nela.

— E isso faz ficar tudo bem na sua cabeça? Os homens podem justificar qualquer coisa. — Era estranho como a raiva afastava o medo. Com a raiva, vieram a clareza e a capacidade de pensar.

Um rádio no painel de controle ofereceu estática e em seguida ela ouviu uma voz masculina.

— Alfa para Beta, você está aí?

Stephan pegou o rádio e respondeu:

— Sim. No alvo com a carga.

— Alguém seguindo?

— Ninguém no meu campo de visão. E no seu?
— Tudo limpo. Continue e mantenha a posição.
Stephan interrompeu a chamada. Meg se contorceu.
— Alfa e Beta? Isso faz dele o chefe, e de você, a vadia dele.
Ela nem percebeu o soco que a atingiu. A dor explodiu em sua mandíbula, e seus dentes machucaram boa parte da bochecha.
— Cale a boca.
Sim... Isso parecia bom para ela.

29

VAL VESTIU A ROUPA SECA que lhe ofereceram, calçou sapatos apertados e abriu caminho para a ponte do navio que o pegou. Ele não tinha certeza de que tipo de embarcação era. Ela se movia com o ritmo de uma lancha, mas abrigava uma dúzia de tripulantes, com capacidade de transportar passageiros e carga. Os únicos barcos similares que ele já tinha visto eram aqueles usados pelas autoridades portuárias. Esse, no entanto, não tinha indicação da polícia marítima.

Alguém lhe entregou uma garrafa de água.

— Obrigado.

— Fico feliz em poder ajudar.

— Souberam algo sobre a minha irmã?

— Está nas mãos da melhor equipe do Miami General. — O capitão o deteve antes que ele pudesse perguntar. — Não sei mais do que isso. O Neil e o Rick voltaram para o helicóptero.

Uma já foi, falta a outra.

O homem apontou para um mapa luminoso semelhante ao que Val tinha visto no helicóptero.

— Ela está aqui, e nós, aqui. — Alguns pontos no mapa estavam iluminados, outros apenas piscando.

— O que é isso?

— Novos barcos que estão participando da ação? Alguém num cruzeiro de férias? Difícil dizer sem ver.

— Como vamos ver sem que nos percebam?

O capitão apertou alguns interruptores e um monitor à sua esquerda se acendeu.

— Com brinquedos maiores.

Val se aproximou e percebeu que estava vendo o oceano de milhares de quilômetros acima.

— Imagem de satélite?

— *Big Brother*. Só precisamos restringir a nossa localização e focalizar.

Val deu um passo atrás.

— Quem é você, afinal?

— Brenson, Divisão de Combate às Drogas da Guarda Costeira. Servi por um tempo com o Neil na marinha.

— E por coincidência você trabalha na Flórida?

O capitão balançou a cabeça.

— Na Califórnia, na verdade. Ele disse que havia problemas aqui e eu mexi uns pauzinhos.

Um dos homens do capitão estava do outro lado, usando os binóculos enquanto examinava o horizonte.

— Estamos atrás de um dos maiores, ou mais desprezíveis, traficantes do México. O nome dele é Diaz. Prendemos alguns homens dele, mas nenhum esclareceu como as drogas estavam chegando ao país.

— Embaladas em caixas de vinho.

Brenson balançou a cabeça.

— Quem poderia imaginar?

— Com certeza, eu não. O Alonzo visitou a minha ilha durante seis meses. Só Deus sabe quanta droga foi traficada bem debaixo do meu nariz.

— Os traficantes são bons em tornar pessoas inocentes cúmplices. O medo da prisão mantém essas pessoas em silêncio quando descobrem o que está acontecendo.

Isso não soava como ele e Gabi? Não que Val temesse a prisão. Acabar com a miserável vida de Alonzo bem que valeria a pena. Ele pensou na irmã, em como ela estava quando Rick a levou para o hospital. E como Margaret estava? Será que ela tinha conseguido atirar em alguém? O homem que a levara sabia da arma? E se alguém a tivesse drogado?

Ele estremeceu.

Prisão... Ele seria capaz de passar um tempo na prisão se isso significasse manter Margaret viva.

Val não sabia se estava fazendo um pacto com Deus ou com o diabo.

Provavelmente com os dois.

Meg tentou não entrar em pânico quando o iate de Alonzo surgiu à sua frente.

Levou mais de duas horas para eles se encontrarem, e, apesar de ela desejar nunca mais vê-lo, ficou satisfeita por saber que teria a oportunidade de cuspir em sua cara.

As duas embarcações pararam lado a lado, e Alonzo embarcou, acompanhado de três homens.

— Por que ela não está amarrada? — Alonzo perguntou, com os braços balançando na direção dela.

— O que eu vou fazer, seu imbecil? Me atirar no mar?

Sua cabeça girou com a bofetada de Alonzo. Pelo menos ela teria o mesmo inchaço nos dois lados do rosto.

— Eu soube que você era encrenca no instante em que abriu essa sua boca esperta na ilha. Se meter no que não é da sua conta faz mal para a saúde, srta. Rosenthal.

Meg não lhe deu motivo para que ele amarrasse suas mãos. Ela as manteve agarradas à grade, preferindo usar as palavras.

— A Gabi é da minha conta.

— Porque você está trepando com o irmão dela? Ou porque a considera uma irmã?

Ele pensou que falar sobre o que estava acontecendo entre ela e Val fosse desestabilizá-la, mas não funcionou.

— Sim e sim — ela respondeu.

Ele riu.

— Isso me tornaria seu concunhado, não é?

— Por que se casar com ela, drogá-la e deixá-la para morrer?

Ele deu de ombros e se afastou para inspecionar as caixas de vinho.

— Transportar as drogas através da ilha, sabendo que o Val e a Gabriella estavam ligados a mim, os manteria em silêncio. A Gabi não duraria um dia na prisão, e o Val sabe disso.

— Ela é mais forte do que você imagina.

Ele caminhou ao redor das caixas, e Meg andou beirando a grade para distraí-lo. Ela não queria que ele percebesse que estava faltando parte do carregamento. Stephan e um dos homens de Alonzo apontaram as armas em sua direção.

Ela se manteve firme e levantou as mãos. A última coisa que queria era que eles decidissem que acabar com ela era uma boa ideia.

— O meu plano teria funcionado se você não tivesse ido até o meu vinhedo. A Gabi ainda estaria viva se não fosse você.

Pela primeira vez em horas, Meg sentiu os pulmões se contraírem.

Não, por favor. A Gabi não pode estar morta. Não depois de tudo, de todos os riscos que ela havia assumido.

— Não chore, srta. Rosenthal. Ela estava tão grogue que provavelmente não sentiu nada.

— Seu filho da puta. — Ela se lançou na direção dele, apenas para que dois homens a impedissem de avançar. Quando Alonzo ficou ao lado dela, Meg cuspiu em seu rosto.

Seu olhar mortal a irritou enquanto ele pegava um lenço no bolso de trás e enxugava o rosto.

— Eu devia explodir um buraco na sua perna e te jogar no mar agora mesmo. Para ver os tubarões aparecerem e fazerem a festa.

Meg forçou a respiração a desacelerar. Um pequeno sibilar chiou em seu peito.

Alonzo passou a mão em seu rosto e segurou seu queixo com o polegar e o indicador.

— Mas você é o meu presente. O Diaz gosta de loiras.

Os homens que a seguravam riram como se Alonzo estivesse brincando. Ele se afastou dela e embarcou de volta no iate.

Stephan pegou o leme novamente e seguiu o iate de Alonzo.

Em dez minutos, aportaram em uma ilha. De onde estava, ela não avistou nenhum morador.

Ao chegar à enseada, Stephan ancorou, e Alonzo gritou ordens para que Meg fosse levada para a sua embarcação. Havia muitos homens com quem lutar, e isso a fez ofegar.

Alonzo a empurrou através do convés até um barco menor. Sob a mira de um revólver, ela o seguiu e o observou. Stephan e todos os homens de Alonzo se moveram até o iate, que se afastou do barco cheio de drogas.

Eles estavam deixando a carga ali.

O que significava que alguém iria buscá-la.

Diaz? Seria ele o tal Alfa? E quando a retirada da carga aconteceria? Dentro de um dia, uma hora?

Seria possível nadar para a embarcação de Stephan e pedir ajuda? Ela não fazia ideia se Rick e Neil sabiam onde ela estava. Começou a pensar no que fazer.

Um dos homens mais fortes de Alonzo a puxou do barco assim que atingiram a costa. Antes que ela pudesse se levantar, ele a chutou e puxou uma faca.

Ela gritou quando ele cortou sua panturrilha direita. Ele a empurrou para a areia e saltou de volta no pequeno barco. Cega de dor, ela rolou e segurou a perna.

— Olhe bem antes de mergulhar, srta. Rosenthal — Alonzo disse enquanto se dirigia para a água. — Aquelas barbatanas não são de golfinhos. E eles adoram sangue fresco.

— Vá para o inferno!

Alonzo riu e olhou seus homens enquanto manobravam o barco de volta até o iate.

— As pessoas continuam me dizendo isso. Deve ser a lua cheia.

Meg ficou de pé e correu até as árvores.

Pela primeira vez desde que pegara a arma reserva de Rick, ela a verificou. Uma 1911 com tambor de doze tiros. Perfeita, confiável, bastante precisa.

Ignorando a dor na perna, ela manteve os olhos no barco que recuava. Quando a embarcação repleta de imbecis se afastou dos tubarões na enseada e estava muito longe para os passageiros nadarem até a costa, Meg apontou. Os tiros consecutivos abriram buracos na madeira, surpreendendo os passageiros, e a água começou a entrar no barco.

Uma bala passou zunindo, mas não perto o suficiente para fazer qualquer coisa, além de deixá-la saber que eles tinham munição.

Meg localizou a tampa do depósito de combustível da embarcação.

Enquanto Alonzo e seus homens lutavam para se manter na superfície, os que estavam no iate tentavam se aproximar do chefe. Um homem mergulhou no mar e nadou para o barco maior. Meg ignorou seus esforços e se concentrou. Fazia algum tempo que não segurava uma arma. A embarcação provavelmente estava fora do alcance, mas ela tinha que tentar.

Se explodisse, alguém a veria. Assim ela esperava.

Meg estreitou o olho e forçou a respiração a desacelerar. Tudo voltou, todo o treinamento, a razão pela qual ela escolhera o tiro como esporte. Nos pulmões, a respiração ofegante desapareceu lentamente enquanto ela contava baixinho.

Apertar o gatilho.

Errou.

Ergueu a arma, sentiu o vento no rosto e a ajustou.

Apertar o gatilho.

A madeira se estilhaçou, mas nada explodiu.

— Esse é pela Gabi.

Apertar.

Finalmente eles estavam se aproximando.

Val viu o suficiente na transmissão por satélite para saber que havia duas embarcações, uma ao lado da outra, e uma terceira seguia atrás. Quando começou a recuperar o fôlego, o ponto no radar desapareceu.

— Porra! — Brenson gritou.

— Para onde eles foram?

Val se virou em direção à imagem do satélite. Havia um atraso de cerca de trinta segundos no outro monitor.

O barco se tornou um flash branco e, mesmo a quilômetros de distância, Val escutou a explosão.

Brenson pegou o rádio.

— Atenção, todas as unidades. Avançar.

Os homens a bordo do navio correram.

— Velocidade máxima.

Val olhou para cima e viu um helicóptero. No rádio, ouviu a voz de Rick gritando ordens.

Desligaram os motores quando encontraram os destroços. A embarcação ainda estava em chamas. Grande parte do casco se tornara uma espécie de recife artificial.

Havia pelo menos dois corpos flutuando nos escombros. Val procurou seu paletó ou a blusa vermelha de Margaret, mas não encontrou nenhum dos dois.

O iate de Alonzo tentou fugir, mas o helicóptero cercou a embarcação.

Não demorou muito para um barco com o símbolo da guarda costeira se posicionar a fim de evitar que Alonzo escapasse — se é que ele estava a bordo. Val ainda precisava localizá-lo no convés.

Mas, em vez de procurá-lo, Val observou as embarcações e a costa.
Uma voz potente encheu o ar:
— Guarda Costeira dos Estados Unidos, soltem as armas.
Mais apoio aéreo se aproximava, e o oceano ficou pontilhado de barcos. No entanto, nada disso importava sem Margaret.
Val quis nadar até o iate para encontrá-la.
Os seis homens de Alonzo soltaram as armas lentamente e se renderam. Guardas armados entraram no iate, seguidos de Val.
O capitão de Alonzo, o homem que aparecera nas fotos com sua irmã, e Stephan estavam entre eles.
Val apertou os punhos em meio aos guardas armados.
— Cadê a Margaret?
Stephan abriu um sorriso presunçoso, e Val o acertou com um soco ruidoso.
— Qual deles é o Picano? — Brenson perguntou.
Val olhou novamente.
— Nenhum.
— E por ali?
Val reconheceu os dois homens boiando na água: um era Julio, o imediato de Alonzo, e o outro era um dos garçons que trabalhavam no resort.
— Nenhum deles.
Fizeram uma busca rápida pelo iate e prenderam o cozinheiro. Nenhum sinal de Margaret.
Os olhos de Val se moveram para a embarcação em chamas.
Ele não queria acreditar que ela estava a bordo.
— Margaret! — Sua voz soou pelo barco, chamando a atenção de todos que estavam por perto. — Margaret!
Um ponto vermelho surgiu na praia.
O coração de Val se encheu de lágrimas.
Margaret acenou.
— Estou aqui!
Brenson apontou para ela enquanto os homens se moviam para desalojar um jet ski.
Val piscou duas vezes e ouviu um tiro.
Todos congelaram e se abaixaram. Quando Val olhou novamente, Margaret estava segurando uma arma e apontando para as rochas na enseada.

Alonzo estava ali, apontando sua arma, então uma série de disparos o fez cair lá de cima.

Val não podia saber se ele havia saltado ou se foi ferido e caiu. Ele se sacudia na água, e um barco da guarda costeira começou a persegui-lo.

Morto, vivo, não importava. O que importava era que Margaret estava sã e salva.

Ele subiu em um jet ski, alcançou a praia e correu até ela. Meg o abraçou e a arma em sua mão caiu.

— Ah, *bella*. Achei que tinha perdido você. Graças a Deus! — Val acariciou seus cabelos e a ouviu chorar em seu peito. — Não chore, *cara*, estou aqui com você.

— Péssima mira.

Ele se aproximou para ver o rosto dela, ferido e inchado.

— O quê?

— Péssima mira. O Alonzo tem uma péssima mira. — Ela sorriu e estremeceu. A tensão no corpo de Val se esvaiu, e seus joelhos ficaram trêmulos. Margaret se manteve firme.

— *Ti amo, cara*. Achei que tinha perdido você. — Ele beijou sua testa, a única parte do rosto que não parecia doer.

Novas lágrimas se formaram nos olhos de Margaret.

— E a Gabi?

Ele tocou seu rosto com a palma da mão.

— No hospital. Viva.

Foi a vez de Margaret se apoiar nele.

— Vamos dar o fora daqui — ele falou.

Quando Margaret deu alguns passos, ele notou o corte na perna dela. Sem dizer nada, Val a pegou no colo e a carregou.

Margaret permitiu.

~ 30 ~

MEG SE SENTOU NA CABECEIRA de Gabi durante a semana toda em que ela ficou na UTI, atormentando cada enfermeira e médico que cuidavam da amiga.

A sra. Masini levava comida diariamente e ficava quando podia. Ver a filha machucada daquele jeito a assustara. Parecia que todos se culpavam pela farsa de Alonzo.

Para Val era mais difícil. Ele não conseguia parar de se desculpar com a irmã, embora esta lhe dissesse que a culpa não era dele. À noite, quando Meg voltava para o quarto do hotel, que se tornou sua casa por duas semanas, muitas vezes encontrava Val em sua cama, esperando por ela.

No dia anterior à alta, Gabi se sentou em uma cadeira com vista para Miami. Seu silêncio contrastava com sua personalidade anterior. Os terapeutas disseram que levaria algum tempo para ela voltar a confiar e seu coração se curar.

Meg forçou um sorriso quando entrou no quarto e fechou a porta. A bandeja de comida intocada estava de lado. Gabi havia perdido quase cinco quilos e ainda não os recuperara.

Ela sobreviveu a Alonzo, mas se tornou uma concha vazia.

Meg colocou uma mochila na cama e focou em soar positiva.

— Parece que você vai para casa amanhã.

Gabi desviou o olhar da janela para as mãos apoiadas no colo.

— É o que o médico disse.

— Eu trouxe uma mochila para te ajudar a arrumar as coisas.

— Obrigada — ela murmurou.

Meg puxou uma cadeira mais para perto e baixou a voz.

— Como está se sentindo hoje?

Demorou um minuto para Gabi responder.

— Velha. — Seus olhos se encontraram. O olhar de Gabi exibia uma dor tão profunda que o coração de Meg pareceu se despedaçar. — Eu me sinto velha, Meg.

Nas duas semanas de tratamento para Gabi se desintoxicar da breve dependência, ninguém havia realmente discutido o que acontecera. Os documentos chegaram à ilha, confirmando que Alonzo se casara com Gabi enquanto estavam em alto-mar. Quando Val e Meg perguntavam aos médicos sobre sua condição física, eles diziam que ela estava estável ou que havia melhorado, mas não forneciam nenhum outro detalhe. Quando questionados, eles disseram que Gabi não queria que sua condição fosse anunciada à família. Em um esforço para dar a privacidade de que ela obviamente precisava, Meg não perguntou e Gabi não comentou nada a respeito.

— Eu não posso voltar para a ilha — ela disse, sem hesitar.

Meg se sentiu confusa. Se ela não voltasse para a ilha, para a sua família...

— Não posso lidar com todo mundo me olhando, imaginando... fazendo perguntas.

— Seria um saco.

Aquilo era um sorriso nos lábios de Gabi? Bom Deus, Meg esperava que sim.

— Para onde você quer ir?

— Para algum lugar onde eu possa recomeçar. — Ela ficou de pé, a camisola envolvendo seu corpo magro. — Para algum lugar onde eu possa tirar a imagem dele da cabeça. Onde eu possa aprender a me respeitar de novo.

Meg queria desesperadamente dizer a Gabi que ela não precisava provar nada a ninguém. No entanto, aparentemente, ela precisava provar algo, nem que fosse para si mesma.

— Um lugar onde você possa assumir o controle da sua vida novamente.

Gabi assentiu.

— Sim.

Meg pensou nas mulheres fortes que faziam parte de sua vida. Sam havia erguido seu negócio das cinzas de sua família despedaçada. Eliza perdera os pais quando era jovem e sobrevivera. Cada uma delas havia se deparado com uma encruzilhada na vida e superado as adversidades.

— Venha comigo.

Gabi piscou.

— Para a Califórnia. Vamos ver com a Sam a possibilidade de um emprego. Sempre precisamos de ajuda na Alliance.

Um pouco da dor nos olhos de Gabi desapareceu.

— Um emprego?

— Uma ocupação. Ganhar o próprio sustento vai te ajudar a se empoderar. Você vai ficar tão ocupada que não vai ter tempo de ficar olhando pela janela e se lamentando.

— A assistente social disse que eu precisava enfrentar tudo o que aconteceu para conseguir superar.

Meg assentiu.

— E você vai fazer isso. Mas primeiro precisa tomar as rédeas da situação.

— Um emprego.

Meg levantou e pegou a mão da amiga.

— Uma vida nova.

Gabi apertou a mão de Meg.

Então sorriu.

Naquela noite, Meg fez as malas e descobriu que era a vez dela de olhar pela janela daquele arranha-céu e refletir sobre a vida.

Em que sua vida se transformara? Ela havia passado mais de um mês envolvida com Val e a família dele. Sequestro, drogas, contrabando de vinho. Tudo tinha mudado e, além do óbvio, Meg não sabia explicar exatamente por quê.

Observar o brilho voltar lentamente aos olhos de Gabi fez Meg lembrar que a vida devia ser vivida. Toda a situação com Alonzo, Stephan e as drogas poderia ter tido um fim trágico. Como previsto, a Divisão de Combate às Drogas pegou o restante da heroína na adega de Val. Mais dois funcionários foram detidos e acusados de envolvimento no crime. Stephan passaria um bom tempo na prisão e, se conseguisse sair, provavelmente seria alvo do traficante de drogas mexicano que ainda estava à solta.

Além disso, havia Alonzo. Ele estava inconsciente, quase morto, quando a guarda costeira o tirou da água. Meg sentiu certa satisfação em saber que

Val dera um soco nas feridas do homem, fazendo-o sentir um pouco mais de dor. Ele havia passado por uma cirurgia, mas a quantidade de buracos feitos por Rick, Neil e pelo menos dois outros homens a bordo de um dos barcos da guarda costeira era simplesmente demais para o idiota aguentar. Ele ainda se agarrava à vida, com pouca chance de respirar sem a ajuda de aparelhos.

Meg não desejava a morte de ninguém, mas não lamentava nem um pouco pela vida de Alonzo.

Ele havia acabado com a vida de Gabi, e levaria muito tempo para ela voltar a ser a mulher feliz e sorridente de antes.

A porta do quarto se abriu e Val entrou. O paletó estava no braço, a gravata solta no pescoço. Ele vinha passando várias horas do dia recontratando funcionários, reconstruindo o sistema de segurança e dando apoio à irmã, à mãe e a Meg.

— Oi — ela murmurou.

— Oi. — Val deixou o paletó sobre a cama e atravessou o quarto. Em seguida a puxou para seus braços, como se ela fosse a coisa mais preciosa do mundo. Esse gesto se repetia muitas vezes.

— E-eu fiz as malas.

— Não quero pensar em você indo embora.

— O meu voo é ao meio-dia. — Sua garganta parecia sufocada. Ela não era uma tola sentimental, então por que estava prestes a chorar?

Ele se afastou e beijou sua testa.

— *Ti amo, bella*. Vamos dar um jeito nisso.

Um sorriso triste surgiu com suas palavras suaves. Ela nunca perguntou o que elas queriam dizer, só achava que eram carinhosas e, pelo tom, sentia isso.

— A Gabi vai comigo.

Val prendeu a respiração, em seguida suspirou e a puxou para a namoradeira.

— Será que é uma boa ideia? Não é melhor ela ficar com a mamãe?

Meg segurou sua mão e viu a dor em seus olhos.

— Ela precisa se curar, Val. Na ilha ela vai ficar se lembrando dele... de tudo. Com o tempo, talvez isso passe. Uma mudança de cenário, de pessoas. Ela precisa assumir o controle da própria vida e não ficar dependente de ninguém além dela mesma agora.

Val não pareceu convencido.

— Ela conseguiu sorrir hoje. Depois de tomar a decisão de se afastar. Ela vai ficar comigo. A Sam já ofereceu um emprego a ela. Acho que é a coisa certa a fazer.

— Eu queria argumentar, mas acho que você pode estar certa.

— Ela pode voltar, se eu não estiver — Meg falou.

Ele inclinou a cabeça, passou a mão na barba por fazer, que nunca parecia desaparecer completamente, já que ela havia dito que gostava de sua aparência assim. Ele realmente era um dos homens mais bonitos que ela já vira. Ficar sem vê-lo todos os dias seria horrível. Seu coração se partiu um pouco mais quando a hora de ir embora se aproximou.

— Droga, Val. Vou sentir sua falta. — Ela bateu com a mão em seu peito, brincando.

Ele a capturou e beijou seus dedos.

— Podemos estar separados por quilômetros, mas não aqui. — Ele apoiou as mãos juntas em seu peito.

— Eu não namoro à distância. — Ela secou as lágrimas que se formaram em seus olhos. A droga do rímel a faria parecer um zumbi.

Val riu.

— Você também não dorme junto.

Ela revirou os olhos. Sua cama não estivera vazia desde a viagem para a Itália.

— Vem aqui — ele disse, os lábios afugentando as lágrimas de Meg.

Ele a provou lentamente, gravando nela a lembrança de seu beijo. Meg se abriu para ele, familiarizada com a dança de línguas, e gemeu até ele roubar sua respiração.

O arranhar suave da barba deixou um caminho de desejo por seu queixo e pescoço. Após apenas algumas semanas, ele já conhecia seu corpo melhor que ninguém. O ponto atrás da orelha, a clavícula, o toque dos dedos sobre os seios logo antes de sugar um dos mamilos.

Ele fez amor com ela lentamente, atraindo-a para a cama, deitando-a e começando tudo de novo. Da cabeça aos pés, pelo corpo inteiro. Quando ele se moveu para dentro dela, levando-os para onde o desejo encontrava as estrelas, Meg percebeu uma coisa: ela o amava.

Desesperadamente.

Completamente.

Declarar-se tornaria a partida ainda mais difícil. Em vez disso, sentiu as lágrimas se formarem novamente, ouviu Val dizer coisas bonitas em um idioma que ela não entendia e fez amor com ele até as primeiras horas da manhã.

Eles ficaram calados na manhã seguinte, fizeram amor no banho uma última vez, se vestiram e foram ao hospital para buscar Gabi e se despedir.

Val segurou sua mão, continuando a dizer que eles dariam um jeito.

Meg não via como. A vida dele era na Flórida, e a dela estava do outro lado do país.

~~~

Gabi acordou antes do sol. A enfermeira fez a ronda e removeu todas as agulhas e medicamentos de seu quarto.

Ela tomou banho, se vestiu e esperou a última visita do médico. Ainda sentia dor. Duas semanas, e seu corpo parecia ter envelhecido dez anos.

Alonzo a drogara. As pílulas que ele dizia que eram aspirinas eram fortes opiáceos que a deixavam com dor de cabeça. O álcool que ele lhe dava fazia tudo piorar. Mas então a dor melhorou. Ela se lembrou de seu casamento... como Alonzo tinha armado a coisa toda. Ela estava drogada, mas ainda assim não podia dizer que não sabia o que estava fazendo. E essa era a maior traição de todas. Depois disso, era tudo um borrão. Na primeira vez em que a agulha a picou, a euforia foi instantânea. Ela pensou, muito brevemente, que algo não estava certo. Nada funcionava assim contra a dor. Nada que fosse legalmente permitido, em todo caso. Ele a levou para o alto-mar por uma semana. Ela só se lembrava de dois dias.

Quando chegou ao hospital, tudo o que fez foi implorar por mais drogas. A equipe médica teve de contê-la e dar doses gradativamente mais fracas até desintoxicá-la. Ela estava humilhada e machucada.

Gabi afastou os pensamentos e percebeu que não estava sozinha no quarto.

— Dr. Hoyt. Desculpe... — Ela acenou a mão no ar.

— Você estava distraída. Está tudo bem, Gabi. Queria te examinar antes de você ir embora.

Eles conversaram sobre como ela estava se sentindo, sobre a vontade de usar as drogas em que tinha sido forçada a se viciar. Ela contou sobre a mudança para a Califórnia, e ele lhe ofereceu uma lista de médicos para acompanhá-la enquanto estivesse por lá.

O dr. Hoyt olhou para o chão, ou talvez para os sapatos, mas parou de encará-la e limpou a garganta.

— E-eu, hum... Sei que você passou pelo inferno, mas preciso da sua permissão para uma coisa.

Médicos raramente gaguejavam, e o dr. Hoyt, que devia ter por volta de setenta anos, parecia experiente o bastante para falar sem gaguejar.

— Minha permissão?

— É sobre o seu marido.

Ela estremeceu.

— Não o chame assim.

— Desculpe. É sobre o sr. Picano.

A imagem dele sorrindo enquanto a agulha entrava...

— O que tem ele?

— Ele teve morte cerebral. Os aparelhos estão mantendo seus órgãos vitais em funcionamento, mas sem isso ele vai morrer.

Ótimo. O mundo seria um lugar melhor sem ele.

— O que você quer de mim?

— Permissão para desligar os aparelhos. A família dele na Itália se recusa a falar conosco. Podemos conseguir uma ordem judicial, mas seria melhor se você nos permitisse remover os aparelhos.

Você precisa lidar com isso para superar, Gabriella, as palavras da terapeuta soaram em sua cabeça.

Um encerramento...

Reunindo coragem, Gabi se levantou.

— Me leve até ele.

Os olhos do médico se arregalaram.

— Não acho uma boa ideia.

— Você quer que eu desligue os aparelhos, certo?

— Basicamente isso.

— Então me leve até ele.

Pela postura do dr. Hoyt, estava claro que ele não tinha certeza do que fazer. Gabriella seguiu ao lado do médico e entrou no elevador, voltando para a UTI onde ela mesma havia se recuperado na primeira semana no hospital. Ela estava muito desorientada na ocasião para perceber que Alonzo estava praticamente a seu lado, sendo cuidado pela mesma equipe que cuidava dela.

O cretino não merecia isso.

Um silêncio tomou a equipe quando a viram entrar na unidade. Outro médico estava atrás do balcão de enfermagem e se moveu rapidamente para segui-los para o quarto privado, cercado por janelas.

Ela se preparou, não sabia o que esperar quando levantou os olhos para o homem que quase a havia matado.

Ele estava ligado a mais máquinas do que ela pensava que existia.

O rosto dele estava inchado, quase irreconhecível. A pele pálida estava banhada de suor. O cheiro do quarto era um misto de morte e poderosos antissépticos hospitalares.

Ela se aproximou, notando a equipe que se reunia atrás dela para observar.

Qualquer conexão com aquele homem que um dia ela desejara como marido e pai de seus filhos havia desaparecido. Como era possível? Gabi pensava que havia sido amor à primeira vista. O sentimento nunca fora mútuo, agora ela sabia disso... mas tinha sido real para ela.

Ou talvez isso também tivesse sido uma ilusão.

Ele merecia aquele fim. Viver em estado vegetativo, nem vivo, nem morto.

A parte vingativa dentro dela queria que ele soubesse, mesmo que por pouco tempo, em que estado ele se encontrava agora.

— Ele pode me ouvir?

Uma enfermeira respondeu:

— Dizem que a audição é a última coisa a ir embora.

Ela se aproximou, se inclinou sobre a cama e sentiu a pele formigar. Ele não podia machucá-la agora, mas ainda assim ela estremeceu.

— Pode me ouvir, Alonzo?

Nada.

— Que Deus tenha misericórdia da sua alma. — Ela fez uma pausa e disse o que realmente sentia. — Porque, se fosse por mim, você arderia no inferno.

Ela se virou, pegou o papel que a enfermeira lhe entregara e assinou.

— Pode desligar, doutor.

As palavras deixaram seus lábios e alguém atrás dela desligou os aparelhos.

O quarto ficou em silêncio e Gabi se afastou.

Alonzo morreu vinte minutos depois.

31

GABI PARECIA TER UM DOM... uma vez que lembrou onde havia escondido seu sorriso.

Quem poderia imaginar que uma mulher que tinha sido tão mimada e protegida a vida inteira assumiria um emprego de período integral com tanta facilidade?

Meg sabia que ela se esforçava para afastar as lembranças, e parecia que estava funcionando. Observar sua nova amiga voltar a viver era um processo lento, às vezes agonizante.

As primeiras semanas juntas na casa de Tarzana foram repletas de telefonemas diários de Val e da sra. Masini. Se Meg não estivesse lá para conversar com Val, ele mandava uma mensagem, lembrando que estava pensando nela.

Ele se ofereceu para pegar um voo e visitá-las, mas Meg continuou recusando.

— A Gabi precisa de um tempo. Ela vai te avisar quando quiser que você venha.

— Quero te ver.

— Eu não namoro à distância — ela o lembrou, sem sentir de verdade as palavras que deixavam sua boca.

— É por isso que você enviou três mensagens ontem, uma delas com uma foto do Michael e do Ryder tomando vinho?

— Só achei que você ia gostar de saber que as coisas estão dando certo — ela se defendeu. Ryder tinha ido morar com Michael, embora só como "amigos". Meg nunca tinha visto Michael tão feliz.

— Você quer compartilhar os seus dias comigo, *cara*. Eu conheço esse sentimento. Aliás, o Jim está mandando um beijo.

Meg sorriu.
— Ele me ofereceu casamento de novo?
Val resmungou. *Ele é tão óbvio.*
— Ofereceu, não foi?
— Você já tem dono.
— Tenho, é?
— Sim.

Ela queria vê-lo, desesperadamente. Mas tinha medo de que ir embora de novo fosse impossível. A vida dela estava na Califórnia, ela continuava dizendo a si mesma. A dele, não.

Meg ouviu Carol falando em segundo plano antes que Val dissesse:
— Problemas na cozinha, tenho que ir.
— Tudo bem. Tem algumas coisas do chá de bebê da Eliza que preciso resolver também.
— *Ti amo, bella.* Pense em mim quando fechar os olhos à noite.

Que atrevido, agora ela só pensaria nele... em seus lábios... seu toque...
— Boa noite, Val.

Ter uma casa sem que pés minúsculos corressem de um lado para o outro tornava mais fácil decorar e preparar o chá de bebê. Sam e Eliza insistiram em fazer a festinha na casa de Tarzana. Meg e Gabi prepararam uma panela enorme de massa caseira, e o molho já estava fervendo no fogão muito antes da chegada do primeiro convidado.

Balões azuis e cor-de-rosa ocupavam os cantos da sala, e flores, docinhos e bolinhos estavam sobre as mesas. Ponche com e sem álcool estavam em duas tigelas de cristal. Era inocente, doce e perfeito para uma futura mamãe. A lista de convidadas era limitada a amigas e familiares próximas. Não que Eliza tivesse alguma além da sogra, Abigail, que chegou com ela e com Sam. Em seguida, Karen e Judy entraram com Gwen. A pequena casa de Tarzana já estava transbordando com menos de uma dúzia de convidadas. Todas falavam e riam ao mesmo tempo, fazendo um belo show ao alisar a barriga de Eliza. Inclusive Gabi.

As duas mais propensas a entrar no mundo da maternidade eram Judy e Karen, que faziam o seu melhor para evitar as perguntas sobre o assunto. Meg sabia que Judy ainda não estava pensando nisso, mas Karen parecia observar o ventre de Eliza com ar sonhador.

— Como estão as coisas na Califórnia, Gabi? — Gwen perguntou.

— Secas. Mas eu gosto.

— A costa Leste é muito úmida — Eliza concordou.

— Mas repleta de natureza — Meg respondeu. Para não falar que era onde Val morava. O que ele estaria fazendo naquele momento?

— Humm...

— O quê? — Meg perguntou a Judy.

— Nada — ela respondeu.

Meg balançou a cabeça e olhou para Gabi. Só que ela estava olhando Karen acariciar a barriga de Eliza quando o bebê chutou. Gabi ansiava por filhos? Pensara em engravidar de Alonzo? Ele também havia destruído esse sonho?

Meg segurou o braço dela.

— Vamos ver se eu ferrei com a receita da sua mãe.

A distração funcionou. Quando elas colocaram a comida na mesa, Gabi estava sorrindo novamente.

Todas comeram, fizeram brincadeiras bobas e se juntaram para ver Eliza abrir dezenas de presentes para o bebê.

Meg observou com interesse, mas sua cabeça e seu coração não estavam ali. Fazia mais de um mês que ela e Val não se viam. Ficar longe dele não estava funcionando. Talvez ela devesse dizer a ele para vir. Ou talvez devesse pegar um avião. Ela estava sentada em uma sala cheia de mulheres felizes, a maioria casada com homens carinhosos e incríveis... e Meg desejava se juntar ao time.

— Terra chamando Meg — Judy disse, acenando diante de seus olhos.

A sala ficou em silêncio e todas olharam para ela.

— Onde você está? — Sam perguntou com um sorriso.

Os olhos dela começaram a se encher de lágrimas.

— E-eu acho que na Flórida.

Gabi se aproximou e segurou sua mão.

— Então por que você está aqui?

Ela abriu um sorriso triste.

— Por você... pela Alliance... É aqui que eu moro.

— Mas o seu coração está em outro lugar. — Sam era tão esperta quanto linda.

— Estou tentando parar de pensar nele. Relacionamentos a distância não funcionam.

Sam riu.

— O Blake está na Europa. Ele vai ficar fora por duas semanas.

— Você é casada, é diferente.

O ar na sala ficou pesado, e a atenção se voltou de Eliza para Meg.

— Você não vai saber se o Val é um cara para casar se não passarem mais tempo juntos — Judy falou.

Só que Meg sabia que ele era o cara perfeito para casar. Ela o amava, mas tinha medo de dizer a ele. Infelizmente, ela estava no grupo de mulheres que queriam ouvir essas palavras primeiro. Talvez então ela acreditasse que eles poderiam ter um relacionamento a distância... ou fazer um arranjo diferente.

Gabi apertou sua mão.

— Desde que nos conhecemos, você me deu muitos conselhos que eu precisava ouvir, então vou lhe dar um também. O meu irmão te ama.

Meg escarneceu.

— E você também o ama.

Ela bufou, tentando negar. As mulheres na sala balançaram a cabeça e reviraram os olhos.

— Nada mais importa — disse Gabi.

— Você importa. O meu trabalho importa.

O sorriso triste de Gabi a fez parar.

— Eu estou bem, Meg. Agradeço sua disposição de me ajudar, mas como você acha que eu me sentiria sabendo que destruí sua chance de viver o amor?

Ah, Deus... Ela estava certa.

— Quanto ao trabalho, a Eliza conseguiu captar clientes e ajudou a gerenciar a empresa morando em Sacramento. A Gwen continua buscando clientes quando estamos na Europa e nos eventos sociais — Sam observou.

Karen tomou um gole de seu ponche com álcool.

— Eu fiz contatos por telefone e ajudei com os clientes durante o tempo todo que você esteve na Flórida.

— A questão — Sam falou — é que a Alliance pode ter a sede aqui, mas estamos em todos os lugares. Um segundo escritório em Keys me parece ótimo. Eu adoro aquela parte do país.

Judy cutucou o braço de Meg.

— Então, você tem outra desculpa, ou posso começar a ligar para as companhias aéreas?

Os dedos dela formigaram, e seu coração bateu algumas vezes no peito.

— E-eu preciso fazer as malas.

Gwen se recostou e cruzou as pernas como se tivesse acabado de assinar um acordo de milhões de dólares.

— Na verdade, não. Só lingerie, talvez.

— E camisinha... a menos que você queira isso. — Eliza deu um tapinha na barriga.

Meg se levantou, cercada de dúvidas.

— E se for um erro?

— E se não for? Você nunca vai saber se não tentar. Desde quando você é covarde? — O tom desafiador de Judy fez Meg se mexer.

Vinte minutos depois, o motorista de Eliza jogava a mala na parte de trás da limusine, e Meg se despedia das amigas com um forte abraço.

※

Gabi viu Meg ir embora e foi a última a voltar para dentro da casa. Suas novas amigas se reuniram para comer bolo e ajudar Eliza a arrumar os presentes. Elas se divertiram, compartilharam histórias e aconselharam Gabi acerca do bairro. O mais importante era que, nas últimas horas, ela não havia pensado em Alonzo nem uma vez.

Estavam arrumando a cozinha quando uma batida soou na porta da frente. Gabi ouviu a porta se abrir e alguém falar:

— Ah, meu Deus.

— Desculpe interromper.

Gabi largou o copo ensaboado e pegou um pano de prato. Virou no corredor e sorriu.

— Val!

Ela abraçou o irmão, os movimentos dificultados pelo buquê de rosas que ele segurava.

— Você está linda, *tesoro*. — Ele beijou suas bochechas.

— O que você está fazendo aqui? — Como se ela não soubesse.

Ele olhou por cima da cabeça da irmã e franziu a testa.

— Procurando a Margaret.

Judy começou a rir primeiro, depois o som se espalhou até a sala se encher de gargalhadas.

— Parem! — Eliza riu. — Desse jeito vou fazer xixi na calça.

Elas riram ainda mais.

Sam olhou pela janela da frente.

— Aquele táxi era o seu?

— Sim.

— Acho melhor pedir para ele esperar — Gwen disse.

Judy abriu caminho entre as pessoas que estavam na frente da porta e foi lá fora falar com o taxista.

— O que está acontecendo? Cadê a Margaret?

— A caminho da Flórida, na verdade — Sam respondeu.

— O quê?

Gabi olhou para o relógio na parede.

— O voo dela sai em uma hora. Você pode chegar a tempo, se for agora.

Judy entrou novamente e deu um tapinha nas costas de Val.

— Sabe, Romeu, você devia tentar ligar antes de pegar um voo. Isso está se tornando um hábito.

Val bateu as flores na perna e se virou para sair.

— Foi um prazer conhecer todas vocês.

Quando a porta se fechou, Sam perguntou:

— Aquele é o seu irmão?

— Sim.

Eliza ergueu a sobrancelha.

— Manda ver, Meg!

O voo havia sofrido um atraso de última hora. Ainda assim, Meg não conseguia parar de sorrir. Provavelmente ela parecia estar drogada, mas não podia evitar. Pegou o celular e pensou em ligar para Val para avisar que estava indo.

Sua tela piscou com uma mensagem que ela não tinha visto:

> Não entre no avião.

Era de Val.

— Embarque para o voo um-cinco-seis-oito para Miami — os alto-falantes do aeroporto soaram.

Meg olhou para a multidão que entrava na fila segurando o cartão de embarque.

Suas mãos tremiam.

> Como você sabe que estou no aeroporto?

> A Gabi me disse.

Ela engoliu em seco, com força.

> Você não quer que eu vá?

O coração dela começou a desmoronar

> Não, bella. Quero que você saia do terminal para eu poder te abraçar.

Ela ficou de pé e deixou cair a bolsa, derrubando tudo que tinha dentro.

> Você está aqui?

> Sim.

Meg se abaixou para pegar a bolsa, enfiou o cartão de embarque no bolso e correu pelo aeroporto.

Ele estava de terno, é claro, o paletó amarrotado, a gravata solta no pescoço. O cabelo bagunçado por passar os dedos nele. A barba por fazer a deixou salivando, e as flores em sua mão a fizeram suspirar.

Os olhos dele a encontraram, e ela diminuiu o ritmo enquanto se aproximava. Não houve palavras, apenas um abraço faminto e um beijo indecente que durou tempo demais para um aeroporto movimentado.

Quando ele a soltou, ela perguntou:

— O que você está fazendo aqui, Masini?

— Vim te buscar, *mi amore*.

— Quase nos desencontramos de novo.

Ele mordiscou seu lábio e a beijou novamente, como se não conseguisse se afastar.

— Eu morri de saudade — ele disse, entre beijos.

— Eu também, caramba.

Val abriu um largo sorriso e empurrou as flores que segurava.

— Para você. — Estavam amassadas, um pouco murchas, mas eram as flores mais preciosas que ela já tinha visto. *Você é uma tola sentimental, Meg!*

— Obrigada.

Ele ergueu o dedo, depois deu um tapinha no bolso do paletó.

— Tenho outra coisa para você.

O sorriso no rosto dela congelou quando ele tirou uma caixinha do bolso e ficou de joelhos.

Seu coração bateu forte no peito, e seus pulmões se apertaram.

Respire!

Meg percebeu vagamente que as pessoas em volta pararam de se mexer e começaram a olhar. Isso realmente estava acontecendo?

Val a encarou.

— Eu te conheci numa segunda, você me encantou na quarta e me seduziu no domingo. Você roubou o meu coração, Margaret. Por isso, eu também quero roubar o seu. Mas sei que não posso pegar nada à força, então vou pedir. *Ti amo, bella*. — Ele fez uma pausa. — Sabe o que isso significa?

Ela balançou a cabeça.

— Significa "eu te amo".

Ti amo... Uma frase que soava bonita, mas que antes tinha pouco significado, agora dizia tanta coisa.

Grandes lágrimas de felicidade rolaram de seus olhos.

— Case comigo, *cara*. Me dê o seu coração. — Ele abriu a caixa, que revelou um anel de noivado vintage. O diamante redondo era rodeado de um conjunto de pedras menores.

Ela desviou o olhar da caixa para os olhos de Val. Ele prendeu a respiração, em expectativa.

Meg deixou a bolsa cair, ouviu barulho de moedas no chão do aeroporto e estendeu a mão direita.

Val sorriu e pegou o anel.

Ela fechou a mão no último segundo, fazendo-o olhar para ela.

— Já vou avisando, Masini. Não importa o que aconteça, este anel não vai sair daí.

Ele jogou a caixinha preta sobre o ombro e deslizou a aliança em seu dedo. Meg ficou de joelhos e olhou para o seu futuro.

— Eu te amo.

O som de palmas não a impediu de beijá-lo incessantemente.

Epílogo

O VESTIDO SIMPLES DE SEDA para um casamento na ilha era perfeito para o morno dia de inverno. O Sapore di Amore estava cheio de familiares e amigos.

Os pais de Meg voaram no dia anterior e ficaram muito felizes em receber o genro na família. No entanto, nas palavras de sua mãe: "Vocês não precisam se casar para ser comprometidos".

Foi então que Meg soube que seus pais, um casal hippie reminiscente dos anos 60, aparentemente nunca haviam legalizado a união no papel. Era loucura como casamentos e funerais sempre trazem à tona segredos familiares. Mas não importava. Seus pais se adoravam.

Val e Meg trocaram os votos com vista para o Caribe, com Judy ao lado dela e Lou ao lado dele.

Um juiz de paz realizou a cerimônia, porque quem mais poderia manter todos os familiares felizes? Quando ele os declarou marido e mulher, Meg ouviu sua avó dizer "Mazel tov", e a sra. Masini, "Amém". Quando Val a beijou, ela rezou sua própria oração.

De mãos dadas, Val a levou para o salão, onde a festa rolava a pleno vapor. O primeiro a interceptá-los foi Jim. Ele a afastou do marido e suspirou.

— Acho que isso significa que preciso procurar uma nova mulher — provocou.

Meg mostrou a aliança e sorriu.

— Acho que sim. Já estou comprometida.

Então Jim lascou um beijo em seus lábios.

— Ei! — Val protestou ao lado.

— Só estou beijando a noiva, Val. — Jim piscou e se afastou, à procura da esposa número seis.

Meg impediu Val de ir atrás dele.

— Você não tem nada com que se preocupar, Masini.

Ele pegou duas taças de champanhe da bandeja que um garçom servia e foi até o microfone, puxando-a para o seu lado. Em seguida bateu uma colher na lateral da taça, capturando a atenção dos convidados.

— Obrigado pela presença de todos.

Alguns convidados murmuraram, levantaram as taças no ar e beberam.

— Eu sempre ouvi dizer que é o homem que escolhe a esposa, mas vocês que conhecem a Margaret sabem que foi ela quem me escolheu.

Um suspiro coletivo soou pela multidão.

— Eu construí o Sapore di Amore sem saber exatamente por quê. Nos últimos meses, descobri. Eu construí este lugar para a minha família, sim, mas também para *você*. — Val olhou nos olhos de Meg e baixou a voz. — No pouco tempo que ficamos separados, eu soube que tudo isso não significa nada sem você aqui. — Ele beijou a ponta de seus dedos. — Obrigado por ter dito "sim", *bella*.

— Obrigada por ter feito o pedido.

Val levantou a taça, em um brinde.

— A minha linda esposa, Margaret Masini.

Ela tomou um gole da bebida e grudou os lábios nos dele.

Quando os brindes continuaram, ela se afastou e sussurrou:

— Acho que você pode me chamar de Meg agora.

Agradecimentos

Milhares de mortes relacionadas à asma ocorrem todos os anos, e poderiam ser evitadas. Como presenciei alguns desses momentos trágicos com meus próprios olhos, quis criar uma heroína que sofresse da doença. Apesar de Meg ser uma personagem de ficção, a falta de cuidados em relação a essa doença não é. Muitos ignoram os sintomas até que seja tarde demais. Se você tem asma, não desconsidere os sinais. Avanços na medicina acontecem todos os dias. Fique alerta com a sua medicação e consulte sempre o seu médico.

Gostaria de agradecer profundamente a algumas pessoas.

A Sandra, também conhecida como Angel Martinez, minha incrível parceira de crítica. Você acompanhou a história de Michael se arrastar por muitos volumes, mas, como pode ver, ele conseguiu encontrar o seu final feliz. Saiba que você inspira todos os meus Michaels. Obrigada por me incentivar.

A Jane Dystel, por sempre me apoiar.

Mais uma vez, a Kelli Martin, por ficar tão entusiasmada quanto eu com mais este volume da série.

A JoVon Sotak, também conhecido como "criador de sinopses" dos meus livros. Acreditar que posso oferecer algo que os leitores vão querer ler é uma coisa incrível.

À equipe da Montlake, por tudo o que vocês fazem para ajudar meu trabalho a fluir. Obrigada a todos.

Agora, voltando à Meg... Quando eu disse que queria criar uma personagem de cabelos loiros e curtos e um jeito atrevido de falar, pedi que você encontrasse um nome. Quando não conseguiu, eu usei o seu. E por que não? Você canta como um anjo, xinga como um marinheiro e é casada com um italiano. Se tivesse uma avó judia e morasse em uma ilha particular em Keys...

Te amo, querida.

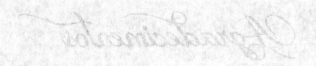

À Janet Lynch, por sempre me apoiar.

CONFIRA OS OUTROS VOLUMES DA SÉRIE NOIVAS DA SEMANA:

Casada até quarta - livro 1
Esposa até segunda - livro 2
Noiva até sexta - livro 3
Solteira até sábado - livro 4
Conquistada até terça - livro 5

Impresso no Brasil pelo Sistema Cameron da Divisão Gráfica da
DISTRIBUIDORA RECORD DE SERVIÇOS DE IMPRENSA S.A.
Miolo em papel off-set 56 g/m².